D0494650

À Marie

Ouvrage publié originellement par The Bodley Head,
un département de Random House Children's Books
sous le titre *The Spook's Battle*
Texte © 2007, Joseph Delaney
Illustrations © 2007, David Frankland
Illustration de couverture © 2007, David Wyatt

Pour la traduction française
© 2011, Bayard Éditions
© 2008, Bayard Éditions Jeunesse,
18, rue Barbès, 92128 Montrouge Cedex
ISBN : 978-2-7470-2573-7
Dépôt légal : mars 2008
Quatrième édition

Loi 49-956 du 16 juillet 1949 sur les publications destinées à la jeunesse
Reproduction, même partielle, interdite

LE COMBAT DE L'ÉPOUVANTEUR

Traduit de l'anglais par Marie-Hélène Delval

JOSEPH DELANEY

bayard jeunesse

Le point le plus élevé du Comté
est marqué par un mystère.
On dit qu'un homme a trouvé la mort à cet endroit,
au cours d'une violente tempête,
alors qu'il tentait d'entraver une créature maléfique
menaçant la Terre entière.
Vint alors un nouvel âge de glace.
Quand il s'acheva, tout avait changé,
même la forme des collines
et le nom des villes dans les vallées.
À présent, sur ce plus haut sommet des collines,
il ne reste aucune trace de ce qui y fut accompli,
il y a si longtemps.
Mais on en garde la mémoire.
On l'appelle *la pierre des Ward.*

1

Un visiteur de Pendle

La sorcière était à mes trousses et, à chaque seconde, elle gagnait du terrain.

Je courais à perdre haleine, sous l'obscurité des arbres, cherchant désespérément à lui échapper. Les branches me fouettaient le visage, les ronces me déchiraient les jambes. La poitrine en feu, je forçai encore l'allure, dans l'espoir de sortir du bois. À partir de là, je n'aurais plus qu'à dévaler la pente menant au jardin de l'Épouvanteur, celui situé à l'ouest. Si j'atteignais ce refuge à temps, j'étais sauvé.

Je n'étais pas tout à fait sans défense. Je tenais dans ma main droite mon bâton en sorbier, particulièrement efficace contre les sorcières ; dans la gauche, je serrais ma chaîne d'argent, enroulée autour de mon poignet. Mais aurais-je une chance de m'en servir ? Pour cela, il me fallait suffisamment de recul, et la sorcière était sur mes talons.

Soudain, je n'entendis plus ses pas derrière moi. Avait-elle abandonné ? Je continuai ma course. La lumière de la lune décroissante traversait le feuillage, formant sur le sol des flaques pâles. Le bois s'éclaircissait ; j'arrivais presque à la lisière.

Au moment où je dépassais le dernier arbre, elle surgit de nulle part, sur ma gauche. Je vis ses dents luire au clair de lune ; ses doigts tendus semblaient prêts à m'arracher les yeux. Sans ralentir, j'appuyai sur la droite. Puis, d'un geste vif du poignet, je lançai ma chaîne, qui fila dans un éclair argenté. Une brève seconde, je crus que j'allais l'avoir. Mais la maligne fit un écart, et la chaîne tomba dans l'herbe sans même l'avoir touchée. L'instant d'après, la sorcière m'arrachait mon bâton. Elle me repoussa si rudement que je m'effondrai à plat dos. Le choc me coupa la respiration.

Elle se jeta sur moi, m'écrasa sous son poids. J'avais beau me débattre, elle était la plus forte. Elle s'assit sur ma poitrine, maintenant mes bras contre le sol, et se pencha si près que nos visages se touchaient presque. Un flot de cheveux noirs me balaya les joues et me cacha le ciel étoilé. Son souffle m'emplit les narines, non pas vicié comme celui des sorcières qui utilisent la magie du sang ou celle des ossements, mais aussi parfumé qu'une fleur de printemps.

– Je t'ai eu, Tom ! s'écria Alice, triomphante. Tu ne t'es pas très bien défendu. Il faudra faire mieux, à Pendle !

Avec un éclat de rire, elle roula dans l'herbe, et je me redressai, aspirant de grosses goulées d'air. Il me fallut un moment pour trouver l'énergie de me relever, de ramasser mon bâton et ma chaîne d'argent. Quoique Alice vînt d'une famille de sorcières, elle était mon amie ; elle m'avait secouru plus d'une fois au cours de l'année écoulée. Cela faisait trois soirs d'affilée que je testais mes aptitudes à la survie, Alice jouant le rôle de la créature assoiffée de sang. J'aurais dû lui en être reconnaissant ; or, je me sentais déprimé : elle venait à nouveau d'avoir le dessus.

Je repris le chemin qui menait au jardin, Alice à mes côtés.

– Cesse de bouder, Tom, me dit-elle gentiment. C'est une belle et tiède nuit d'été. Profitons-en, tant qu'il en est encore temps ! Bientôt, nous serons en route, et nous souhaiterons l'un et l'autre n'être jamais partis d'ici.

Elle avait raison. J'allais avoir quatorze ans au début du mois d'août ; j'achevais ma première année d'apprentissage auprès de l'Épouvanteur. Si nous avions affronté ensemble bien des dangers, le pire se préparait. Mon maître entendait dire depuis plusieurs mois qu'à Pendle, les sorcières se montraient de plus en plus agressives. Il m'avait prévenu : nous devions nous y rendre pour tenter de régler cette affaire. Or, il y avait là-bas des douzaines de sorcières, comptant peut-être des centaines d'alliés. Le combat ne me paraissait pas gagné d'avance, d'autant que nous n'étions que trois : l'Épouvanteur, Alice et moi.

— Je ne boude pas, marmonnai-je.

— Oh, que si ! Tu tires une tête de six pieds de long.

Nous marchâmes en silence jusqu'à l'entrée du jardin, d'où l'on apercevait la maison de l'Épouvanteur entre les arbres.

— Il ne t'a pas dit quand on partirait ? reprit-elle.

— Non.

— Tu ne l'as pas interrogé ? On n'apprend rien, si on ne demande rien.

— Bien sûr que si ! Je lui ai posé la question. Il s'est contenté de se frotter le bout du nez en marmonnant qu'il me le dirait en temps voulu. J'ai l'impression qu'il attend quelque chose, je ne sais pas quoi.

— Eh bien, soupira Alice, j'espère qu'il va se décider. J'en ai assez d'attendre, j'ai les nerfs en pelote.

– Vraiment ? Moi, je ne suis pas pressé de partir, et j'ai du mal à croire que tu aies envie de retourner là-bas.

– Je n'en ai aucune envie. C'est un lieu maléfique et très étendu. Pendle comprend un district entier de villages et de hameaux, dominés par une colline sinistre. J'y ai de la famille, de sales individus dont j'aimerais mieux oublier l'existence. S'il le faut, je suis prête à les affronter. Mais, rien que d'y penser, ça m'empêche de dormir.

Quand nous entrâmes dans la cuisine, l'Épouvanteur écrivait dans son cahier à la lueur vacillante d'une chandelle. Il nous jeta un bref regard et se concentra de nouveau sur sa tâche. Nous tirâmes nos tabourets près de l'âtre. C'était l'été, il n'y brûlait qu'un maigre feu. Malgré tout, la danse des flammes était réconfortante.

Enfin, mon maître referma son cahier et leva les yeux :

– Qui a gagné ?

– Alice, avouai-je, la tête basse.

– Voilà trois soirs de suite que la fille te bat. Il va falloir que tu fasses mieux que ça, mon garçon. Beaucoup mieux. Demain matin, avant le petit déjeuner, tu me rejoindras dans le jardin ouest. Tu as encore besoin de t'exercer.

Je maugréai intérieurement. À cet endroit, un poteau en bois servait de cible. Si mon maître n'était pas satisfait de mes performances, il me garderait là un bon moment, et le petit déjeuner attendrait.

L'aube se levait à peine quand j'arrivai sur les lieux ; l'Épouvanteur s'y trouvait déjà.

– Eh bien, petit, me houspilla-t-il. Qu'est-ce qui t'a retardé ? C'est donc si long de te frotter les yeux pour te réveiller ?

Je n'étais pas remis de ma folle course de la veille. Je fis cependant un effort pour paraître frais et dispos. Puis, ma chaîne d'argent enroulée autour de mon poignet gauche, je me mis en position.

Mon moral s'améliora vite. Pour la centième fois, je projetai la chaîne d'un vif mouvement de poignet. Elle fila en sifflant, étincela dans les premiers rayons du soleil, et vint s'enrouler autour du poteau en une spirale parfaite.

Jusqu'à la semaine passée, mon meilleur score, à une distance de huit pieds, était une moyenne de neuf sur dix. J'étais enfin récompensé de mes longs mois d'entraînement : ce matin-là, je n'avais enregistré aucun échec.

Je réprimai mon sourire, mais les coins de ma bouche se relevaient tout seuls. Remarquant ma mine béate, l'Épouvanteur eut une mimique exaspérée.

– Ne te monte pas la tête, mon garçon, me rabroua-t-il.

Il me rejoignit, foulant l'herbe à grands pas :

– Pas de fatuité, s'il te plaît ! L'orgueil entraîne la chute, comme beaucoup l'ont appris à leurs dépens. Je te l'ai dit et répété, une sorcière ne restera pas immobile au moment où tu projetteras ta chaîne. D'après ce que la fille m'a conté de tes récents exploits, tu as encore des progrès à faire. Bien, essayons quelques lancers en mouvement !

Je passai l'heure suivante à viser le poteau sans cesser de courir : au petit trot, à toute vitesse, en avançant, en reculant, de face, de côté, par-dessus mon épaule. Je me donnai à fond, malgré la faim qui grondait dans mon ventre. Si je ratai la cible un bon nombre de fois, j'obtins néanmoins de beaux succès. L'Épouvanteur se déclara enfin satisfait, et nous enchaînâmes avec un autre exercice, dont il avait commencé à m'enseigner la pratique quelques semaines plus tôt.

Il me conduisit à l'arbre mort qui nous servait de mannequin et me tendit son bâton. Je pressai sur le déclic qui libérait la lame rétractable et répétai le geste de la ficher dans le tronc pourri comme si je visais le cœur d'une créature menaçante, jusqu'à en avoir le bras engourdi. La dernière feinte que l'Épouvanteur m'avait apprise consistait à tenir innocemment l'arme de la main droite avant de la faire soudain passer dans la gauche – ma meilleure main

– pour en transpercer le ventre de « l'adversaire ». C'était un coup à prendre. Le bâton devait littéralement voler d'une main à l'autre.

Voyant que je montrais des signes d'épuisement, l'Épouvanteur fit claquer sa langue :

– Encore un effort, mon garçon ! Un jour, ce petit tour pourrait te sauver la vie.

Cette fois, je réussis le mouvement presque à la perfection. Mon maître hocha la tête d'un air satisfait, et nous regagnâmes la maison pour un petit déjeuner bien mérité.

Dix minutes plus tard, nous étions assis en compagnie d'Alice autour de la large table de la cuisine, entamant avec appétit les œufs au jambon préparés par le gobelin domestique. Ce gobelin, soumis à l'Épouvanteur, assurait l'ensemble des tâches ménagères : cuisine, vaisselle, entretien des feux... Il gardait également la maison et les jardins. Il n'était pas mauvais cuisinier, mais son humeur variait au gré des événements, et si quelque chose le fâchait ou le contrariait, la qualité des repas s'en ressentait. Ce matin-là, il était certainement dans un bon jour, car je me souviens de ce petit déjeuner comme un des meilleurs qu'il nous ait servis.

Nous mangeâmes en silence. Alors que je sauçais mon assiette avec un gros morceau de pain beurré, l'Épouvanteur repoussa sa chaise et se leva. Il se mit à marcher de long en large devant l'âtre. Enfin, il s'arrêta et planta son regard dans le mien :

– J'attends un visiteur, aujourd'hui. Nous aurons à discuter, aussi, lorsque je t'aurai présenté, je veux avoir le temps de parler avec lui en privé. Tu en profiteras pour retourner chez toi, à la ferme de ton frère, et y prendre tes malles. Mieux vaut les rapporter ici, à Chipenden, où tu pourras en examiner le contenu en toute tranquillité. Nous y trouverons probablement des objets qui se révéleront utiles à Pendle. Étant donné la situation, rien n'est à négliger.

Mon père était mort l'hiver précédent, laissant la ferme à Jack, mon frère aîné. Dans son testament, nous avions découvert une clause fort inhabituelle.

Maman possédait, juste en dessous du grenier, une pièce à elle, qu'elle gardait toujours fermée à clé. Cette pièce m'avait été léguée, ainsi que les malles et les caisses qui s'y trouvaient entreposées. Le testament stipulait que je pourrais venir là aussi souvent que je le désirais. La chose avait fort troublé mon frère et sa femme, Ellie, comme les troublait le fait que je sois apprenti épouvanteur. Ils craignaient que j'attire dans leur foyer des créatures de l'obscur. Je n'aurais su les en blâmer : c'était exactement ce qui s'était produit au printemps, mettant leurs vies en danger.

Tel était cependant le souhait de maman : j'héritais de la pièce et de son contenu. Avant de partir, elle s'était assurée que Jack et Ellie acceptaient cette clause. Elle était retournée en Grèce, son pays d'origine, pour combattre l'obscur qui grandissait là-bas. L'idée de ne jamais plus la revoir m'attristait profondément. Bien que curieux de découvrir ce que renfermaient les malles, j'avais remis leur examen à plus tard ; je craignais mon retour dans une maison désertée à la fois par papa et par maman.

– Je le ferai, dis-je. Mais qui est votre visiteur ?

– Un ami à moi. Il vit à Pendle depuis des années et son appui nous sera précieux pour accomplir la tâche qui nous attend.

Cette information me stupéfia. Mon maître n'avait aucune relation personnelle ; les gens préféraient se tenir à distance d'un homme qui côtoyait fantômes, spectres, gobelins et sorcières. Je n'aurais pas imaginé un seul instant qu'il considérait qui que ce fût comme un ami !

– Ferme la bouche, petit, ou tu vas avaler une mouche ! me lança-t-il. Ah, j'oubliais : la jeune Alice t'accompagnera. Je ne veux pas vous avoir dans les jambes tant qu'il sera là.

– Jack ne voudra pas d'Alice, objectai-je.

Partir avec elle ne me déplaisait pas, au contraire ! J'aimais sa compagnie. Seulement le moins qu'on puisse dire, c'est que Jack et Alice ne s'appréciaient guère. Sachant qu'elle était la nièce d'une sorcière, mon frère ne voulait pas qu'elle s'approche de sa famille.

– Débrouille-toi, petit ! Lorsque tu auras loué une charrette et un cheval, elle n'aura qu'à t'attendre à la lisière du domaine pendant que tu chargeras les malles. Et reviens le plus vite possible. Bon, assez perdu de temps ! Je ne peux consacrer qu'une demi-heure à tes leçons, aujourd'hui, alors, au travail !

Je suivis l'Épouvanteur dans le jardin ouest. Assis sur notre banc habituel, j'ouvris mon cahier et préparai ma plume. C'était une belle matinée. On entendait bêler des moutons sur les pentes des collines, baignées de soleil. Le vent poussait vers l'est des flocons de nuages, dont les ombres semblaient se poursuivre dans l'herbe.

La première année de mon apprentissage avait été presque entièrement consacrée à l'étude des gobelins. Le sujet principal, à présent, était les sorcières.

– Comme tu le sais, petit, commença mon maître en marchant de long en large, ces créatures sont incapables de flairer notre approche, car nous sommes l'un et l'autre le septième fils d'un septième fils. Mais cela ne s'applique qu'aux sorcières douées de ce qu'on appelle le « nez long ». Écris ça ! Ce sera notre premier chapitre. Le « nez long » est la capacité de sentir le danger de loin, comme Lizzie l'Osseuse lorsque les villageois de Chipenden sont venus brûler sa maison. Nous, une sorcière ne peut nous détecter, ce qui nous donne l'avantage de la surprise. C'est de celles qui sont douées du « nez court » que nous devons nous méfier. Note ça également, et souligne-le. Quand une sorcière est proche de nous, elle peut mesurer en un instant nos forces comme nos faiblesses. Plus tu es près, plus elle en sait. Aussi, garde toujours tes distances, petit ! Ne la laisse jamais approcher à moins d'une longueur de bâton de toi ! Évite surtout qu'elle te souffle au visage ! Cela saperait ton énergie et ta volonté. On a vu des hommes vigoureux défaillir sur place.

– Je me souviens de l'haleine de Lizzie l'Osseuse, dis-je. On aurait cru celle d'un fauve.

– Exact. C'est parce qu'elle utilisait la magie des ossements, buvait du sang humain et se nourrissait parfois de chair humaine.

Lizzie l'Osseuse, la tante d'Alice, n'était pas morte. Elle était emprisonnée au fond d'une fosse, dans le jardin est de l'Épouvanteur. C'était cruel mais nécessaire. Mon maître n'approuvait pas qu'on brûlât les sorcières. Il préférait les enfermer pour assurer la sécurité du Comté.

— Cependant, continua-t-il, toutes les sorcières n'ont pas cette haleine immonde. Celles qui manient la magie ordinaire peuvent avoir un souffle aussi frais qu'une rose de mai. Sois donc très prudent, car cette douceur recèle un grand danger. Ce type de sorcière a le pouvoir de fascination. Note ce mot, petit ! Comme un serpent immobilise un mulot par son seul regard, certaines sorcières hypnotisent un homme et le manipulent à leur guise. Inconscient du danger, il se sent heureux, comblé. Lorsqu'il sort de cette illusion, il est trop tard. Note cela aussi : la fascination s'apparente à un autre pouvoir, la séduction. Certaines sorcières projettent une « aura », une fausse image d'elles-mêmes, qui les fait apparaître jeunes et belles. Une raison de plus d'être sur nos gardes. Car la séduction et la fascination entraînent l'érosion progressive de la volonté. Avec ces artifices, une sorcière lie un homme de telle sorte qu'il croit chacun de ses mensonges et ne voit que ce qu'elle veut qu'il voie. Même pour nous, c'est une menace sérieuse, car être le septième fils d'un septième fils ne nous protège pas. Donc, sois vigilant ! Tu me trouves dur envers Alice, mais sache que je crains toujours qu'à un moment ou un autre elle n'utilise ce genre de pouvoirs contre toi.

— Vous êtes injuste, protestai-je. Si j'aime Alice, ce n'est pas parce qu'elle m'a séduit ou fasciné !

C'est parce qu'elle a choisi le bien et s'est compor-
tée avec moi comme une amie. Et avec vous aussi !
Avant de partir, maman m'a assuré qu'elle lui faisait
confiance, et cela me suffit.

L'Épouvanteur hocha la tête, une expression de
tristesse dans le regard :

– Ta mère a peut-être raison ; le temps nous le
dira. Reste prudent, c'est tout ce que je te demande.
L'homme le plus aguerri est capable de succomber
aux ruses d'une jolie fille portant des souliers pointus.
J'en ai fait l'expérience. Maintenant, mets par écrit
ce que je viens de te transmettre, afin de ne pas
l'oublier.

L'Épouvanteur s'assit près de moi, sur le banc, et
resta silencieux tandis que ma plume courait sur le
papier. Lorsque j'eus fini, je l'interrogeai :

– Quand nous serons à Pendle, devrons-nous
affronter des dangers particuliers ? Y a-t-il des choses
que j'ignore ?

Mon maître se leva et reprit ses allées et venues.
La mine grave, il déclara :

– Le district de Pendle est infesté de sorcières ; il
se pourrait que nous y rencontrions des maléfices
contre lesquels je n'ai encore jamais eu moi-même à
lutter. Il faudra s'adapter aux circonstances. La
principale difficulté tient à leur nombre. La plupart
du temps, les sorcières se chamaillent et se tirent

dans les pattes. Mais, si elles s'entendent autour d'un projet commun, leur pouvoir en est grandement renforcé. Oui, voilà le pire qui puisse arriver : que les clans ennemis s'unissent. Encore une chose à ajouter dans ton cahier : la terminologie exacte ! On désigne par le mot « conventus » une assemblée de treize sorcières réunies pour combiner leurs pouvoirs en invoquant les forces de l'obscur. Une famille de sorcières est appelée « clan ». Le clan comprend les hommes et les enfants, ainsi que d'autres membres de la parenté, qui ne pratiquent pas eux-mêmes la magie noire.

L'Épouvanteur attendit que je termine de noter avant de poursuivre :

– Comme je te l'ai déjà dit, on compte à Pendle trois clans principaux : les Malkin, les Deane et les Mouldheel. Le premier est le plus dangereux. Tous trois ne cessent de se chercher des noises ; cependant, au fil des années, un rapprochement s'est opéré entre les Malkin et les Deane. Il y a eu des mariages. Ton amie Alice est le fruit d'une telle union. Sa mère était une Malkin et son père un Deane. La bonne nouvelle, c'est que ni l'un ni l'autre ne s'adonnait à la sorcellerie. La mauvaise, c'est que ses parents étant morts très jeunes, Alice a été élevée par Lizzie l'Osseuse. Certes, la fille a toujours combattu l'influence néfaste de sa tante. On peut toutefois craindre qu'un retour à Pendle l'amène à rejoindre l'un des clans.

Je voulus objecter. Mon maître m'arrêta d'un geste de la main :

– Espérons que cela ne se produira pas. Si elle ne subit pas l'influence de l'obscur, sa connaissance du terrain nous sera d'une aide précieuse. Quant au troisième clan, celui des Mouldheel, c'est le plus mystérieux. Non contents de pratiquer la magie des ossements et celle du sang, ils utilisent les miroirs, qui leur servent – dit-on – à la « scrutation ».

– La scrutation ? C'est quoi ?

– La capacité d'espionner les gens à distance, et aussi de prédire l'avenir. Jusqu'alors, les Mouldheel se tenaient à l'écart des deux autres clans. Or, j'ai appris récemment que quelqu'un ou quelque chose les pousse à mettre de côté leur ancienne inimitié. C'est ce qu'il nous faut empêcher. Car, si les trois clans s'unissaient – et pire encore les trois conventus –, je n'ose imaginer quels maléfices ils répandraient sur le Comté ! Cela s'est produit il y a une trentaine d'années, tu le sais, quand ils m'ont lancé une malédiction.

– Je croyais que vous n'y prêtiez pas foi.

– Non, en effet. J'aime à penser qu'il s'agit d'une absurdité. Néanmoins, j'ai été ébranlé. Par chance, les conventus se sont dissous avant de causer trop de dommages au Comté. Or, il semble qu'aujourd'hui s'annoncent des lendemains encore plus sinistres ; mon visiteur doit me le confirmer. Préparons-nous physiquement et mentalement à une bataille sans merci !

Mon maître s'abrita les yeux de sa main et observa la course du soleil.

– Bien, petit, conclut-il. Cette leçon a assez duré ; rentrons ! Tu étudieras seul le reste de la matinée.

J'allai donc m'installer dans la bibliothèque. Alice n'avait pas la permission d'y entrer ; mon maître voulait éviter qu'elle ne tombe sur des ouvrages qu'elle n'était pas supposée lire. Depuis qu'elle vivait avec nous, il lui avait aménagé une chambre, au rez-de-chaussée, pour qu'elle puisse y travailler. Elle payait son logement et sa nourriture en recopiant des livres. L'Épouvanteur possédait des pièces rares, et il craignait toujours qu'il leur arrive quelque chose. En avoir une copie le rassurait.

Je me plongeai dans l'étude des conventus : comment une assemblée de treize sorcières se réunissait pour célébrer un rituel. Je découvris un chapitre décrivant des fêtes particulières appelées « sabbats » :

Certains conventus tiennent un sabbat chaque semaine, d'autres une fois par mois, à la pleine lune ou à la nouvelle lune. De plus quatre grands sabbats se déroulent aux dates où le pouvoir de l'obscur est le plus grand : la Chandeleur, la Nuit des Walpurgis, Lammas[1] et Halloween.

J'avais déjà lu des ouvrages sur la Nuit des Walpurgis. Elle se célébrait le 30 avril. Trente ans plus tôt, trois conventus s'étaient réunis à Pendle cette nuit-là pour maudire l'Épouvanteur. Nous entrions dans la deuxième semaine de juillet ; je me demandai quand aurait lieu le prochain grand sabbat et commençai à feuilleter les pages. Je n'eus pas le temps de poursuivre ma recherche, car il se produisit alors une chose incroyable, telle que je n'en avais jamais connu depuis que je vivais à Chipenden :

Toc, toc, toc !

Quelqu'un frappait à la porte ! Je n'arrivais pas à y croire ! D'habitude, personne ne venait jusqu'à la maison. Les visiteurs se rendaient au cercle de saules, à un croisement de chemins, et sonnaient la cloche. Pénétrer dans les jardins, c'était courir le risque d'être mis en pièces par le gobelin protecteur. Qui avait frappé ? Était-ce cet ami que l'Épouvanteur attendait ? Et, si c'était le cas, comment était-il parvenu jusqu'ici en un seul morceau ?

---

1. Fête païenne des moissons célébrée dans les pays anglo-saxons d'Europe du Nord le 1er août.

2

Vol et enlèvement

Empli de curiosité, je replaçai le livre sur l'étagère et descendis au rez-de-chaussée. L'Épouvanteur avait déjà ouvert la porte et conduisait le visiteur à la cuisine. Lorsque je l'aperçus, je restai interdit. C'était un homme au visage avenant, aux épaules larges, qui dépassait mon maître d'une demi-tête. Il paraissait avoir une bonne trentaine d'années. Et – d'où ma surprise – il portait une soutane.

Un prêtre !

Avec un sourire, l'Épouvanteur me présenta :

– Voici Tom Ward, mon apprenti.

– Ravi de te connaître, Tom. Je suis le père Stocks, curé de la paroisse de Downham, au nord de la colline de Pendle.

– Moi aussi, je suis heureux de vous rencontrer, dis-je en serrant la main qu'il me tendait.

– John m'a parlé de toi dans ses lettres. Tu fais, semble-t-il, des débuts prometteurs.

À cet instant, Alice entra dans la cuisine. Elle dévisagea le visiteur avec étonnement. Le prêtre, lui, fronça légèrement les sourcils : il avait remarqué ses souliers pointus.

– Et voici sa jeune amie, dit l'Épouvanteur. Alice, salue le père Stocks !

Elle inclina la tête en esquissant un sourire.

– D'après ce que j'ai appris, Alice, dit le père Stocks, tu as de la famille à Pendle...

– Des liens du sang, rien de plus, répliqua-t-elle d'un ton presque féroce. Ma mère était une Malkin et mon père un Deane. On ne choisit pas ses parents...

– C'est tout à fait vrai, répondit le prêtre avec douceur. Le monde serait bien différent s'il correspondait à nos désirs. Mais, ce qui compte, c'est la façon dont nous menons notre vie.

Après quoi, la conversation languit un peu. Le père Stocks semblait fatigué de son long voyage, et il était clair que l'Épouvanteur attendait notre départ. Nous fîmes donc nos préparatifs. Ne souhaitant pas m'encombrer de mon sac, je pris seulement mon bâton et un morceau de fromage.

Mon maître nous accompagna jusqu'à la porte. Il me tendit une pièce d'argent :

– Tiens ! Voilà de quoi louer une carriole.

En fourrant la pièce dans la poche de mon pantalon, je demandai :

– Comment le père Stocks a-t-il pu traverser le jardin sans que le gobelin le mette en pièces ?

L'Épouvanteur sourit :

– Il l'a souvent arpenté, autrefois, et le gobelin le connaît bien. Robert Stocks a été mon apprenti, un excellent apprenti, je dois le dire. Après avoir achevé sa formation, il a pris conscience que le service de l'Église était sa véritable vocation. Il a ainsi deux cordes à son arc. Ajoute à cela sa parfaite connaissance de Pendle, tu comprendras qu'on ne saurait avoir un meilleur allié.

Nous nous mîmes en route. Le soleil brillait, les oiseaux chantaient. C'était une superbe après-midi d'été. J'avais toutes les raisons de me réjouir : je profitais de la compagnie d'Alice et je retournais à la maison. J'allais revoir ma petite nièce, Mary, ainsi que Jack et Ellie, qui était de nouveau enceinte. Maman lui avait prédit le fils que mon frère désirait, celui qui hériterait de la ferme un jour. Pourtant, tandis que nous approchions du but, je ne pouvais me départir d'un sentiment de tristesse, tel un lourd et sombre nuage planant au-dessus de moi.

Papa était mort, et maman ne serait pas là pour m'accueillir. Plus jamais je ne me sentirais chez moi, dans la maison de mon enfance. C'était la dure réalité, et je n'en avais pas encore mesuré toute l'âpreté.

– Qu'est-ce qui te préoccupe ? me demanda Alice.

J'éludai la question d'un haussement d'épaules.

– Allez, Tom, ne fais pas cette tête ! Combien de fois devrai-je te le répéter ? Tout ira bien, tu verras. Je te parie que, dès la semaine prochaine, on sera de retour de Pendle.

– Désolé, Alice. Je pensais à mes parents. Je n'arrive pas à les chasser de mon esprit.

Elle me prit la main et la serra gentiment :

– Je sais que c'est difficile, Tom. Mais je suis sûre que tu reverras ta mère un jour. N'es-tu pas curieux de découvrir ce que renferment les malles qu'elle t'a léguées ?

– Si, évidemment, je ne peux pas dire le contraire...

Alice désigna le bas-côté du chemin :

– L'endroit est agréable, et je commence à avoir faim. Arrêtons-nous pour manger.

Nous nous assîmes sur un talus herbeux, à l'ombre d'un grand chêne, et partageâmes le fromage. Nous étions affamés, et nous n'en laissâmes pas une miette. Je n'avais pas besoin de jeûner, n'ayant pas à accomplir une quelconque tâche d'épouvanteur. Pour la suite du voyage, la nature assurerait notre subsistance.

Comme si elle avait lu dans mes pensées, Alice promit avec un sourire :

– J'attraperai un ou deux lapins à la fin de la journée.

– Bonne idée !

Revenant à notre situation, je repris :

– Alice, tu m'as beaucoup appris sur les sorcières en général, mais bien peu sur celles qui vivent à Pendle. Pourquoi ? J'ai besoin de réunir le maximum d'informations avant qu'on se rende là-bas.

Elle fronça les sourcils :

– Cet endroit ne me rappelle que des mauvais souvenirs. Je n'aime guère parler de ma famille, et de Pendle pas davantage. La seule idée d'y retourner me terrifie.

– C'est bizarre, repris-je. M. Gregory n'en parle jamais non plus. Je pensais qu'on discuterait de la façon dont nous allions travailler.

– Tu le connais, il faut toujours qu'il fasse des cachotteries. Il a sûrement un plan. Il nous mettra au courant le moment venu.

Changeant de sujet, elle s'écria :

– Tu te rends compte ! Le vieux Gregory a un ami ! Et c'est un curé !

– Ce que je n'arrive pas à comprendre, dis-je, c'est qu'on puisse abandonner le métier d'épouvanteur pour devenir prêtre.

À cette réflexion, elle éclata de rire :

— Et que le vieux Gregory ait abandonné la prêtrise pour devenir épouvanteur, tu le comprends ?

Elle avait raison, et je ris avec elle : mon maître avait été ordonné, autrefois. Mais cela ne modifiait pas mon opinion : les prêtres se contentaient de prier, c'est ce que j'avais constaté. Ils n'affrontaient jamais l'obscur directement. Il leur manquait les connaissances pratiques que nous possédions. À mon sens, le père Stocks avait pris la mauvaise direction.

Un peu avant la tombée du jour, nous fîmes halte dans un vallon, à l'orée d'un bois. Le ciel était clair ; un croissant de lune montait à l'horizon. Je m'occupai de bâtir un feu pendant qu'Alice chassait. Une heure plus tard, deux lapins cuisaient à la broche. Leur jus gouttait sur les braises en sifflant ; j'en avais l'eau à la bouche.

Cependant ma curiosité était toujours aussi forte et, malgré les réticences d'Alice à évoquer sa vie antérieure, je l'interrogeai de nouveau sur Pendle :

— Je sais que c'est un sujet pénible pour toi, mais je dois vraiment en apprendre un peu plus...

Elle me lança un regard par-dessus le foyer :

— Je le suppose en effet. Eh bien, prépare-toi au pire. Tout le monde a peur, là-bas. Dans quelque village que tu ailles, tu le verras sur le visage des gens. Difficile de les en blâmer, parce que les sorcières savent pratiquement tout sur tous. Le soir, la plupart d'entre eux retournent les miroirs de leur maison face au mur.

– Pourquoi ?

– Pour ne pas être « scrutés ». La nuit, les sorcières – particulièrement les Mouldheel –, s'en servent pour épier les faits et gestes des villageois. Il faut se méfier des miroirs ; à Pendle, tu ne sais jamais qui ou quoi peut t'observer à travers leur surface de verre. Rappelle-toi la vieille mère Malkin. Voilà le genre de personnage que nous allons affronter...

À ce nom, un frisson me courut dans le dos. Mère Malkin avait été l'une des plus maléfiques créatures à sévir dans le Comté. Un an plus tôt, avec l'aide d'Alice, j'avais réussi à la détruire, après qu'elle eut mis en danger mon frère Jack et sa famille.

– À Pendle, reprit Alice d'un air sombre, il y a toujours une sorcière prête à chausser les souliers d'une morte. Et, parmi les Malkin, beaucoup en seraient capables. Certaines habitent la tour Malkin, un lieu qu'il vaut mieux éviter le soir venu. Lorsque des gens ne donnent plus signe de vie, c'est généralement qu'ils ont fini là. Dans les souterrains de la tour, il y a des passages secrets, des puits et des cachots, où pourrissent les os des disparus.

– Pourquoi n'a-t-on jamais rien tenté ? demandai-je. Il y a un prévôt à Caster ; ne peut-il pas agir ?

— Il a envoyé la police et les gendarmes à plusieurs reprises. Ça n'a pas donné grand-chose. Souvent, ils ont pendu des accusées qui n'étaient pas les coupables. La vieille Hannah Fairborne avait presque quatre-vingts ans quand ils l'ont traînée à Caster, enchaînée. Ils ont prétendu qu'elle était sorcière ; c'était faux. Remarque, elle méritait la pendaison, vu qu'elle avait empoisonné trois de ses neveux. Ainsi vont les choses, à Pendle. Et ce n'est pas facile d'y remédier. Voilà pourquoi le vieux Gregory a tergiversé aussi longtemps.

J'acquiesçai d'un mouvement de menton.

— J'en sais plus que n'importe qui, continua Alice. Il y a eu de nombreuses unions entre les Malkin et les Deane, malgré leur inimitié. En fait, les Malkin et les Deane haïssent encore plus les Mouldheel qu'ils ne se détestent entre eux. C'est compliqué. J'ai passé là-bas la plus grande partie de ma vie, et je n'ai pas encore tout compris.

— As-tu été heureuse ? Je veux dire... avant que Lizzie l'Osseuse te prenne avec elle ?

Alice détourna les yeux, évitant mon regard. Je n'aurais pas dû lui poser cette question.

Après un silence, elle reprit à voix basse :

— Je n'ai guère de souvenirs de cette époque. Il y avait des querelles ; je me revois, pleurant dans le noir pendant que mon père et ma mère se battaient comme chien et chat. Mais, parfois, ils bavardaient et ils riaient, et ce n'était pas si mal. C'était ça la plus grosse différence, après. Le silence. Lizzie ne parlait pas. Elle avait plus vite fait de me flanquer une taloche que de m'adresser un mot. Elle grommelait sans cesse. Quand elle ne marmonnait pas des sorts en fixant les flammes, elle regardait dans les miroirs. Il m'arrivait de saisir des images par-dessus son épaule ; des créatures qui n'appartiennent pas à cette Terre. Ça me terrifiait. À tout prendre, j'aurais préféré les disputes de mes parents.

– Tu habitais la tour Malkin ?

Alice secoua la tête :

– Non. Seuls des membres du conventus y vivaient, avec quelques aides soigneusement choisies. Je m'y rendais de temps à autre avec maman. Mais je ne suis jamais descendue dans les souterrains. Ils logeaient tous dans une grande pièce, pleine de fumée qui vous piquait les yeux. Étant un Deane, papa ne s'y risquait pas ; il n'en serait pas sorti vivant. On occupait un cottage près de Roughlee, le village des Deane. Les Mouldheel sont à Bareleigh, et le reste des Malkin à Goldshaw Booth. En général, chacun se cantonne à son territoire.

Après quoi, Alice se tut, et je ne l'interrogeai pas davantage. Pendle ne lui évoquait que des souvenirs douloureux, et je devinais les horreurs qu'elle passait sous silence.

Le plus proche voisin de Jack, M. Wilkinson, possédait un cheval et une carriole, qu'il serait tout disposé à me louer, j'en étais certain. Il permettrait sûrement à un de ses fils de nous conduire, de sorte qu'il pourrait ensuite ramener l'attelage. Je décidai de passer d'abord voir mon frère pour le prévenir que je venais prendre mes malles.

Nous marchâmes d'un bon pas, et le lendemain, en fin d'après-midi, la ferme était en vue. Au premier regard, je compris que quelque chose n'allait pas.

Nous arrivions par la colline du Pendu et nous amorcions notre descente. Je remarquai aussitôt qu'il n'y avait pas une seule bête dans les champs. Lorsque les bâtiments apparurent, ce fut bien pire : la grange avait brûlé ; elle n'était plus que ruines noircies.

Je n'eus même pas la présence d'esprit de demander à Alice d'attendre à la lisière du domaine. Un drame avait eu lieu, et je ne pensai qu'à vérifier si Jack, Ellie et la petite Mary allaient bien. Les aboiements des chiens auraient dû m'annoncer depuis longtemps ; or, tout était silencieux.

Tandis que nous franchissions le portail et traversions la cour en hâte, je vis que la porte de derrière, arrachée, pendait sur un seul gond. Je courus, Alice sur mes talons, une boule dans la gorge. Que s'était-il passé ?

Je pénétrai dans la cuisine, appelai Jack et Ellie, criant leurs noms encore et encore. Pas de réponse. La maison n'avait plus rien de commun avec celle où j'avais grandi. Les meubles de la cuisine avaient été renversés ; le carrelage était couvert de débris de faïence ; les herbes en pot autrefois alignées sur le rebord de la fenêtre avaient servi de projectiles pour briser les vitres ; l'évier était encrassé de suie ; le chandelier de cuivre avait disparu de la table, remplacé par cinq bouteilles – vides – du vin de sureau que ma mère conservait à la cave. Pour moi, cependant, le plus terrible fut la vision du rocking-chair de maman, brisé, en pièces, comme si on s'était acharné dessus à coups de hache. Cela me fit aussi mal que si elle-même avait été blessée.

À l'étage, les chambres avaient été saccagées, les vêtements dispersés, les miroirs brisés. Quant à la pièce de maman... La porte était fermée, mais des taches de sang maculaient le mur et le plancher du palier. Était-ce le sang de Jack ? Quelqu'un avait-il été tué ici ?

Me voyant blêmir d'effroi, Alice me saisit par le bras :

– N'imagine pas le pire, Tom ! C'est peut-être moins terrible qu'il n'y paraît...

Je ne répondis pas, hypnotisé par les éclaboussures d'un rouge sombre.

– Examinons la pièce de ta mère, suggéra Alice.

Je la dévisageai, horrifié. C'était donc tout l'effet que ça lui faisait ?

Elle insista :

– On devrait regarder à l'intérieur.

Je poussai la porte d'un geste rageur ; elle ne céda pas.

– Elle est toujours fermée, Alice. Et je détiens l'unique clé. Personne n'a pu entrer.

– Fais-moi confiance, Tom. Je t'en prie.

Par sécurité, je gardais les clés autour de mon cou, accrochées à un cordon. Il y avait une grosse clé, pour la porte, et trois autres, plus petites, pour les malles. Je possédais aussi un passe-partout, fabriqué par le frère de l'Épouvanteur, qui était serrurier.

Je déverrouillai la serrure et constatai aussitôt que je m'étais trompé. Quelqu'un *était* entré. Les grosses malles et les petites caisses, tout avait disparu.

– Comment ont-ils pu... ? lâchai-je, et ma voix résonna faiblement entre les murs nus.

Alice ajouta, l'air sombre :

– Souviens-toi de ce que ta mère disait : que rien de mauvais ne pourrait pénétrer ici ! Eh bien, une sale créature a trouvé le moyen, c'est sûr !

Je m'en souvenais parfaitement. Lors de ma dernière visite à la ferme, juste avant son départ, maman s'était tenue là, dans cette même pièce, avec Alice et moi. J'avais encore ses mots dans l'oreille : *Une fois la porte fermée à clé, rien de maléfique ne peut y pénétrer. Si tu fais preuve de courage, si ton cœur reste pur, ce lieu sera une forteresse contre l'obscur... N'y aie recours que si quelque chose de terrible est à tes trousses, menaçant ta vie et ton âme.*

Que s'était-il donc passé ? Qui avait pu voler les malles ? Et dans quel but ? En quoi pouvaient-elles être utiles à quelqu'un d'autre que moi ?

Je verrouillai la porte derrière moi, et nous redescendîmes. Je traversai la cour dans un état second jusqu'à la grange, réduite à un tas de poutres carbonisées.

– C'est arrivé récemment, remarquai-je. Ça sent encore le brûlé.

Alice renifla autour d'elle :

– Ça date d'avant-hier, à la tombée de la nuit.

Elle avait un flair presque infaillible. Mais ce que je lus sur son visage ne me plut pas : elle avait perçu autre chose, quelque chose de plus inquiétant encore.

– Qu'y a-t-il, Alice ?

– Une odeur se mêle à celle de la fumée. Une sorcière est venue ici. Sans doute même plusieurs...

– Des sorcières ? m'écriai-je. Qu'est-ce qui pouvait les attirer ici ?

Une telle idée me donnait le vertige.

– Les malles ! Que veux-tu que ce soit ? Elles doivent contenir je ne sais quoi que des sorcières désirent éperdument posséder.

– Mais comment connaissaient-elles leur existence ?

– Grâce à la magie des miroirs, je suppose. Leur pouvoir dépasse peut-être les limites de Pendle.

– Et Jack ? Et Ellie ? Et la petite fille ? Que sont-ils devenus ?

– À mon avis, ton frère a tenté de s'interposer. C'est un costaud, Jack. Il ne s'est sûrement pas laissé faire. Tu veux savoir ce que je pense ?

Alice me fixait avec intensité. Je lui fis signe de continuer, effrayé à l'idée de ce que j'allais entendre.

– Les intrus ne pouvaient pas entrer dans la pièce, car ta mère la protège contre l'obscur, d'une façon ou d'une autre. Ils ont forcé Jack à le faire et à en sortir les malles. D'abord, il s'est battu, mais ils l'ont menacé de s'en prendre à sa femme ou à sa fille, et il a cédé.

– Mais comment Jack a-t-il ouvert la porte ? Elle n'a pas été forcée, et c'est moi qui ai la seule et unique clé ! Et où sont-ils, maintenant ? Où sont-ils, tous les trois ?

– Ta famille a été enlevée, Tom. Ça me paraît évident.

– Où les a-t-on emmenés, Alice ? Quelle direction ont-ils prise ?

– Il leur a fallu une charrette et un cheval pour transporter les malles. Ils ont dû laisser des traces…

Nous courûmes jusqu'au bout de l'allée et prîmes la route. Trois milles plus loin, nous arrivâmes à un embranchement. Alice pointa le doigt :

– J'en étais sûre ! Ils ont viré vers le nord, en direction de Pendle.

– Alors, suivons-les ! décidai-je en m'élançant.

Je n'avais pas fait dix pas qu'Alice me rattrapait. Elle me saisit par le bras, m'obligeant à faire volte-face :

– Non, Tom ! Ils sont déjà loin. Le temps qu'on y parvienne, ils seront cachés quelque part, et les cachettes ne manquent pas, à Pendle ! On n'aurait aucune chance de les retrouver. Non, nous devons regagner Chipenden et prévenir le vieux Gregory. Lui, il saura quoi entreprendre. Et le curé aussi.

Je refusai de la tête, pas du tout convaincu.

– Réfléchis ! siffla Alice, serrant mon bras à m'en faire mal. D'abord, on retourne à la ferme et on interroge les voisins. Ils savent peut-être quelque chose. Et tes autres frères ? Ne devrais-tu pas les prévenir ? Ils voudront t'aider. Après quoi, on va tout raconter au vieux Gregory.

– Non. Il faut plus d'une journée de marche, même à vive allure, pour atteindre la maison de l'Épouvanteur. Et encore une bonne journée et demie jusqu'à Pendle. D'ici là, il peut arriver n'importe quoi à Jack, à Ellie et à Mary. Il sera trop tard pour les sauver.

Alice me lâcha et, fixant le sol d'un air embarrassé, elle ajouta :

– Il y a bien un autre moyen, mais ça ne va pas te plaire...

– Que veux-tu dire ?

Je refrénais à grand-peine mon impatience : toutes ces minutes perdues à tergiverser... !

– Tu n'as qu'à repartir à Chipenden, pendant que j'irai à Pendle. Seule...

– Non, Alice ! Tu n'iras pas là-bas toute seule ! C'est trop dangereux !

– Ce serait dix fois plus dangereux d'y aller ensemble ! Si on se fait prendre, tous les deux, on sera bien avancés. Imagine le traitement qu'ils réserveraient à un apprenti épouvanteur ! Le septième fils d'un septième fils ! Ils te mettraient en pièces, tu peux me croire ! Moi, je prétendrai que je voulais revoir ma famille. J'aurais une chance de découvrir qui est responsable de tout ça, et où Jack, Ellie et la petite sont tenus enfermés.

Une boule d'anxiété me pesait douloureusement sur l'estomac ; cependant, les paroles d'Alice commençaient à prendre sens dans ma tête. Après tout, elle connaissait les lieux et pourrait circuler tout autour de Pendle sans susciter trop de méfiance.

— Je continue de penser que c'est de la folie. Et puis, tu disais que la simple idée de retourner là-bas te rendait malade...

— Je le ferai pour toi, Tom, et pour les tiens. Ils ne méritaient pas ça. J'irai à Pendle, je ne vois pas d'autre moyen.

Elle prit ma main gauche et la serra doucement :

— On se retrouve à Pendle, Tom. Rejoins-moi aussi vite que tu pourras !

— Promis, dis-je. Dès que tu sauras quelque chose, cours au presbytère du père Stocks, à Downham. C'est là que je t'attendrai.

Alice acquiesça. Puis elle se mit en route à grands pas. Je la regardai un instant tandis qu'elle s'éloignait, mais elle ne jeta pas un seul coup d'œil en arrière. Je fis demi-tour et repartis vers la ferme.

3
Priorités

J'allai tout droit chez les Wilkinson, dont les terres jouxtaient celles de Jack. Papa avait toujours préféré diversifier son cheptel, alors que nos voisins n'élevaient que des bovins. Or, la première chose que je vis en arrivant, ce fut un pré plein de moutons. C'était probablement le troupeau de mon frère.

Je trouvai M. Wilkinson occupé à réparer une clôture. Il avait la tête bandée. Dès qu'il m'aperçut, il bondit sur ses pieds et courut vers moi :

— Heureux de te voir, Tom ! Quel malheur, mon garçon ! J'aurais voulu t'envoyer un mot. Je savais que tu étais quelque part dans le Nord, mais je n'avais pas ton adresse. J'ai écrit à ton frère James pour le prier de venir au plus vite ; la lettre est partie hier.

James, le deuxième fils de la famille, travaillait comme forgeron à Ormskirk, dans le sud-ouest du Comté, un pays de landes et de marécages. Même s'il recevait la lettre le lendemain, le voyage lui prendrait bien un jour ou deux.

– Vous avez été témoin de ce qui est arrivé ? demandai-je.

M. Wilkinson désigna son bandage :

– Oui, et voilà ce que j'ai récolté ! Ça s'est passé peu après la tombée de la nuit. J'ai aperçu les flammes et je suis accouru. J'ai d'abord été soulagé de voir que c'était la grange qui brûlait, pas la maison. Mais, en m'approchant, j'ai flairé une embrouille, à cause du nombre de gens qui se trouvaient là. Étant le voisin le plus proche, je ne comprenais pas comment ils avaient pu arriver avant moi. J'ai vite saisi qu'ils ne faisaient rien pour sauver la grange. Ils sortaient des caisses de la maison et les chargeaient sur une carriole. Tout à coup, j'ai été alerté par un bruit de bottes, derrière moi. Avant d'avoir eu le temps de me retourner, j'avais pris un bon coup sur le crâne. J'ai été soufflé comme une chandelle. Quand j'ai repris connaissance, ils étaient partis. J'ai fouillé la maison ; je n'ai pas vu trace de Jack ni de sa famille. Je suis désolé, Tom.

– Merci d'être intervenu, monsieur Wilkinson, dis-je. Ça me navre que vous ayez été blessé. Mais avez-vous observé certains visages ? Sauriez-vous les reconnaître ?

Il secoua négativement la tête :

– Je n'ai pas pu m'approcher suffisamment. J'ai toutefois repéré une femme montée sur un cheval noir. Une sacrée belle bête, un pur-sang comme ceux qu'on fait courir à Topley, à la foire du printemps. La cavalière avait fière allure, elle aussi. De forte carrure, mais bien faite, avec une épaisse chevelure noire. Elle se tenait à distance, sans se mêler à l'agitation générale. Je l'ai entendue lancer des ordres, d'une voix pleine d'autorité. Puis j'ai reçu ce coup sur la tête. Le lendemain, j'étais encore complètement vaseux. J'ai tout de même envoyé mon fils aîné à Topley, pour qu'il prévienne Ben Hindle, l'officier de police. Il a recruté une troupe de villageois. Ils ont suivi les traces ; au bout de deux heures, ils ont trouvé une carriole abandonnée, avec une roue brisée. Ils avaient emmené des chiens, qui ont flairé la piste à travers champs, jusqu'à ce qu'elle s'arrête brusquement ; à croire que ces salopards s'étaient évaporés. Ben a dit qu'il n'avait jamais vu ça. Ils n'avaient plus qu'à rappeler la meute et faire demi-tour. Quoi qu'il en soit, Tom, viens donc manger un morceau à la maison ! Tu es le bienvenu. Reste quelques jours avec nous, le temps que ton frère James arrive.

Je refusai d'un signe de tête :

— Merci, monsieur Wilkinson, mais je dois rentrer au plus vite à Chipenden pour prévenir mon maître. Lui, il saura quoi décider.

— Ne serait-ce pas mieux d'attendre James ?

J'hésitai, me demandant quel message laisser à mon frère. Je ne voulais pas le pousser à prendre des risques en lui apprenant que nous allions nous rendre à Pendle. D'un autre côté, je savais qu'il voudrait nous aider à sauver Jack et sa famille. Et nous étions déjà si peu nombreux... Sa présence nous serait bien utile.

— Désolé, je ne peux pas perdre de temps. Quand James sera là, voulez-vous lui faire savoir que je suis parti à Pendle avec mon maître ? Je suis pratiquement sûr que les coupables viennent de là. Qu'il aille au presbytère de Downham. C'est au nord de la colline. Le curé, le père Stocks, lui indiquera où nous trouver.

— Tu peux compter sur moi, Tom. Je souhaite de tout cœur que tu récupères les tiens sains et saufs. Et je jetterai un œil sur la ferme de Jack. Ses troupeaux et ses chiens sont en sécurité avec moi. Dis-le-lui, quand tu le verras.

Je remerciai notre voisin et repris la route de Chipenden. Je me faisais beaucoup de souci pour

Jack, Ellie et Mary. Pour Alice aussi. Elle avait su me persuader de la laisser partir seule. Mais j'avais senti sa peur. Et j'étais certain que, quoi qu'elle ait prétendu, elle allait au-devant de graves dangers.

J'arrivai en fin de matinée, le lendemain, après avoir dormi dans une grange abandonnée. Je déballai mon récit d'une traite, insistant auprès de mon maître pour que nous nous rendions aussitôt à Pendle – on aurait le loisir de discuter en route, disais-je – car chaque seconde perdue mettait la vie des miens en péril. Mais il ne voulut rien entendre et me désigna une chaise d'un geste autoritaire :

– Assieds-toi, petit ! Ne confonds pas vitesse et précipitation ! Le voyage nous prendrait l'après-midi et une partie de la soirée, et il ne serait guère sage d'entrer à Pendle dans l'obscurité.

– Quelle importance, qu'il fasse jour ou nuit ! protestai-je. On y séjournera un certain temps, de toute façon, non ?

– C'est tout à fait exact, mais les abords de Pendle sont surveillés, le soir tombé, par des créatures qui fuient le soleil. On n'aurait aucune chance de passer inaperçus. Dans la journée, au moins, on arrivera indemnes.

– Le père Stocks pourrait nous aider, insistai-je, en cherchant le prêtre du regard. Il connaît bien

Pendle. Il aurait sûrement un moyen d'atteindre Downham de nuit.

– Possible, seulement il s'est remis en route peu après ton départ. Nous avons discuté de la situation, et il m'a fourni les dernières pièces du puzzle, ce qui va m'aider à établir une stratégie. Mais il avait laissé à Downham un troupeau de paroissiens terrorisés ; il n'osait pas les abandonner trop longtemps. Maintenant, mon garçon, raconte-moi tout une deuxième fois. Ne néglige aucun détail. Ce sera beaucoup plus efficace que de se jeter sur les routes telles des poules affolées !

J'obéis donc, en tâchant de me persuader que, comme toujours, l'Épouvanteur avait raison, et que c'était le meilleur moyen de secourir mon frère. Malgré ça, lorsque j'achevai mon récit, les larmes me montèrent aux yeux. L'Épouvanteur me fixa quelques secondes avant de se lever. Il se mit à marcher en long et en large devant la cheminée :

– C'est dur pour toi, petit, je m'en rends compte. La mort de ton père, le départ de ta mère et, à présent, ceci. Pourtant, il te faut maîtriser tes émotions. Gardons la tête froide et l'esprit clair ! Et, d'abord, que sais-tu à propos de ces malles ? Y a-t-il quelque chose que tu ne m'aies pas dit ? As-tu quelque idée de ce qu'il y a dedans ?

– Maman conservait la chaîne d'argent qu'elle m'a donnée dans la malle la plus proche de la fenêtre. J'ignore ce qu'elle contenait d'autre. Maman m'a tenu un discours très mystérieux. Elle a dit que j'y trouverais la réponse à bien des questions qui me tourmentaient ; que son passé et son avenir étaient rassemblés là, et que je découvrirais sur elle des secrets que mon père lui-même ignorait.

– Rien d'autre ? Tu en es sûr ?

Après un moment de réflexion, j'ajoutai :

– Il y a probablement de l'argent dans l'un des coffres.

– De l'argent ? Beaucoup d'argent ?

– Maman avait acheté la ferme sur ses propres deniers. J'ignore quelle somme elle possédait, mais il lui en restait sûrement. Vous vous souvenez, au début de l'hiver, quand je suis retourné à la maison ? Mon père vous devait encore dix guinées pour mon apprentissage. Eh bien, maman est montée les chercher dans sa chambre.

L'Épouvanteur hocha la tête :

– Donc, ils ont pu venir voler cet argent. Toutefois, si la fille a vu juste et que les sorcières s'en sont mêlées, j'ai le sentiment qu'il y a une autre raison. D'ailleurs, comment connaissaient-elles la présence de ces malles ?

– Alice pense qu'elles ont utilisé les miroirs.

– Qu'est-ce qu'elle en sait ! Même si le père Stocks a mentionné ce type de magie, comment auraient-elles pu voir les malles dans une pièce dépourvue de miroirs ? C'est absurde. Il y a quelque chose d'encore plus sinistre derrière tout ça.

– Comme quoi ?

– Je n'ai pas la réponse, petit. Mais, puisque tu es seul à détenir la clé, comment sont-elles entrées sans briser la porte ? Tu as bien dit que ta mère avait placé cette chambre sous protection contre tout maléfice ?

– Alice suppose qu'elles ont obligé Jack à entrer, puisqu'elles ne pouvaient le faire elles-mêmes. Il y avait du sang sur le mur et le plancher. Elles ont dû frapper mon frère jusqu'à ce qu'il cède, pour qu'il sorte les malles de là. Quoique... la façon dont la porte a été ouverte demeure un mystère. Maman affirmait que sa pièce était un refuge...

L'émotion me coupa la parole. Mon maître s'approcha et me tapota l'épaule pour me réconforter. Puis, il attendit en silence que je reprenne le contrôle de ma voix.

– Vas-y, petit, continue !

– D'après elle, une fois la porte verrouillée, j'y serais en sécurité, rien de mauvais n'y aurait accès ; cette chambre était encore mieux protégée que votre maison. Je ne devrais toutefois l'utiliser qu'au cas où quelque chose de terrible me poursuivrait, mettant en danger ma vie et mon âme. Et il y aurait un prix à payer. Étant jeune, je le supporterais ; vous, non. Je devais vous en avertir...

L'Épouvanteur acquiesça d'un air pensif tout en se grattant la barbe :

– Bien, petit. Voilà qui devient de plus en plus mystérieux. Nous sommes face à une énergie puissante, que je n'ai encore jamais rencontrée. Notre tâche va être d'autant plus difficile que des innocents sont mêlés à ça. Nous n'avons pourtant pas d'autre choix. Nous allons partir à Pendle sur-le-champ. Nous dormirons quelque part en chemin pour y arriver après l'aube. Je ferai tout ce qui est en mon pouvoir pour sauver les tiens ; cependant, il y a en jeu, ici, beaucoup plus que leurs vies. J'ai décidé de me débarrasser une bonne fois des sorcières de Pendle. Il est grand temps. Le père Stocks m'a apporté de fort mauvaises nouvelles : les Malkin et les Deane ont instauré une trêve, et des tractations sont en cours pour que les Mouldheel se joignent à eux. La situation est donc aussi grave que je le craignais. Sais-tu ce qu'on célèbre le 1er août, dans moins de deux semaines ?

Je fis signe que non. Mon anniversaire tombait le 3. C'était la seule date du mois qui avait quelque signification pour moi.

– C'est une des fêtes consacrées aux Anciens Dieux. On l'appelle « Lammas ». Les conventus de sorcières se rassemblent pour célébrer un culte et s'emplir du pouvoir de l'obscur.

– Ah oui ! C'est l'un des quatre principaux sabbats, n'est-ce pas ? J'ai lu un texte là-dessus, mais je n'ai pas mémorisé les dates.

– Tu connais celle de Lammas, à présent. Et, d'après ce que m'a révélé le père Stocks, il semble que les sorcières de Pendle s'apprêtent à tenter quelque chose de particulièrement maléfique ce jour-là. Si les Mouldheel rallient les deux autres conventus, leur pouvoir en sera grandement augmenté. Le projet doit être d'importance, pour les pousser ainsi à se réunir. Le père Stocks n'a jamais recensé autant de violations de sépultures ; des ossements sont volés. L'enlèvement de ton frère et de sa famille complique encore la situation, mais nos priorités sont simples : rejoindre le père Stocks à Downham, empêcher les Mouldheel de faire alliance avec les Malkin et les Deane, et retrouver les disparus. Si la jeune Alice peut nous aider, c'est bien. Sinon, nous nous débrouillerons seuls.

Nos sacs étaient bouclés ; nous n'avions plus qu'à sortir de la maison et fermer la porte derrière nous. Or, à ma consternation, l'Épouvanteur s'assit sur un tabouret, tira de son sac la pierre à aiguiser et empoigna son bâton. Lorsque la lame rétractable jaillit, il y eut un claquement sec, suivi d'un exaspérant bruit de frottement : mon maître affûtait son arme.

Il me jeta un coup d'œil et soupira : il avait lu sur mon visage ma nervosité et mon impatience.

– Je sais que tu brûles de te mettre en route, et je le comprends, dit-il. Mais il faut se tenir prêt à toute éventualité. J'ai un mauvais pressentiment. Si à n'importe quel moment je t'ordonne de partir en courant et d'aller t'enfermer dans la chambre de ta mère, m'obéiras-tu ?

– Quoi ? Et je vous laisserai seul ?

– Exactement. Quelqu'un devra poursuivre notre tâche dans le Comté. Je n'ai pas pour habitude de trop complimenter mes apprentis. Les louanges leur montent à la tête, leur donnent un sentiment exagéré de leur valeur et les incitent à se reposer sur leurs lauriers. Je dois pourtant te dire ceci : tu as accompli les vœux de ta mère. Tu *es* le meilleur apprenti que j'aie jamais eu. Je ne pourrai continuer ainsi très longtemps, tu seras donc mon *dernier* apprenti. Encore une fois, si je te l'ordonne, tu quitteras Pendle sans une question, sans un regard en arrière, et tu iras te réfugier dans cette pièce. Est-ce clair ?

J'opinai de la tête en silence.

– Tu le feras ?

– Oui, dis-je. Je le ferai.

L'Épouvanteur parut enfin satisfait. La lame disparut dans le manche de bois avec un cliquetis.

Chargé de nos deux sacs et de mon propre bâton, je suivis mon maître à l'extérieur et attendis qu'il ait verrouillé la porte derrière nous. Il contempla un instant sa maison. Puis, se tournant vers moi, il me sourit tristement :

– En route ! Nous avons assez tardé.

4
À l'est de Pendle

Nous quittâmes Chipenden par le flanc sud de la colline, avant de bifurquer pour franchir le Ribble, une jolie rivière bordée d'arbres. À cet endroit, elle ne ressemblait en rien au large cours d'eau qui traversait la ville de Priestown, où nous avions combattu le Fléau. Une fois sur l'autre rive, cependant, je sentis monter en moi une espèce d'angoisse.

– Eh bien, la voilà ! dit l'Épouvanteur en faisant halte au bord d'un ruisseau, qui longeait notre sentier.

Il désignait la colline de Pendle, dont la masse sombre avait grandi à mesure que nous approchions.

– Plutôt sinistre, non ?

Je ne pouvais qu'acquiescer. Bien que sa forme m'en rappelât une autre, pas très loin de Chipenden, celle-ci était plus haute, d'aspect repoussant. Une épaisse masse de nuages noirs stagnait au-dessus d'elle.

— Certains la comparent à une grosse baleine échouée, reprit l'Épouvanteur. N'ayant jamais vu de baleine, je ne saurais en juger. D'autres disent qu'elle ressemble à un bateau retourné, ce qui n'est pas faux. Qu'en penses-tu ?

J'observais attentivement le paysage. La lumière baissait, mais l'obscurité paraissait sourdre de la colline elle-même. Sa seule présence était une menace.

— Elle a quelque chose de vivant, dis-je, choisissant mes mots avec soin ; comme si une puissance mauvaise se tenait à l'intérieur, prête à lancer ses maléfices sur tout ce qui s'en approcherait.

— On ne saurait mieux la décrire, approuva mon maître.

Il s'appuyait sur son bâton, pensif.

— Une chose est sûre, continua-t-il. Une bande de sorcières malfaisantes se terre dans son ombre. Il fera bientôt nuit ; il serait plus sage de rester de ce côté du ruisseau jusqu'à l'aube. Alors seulement, nous pénétrerons sur le territoire de Pendle.

C'est ce que nous fîmes, nous installant à l'abri

d'une haie, et je m'endormis, bercé par le doux clapotis de l'eau.

Nous étions debout aux premières lueurs et, sans même avaler une bouchée de fromage, nous traversâmes le ruisseau et marchâmes à vive allure vers Downham. Le vent nous jetait un froid crachin à la figure. Nous allions vers le nord, laissant la colline à notre droite. Puis, entrant dans un bois de frênes et de sycomores, nous la perdîmes de vue.

Soudain, l'Épouvanteur me conduisit devant un énorme chêne.

– Que t'évoque ceci ? me demanda-t-il.

Un curieux dessin était gravé dans le tronc. Je l'examinai avec attention.

– Une paire de ciseaux ? supposai-je.

– Exact, confirma mon maître, l'air sombre. Cette marque est celle de Grimalkin, une spécialiste de la mort lente et de la torture. Les Malkin utilisent ses talents contre leurs ennemis. Ceci est un avertissement : *Pendle est mon territoire. Si vous croisez mon chemin, votre chair sentira le coupant de mes lames !*

Je reculai d'un pas, impressionné.

— J'aurai sûrement affaire à Grimalkin un de ces jours, continua l'Épouvanteur. C'est une tueuse impitoyable ; le monde se porterait bien mieux sans elle. Cependant, elle a son propre code d'honneur : elle n'a jamais recours à la ruse. Mais, si elle prend le dessus, gare à ses ciseaux !

Nous reprîmes la route de Downham. J'en avais assez appris sur Pendle pour comprendre que c'était un sale endroit, et je m'attendais au pire.

La rue principale sinuait le long d'une pente raide. Pour une raison que j'ignorais, M. Gregory contourna Downham afin d'y entrer par le nord. La colline de Pendle dominait le village, sa masse inquiétante occultant la moitié du ciel. Bien que la matinée fût déjà bien avancée et que le crachin eût cessé, il n'y avait pas une âme dehors.

— Où sont-ils tous ? m'étonnai-je.

— Cachés derrière leurs rideaux, où veux-tu qu'ils soient ? fit mon maître avec un sourire sarcastique. Ici, chacun s'occupe de ses affaires ; on ne se mêle pas de celles des autres.

Du coin de l'œil, je vis bouger un pan de dentelle, sur ma gauche. Inquiet, je demandai :

— Est-ce qu'ils vont révéler notre présence aux sorcières ?

– J'ai contourné certains lieux où notre passage aurait été signalé. Il y a probablement quelques espions au village ; il reste tout de même l'endroit le plus sûr de la région, grâce en soit rendue au père Stocks ! Depuis plus de dix ans qu'il est curé de cette paroisse, il met tout en œuvre pour tenir l'obscur à distance. Mais, d'après lui, Downham lui-même est à présent menacé. Des familles, qui vivaient là depuis des générations, s'en vont, refusant de rester plus longtemps à proximité de Pendle.

La petite église était bâtie à l'extrémité du village, de l'autre côté d'un ruisseau. Elle était entourée d'un vaste cimetière où s'alignaient des rangées et des rangées de tombes, dalles à demi enfouies dans les herbes folles ou stèles dressées de guingois, qui émergeaient du sol comme des dents cariées. Ce cimetière donnait une impression d'abandon, avec ses pierres tombales érodées par les intempéries, rongées de mousses et de lichen, dont les inscriptions s'effaçaient.

– Ces sépultures mériteraient un peu plus d'entretien, fit remarquer l'Épouvanteur. Je m'étonne que le père Stocks permette qu'on les laisse aussi négligées.

Le presbytère était un cottage ombragé de grands ifs, à une centaine de mètres de l'église. On y parvenait par un étroit sentier envahi de végétation, qui serpentait entre les tombes.

Arrivé devant la porte, l'Épouvanteur frappa trois coups. Au bout de quelques instants, nous entendîmes un bruit de bottes sur le carrelage. On tira le verrou ; le battant s'ouvrit et le père Stocks apparut sur le seuil. Il nous regarda avec étonnement, puis un sourire éclaira son visage :

– Eh bien, John, en voilà une surprise ! Je ne vous attendais pas avant la fin de la semaine. Entrez, tous les deux ! Faites comme chez vous !

Nous le suivîmes dans la cuisine, à l'arrière de la maison. Il nous invita à nous asseoir :

– Je devine que vous n'avez pas déjeuné. Toi, jeune Tom, tu m'as l'air assez affamé pour dévorer un cheval !

– J'ai faim, mon père, dis-je avec un regard en coin vers mon maître. Mais je ne suis pas sûr que l'on puisse manger...

Le jeûne nous rendant plus résistants aux forces de l'obscur, nous nous contentions généralement de quelques bouchées de fromage avant d'entamer un travail. La vie d'un épouvanteur est faite de peur, de danger, de solitude et... de faim !

À ma grande surprise, John Gregory déclara :

– Un petit déjeuner ne nous fera pas de mal ! Avant toute chose, nous avons besoin d'informations, et j'ai bon espoir, mon cher Bob, que tu pourras nous les fournir. Nous ne commencerons que demain.

Ce sera donc notre dernier vrai repas. Alors, oui, nous acceptons volontiers ton aimable invitation !

– Parfait ! Je serai heureux de vous aider, s'écria le père Stocks d'un air réjoui. Nous discuterons en mangeant. On va se préparer un copieux petit déjeuner. Tu sais faire griller les saucisses, jeune Tom ?

Je m'apprêtais à répondre que oui quand mon maître sauta sur ses pieds :

– Non, non ! Ne confie surtout pas une poêle à frire à ce garçon ! J'ai goûté sa cuisine une fois, et mon estomac ne me l'a pas pardonné.

Je souris, sans protester. Tandis que John Gregory s'occupait des saucisses, le père Stocks s'empara de deux autres poêles. Dans la première, il mit à rissoler d'épaisses tranches de lard avec des oignons, dans l'autre il versa une grosse omelette au fromage, qui prit peu à peu une appétissante couleur dorée.

Pendant ce temps, je restai assis devant la table ; et plus les bonnes odeurs qui emplissaient la pièce me faisaient saliver, plus je me sentais coupable. Je pensais à Jack, à Ellie et à la petite Mary, me demandant s'ils étaient encore en vie. Si c'était le cas, ils n'auraient sûrement pas droit à un repas comme celui-là. Je m'inquiétais aussi pour Alice. Je m'étais attendu à la trouver ici à notre arrivée, porteuse de nouvelles. J'espérais qu'elle n'avait pas d'ennuis.

– Eh bien, jeune Tom, me lança le père Stocks, tu peux au moins nous beurrer quelques tartines !

Je m'emparai d'un couteau, et, dès que j'eus terminé, trois assiettes arrivèrent sur la table, chargées chacune de saucisses, de lard, d'oignons et d'une grosse part d'omelette.

– Vous avez fait bon voyage ? s'enquit le père Stocks tandis que nous attaquions notre repas.

– On n'a pas eu de problème, mais, depuis ton départ de Chipenden, les choses ont pris une tournure inquiétante, lui confia l'Épouvanteur.

Et, tout en mangeant, il raconta l'enlèvement de Jack et de sa famille, et la mise à sac de la ferme. Il précisa également qu'Alice nous avait précédés à Pendle.

– Voilà qui est bien triste, Tom, dit le père Stocks en posant une main sur mon épaule. Je me souviendrai de ton frère et des siens dans mes prières.

Mon cœur se serra ; il parlait d'eux comme s'ils étaient déjà morts. De toute façon, à quoi pouvaient bien servir les prières ? Je sentis le rouge de la colère me monter aux joues. Je ne tins ma langue que par pure politesse. Je ne devais pas oublier les bonnes manières que mon père m'avait enseignées.

Comme s'il avait lu dans mon esprit, le prêtre reprit d'une voix apaisante :

– Ne te tourmente pas, mon garçon. Nous allons remettre les choses en ordre. Aide-toi, le ciel t'aidera ! Voilà un dicton plein de sagesse. Je vous assisterai de mon mieux, et peut-être la jeune Alice nous apportera-t-elle des informations dans la journée.

– J'espérais qu'elle serait là, dis-je.

– Moi aussi, petit, moi aussi, fit l'Épouvanteur, d'un ton qui attisa de nouveau ma colère. Espérons qu'elle ne commette pas quelque bêtise...

– Vous n'avez pas le droit de dire ça, explosai-je. Pas après tout ce qu'elle a fait ! Elle risque sa vie en venant ici !

– Et nous, est-ce que nous ne risquons pas la nôtre ? répliqua mon maître. Je ne veux pas me montrer injuste avec cette fille, mais elle va affronter la plus grande des tentations. Je ne suis pas sûr que ce soit une bonne idée de l'avoir laissée partir seule. La famille joue un rôle important dans la construction d'une personnalité, et Alice a grandi parmi les sorcières. Si elle retombe sous leur influence, n'importe quoi peut arriver.

– D'après ce que tu m'as dit d'elle, John, déclara le prêtre, il me semble que nous pouvons être optimistes. Si nous ne croyons pas tous en Dieu, que cela ne nous empêche pas d'accorder notre foi aux hommes – et aux femmes ! Elle est sans doute en route, à l'heure qu'il est. Je vais probablement la rencontrer en sortant d'ici.

Le père Stocks grandit d'un coup dans mon estime. Il avait raison. L'Épouvanteur aurait dû avoir foi dans la bonne volonté d'Alice.

– Je vais voir ce que je peux glaner dans les environs, reprit le curé. Il y a encore de braves gens, dans le coin, qui seront prêts à aider une famille innocente. Ce soir, avec un peu de chance, je saurai où Jack et Ellie sont enfermés. Avant cela, il y a une chose que je peux faire.

Il se leva de table et revint bientôt avec une plume, une feuille de papier et une petite bouteille d'encre. Ayant ôté les assiettes, il déboucha l'encrier, y plongea sa plume et commença à tracer des lignes. Je compris qu'il dessinait une carte.

– Bien, dit-il. Tom, tu as certainement étudié les cartes de la région avant de partir – et tu as pris soin de les replier après usage, évidemment !

Il adressa un clin d'œil moqueur à l'Épouvanteur et conclut :

– Toutefois, ce croquis te permettra de te repérer plus facilement.

Il ajouta les noms de différents lieux-dits avant de pousser la carte vers moi.

– Est-ce clair ?

J'examinai le papier quelques secondes et hochai la tête. Y étaient représentés en quelques traits la

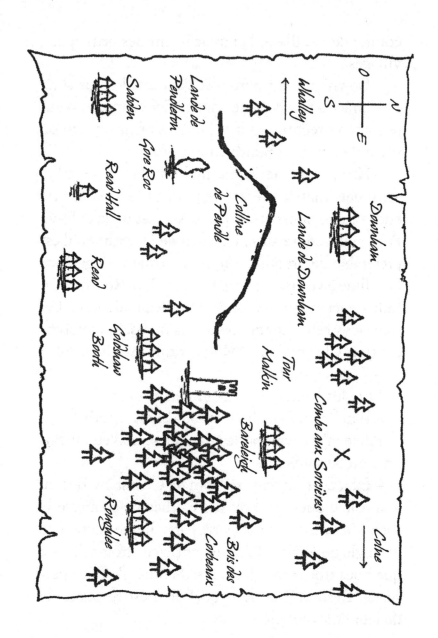

colline de Pendle et l'emplacement des principaux villages.

– Downham, au nord, est l'endroit le plus sûr...

– Grâce à toi, Bob ! le coupa l'Épouvanteur. Nous te sommes reconnaissants de nous offrir un lieu où travailler, qui soit relativement protégé.

– Non, John, je serais malhonnête si je m'en attribuais tout le crédit. Et puis, tu le sais, le pire endroit a toujours été la partie sud-est de la colline. Pour vous rendre au sud à partir de Downham, il est préférable de prendre la route de l'ouest en gardant la colline à votre gauche. Quoique Gore Roc, que j'ai indiqué ici, au sud-ouest, soit un lieu maléfique. Les sorcières y célèbrent parfois des sacrifices. Mais vois-tu ces trois villages, Tom ? Mon écriture est-elle lisible ?

– Tout à fait, dis-je.

Et je lus à haute voix pour l'en assurer :

– Bareleigh, Roughlee et Goldshaw Booth.

Alice m'en avait parlé ; dans chacun d'eux vivait un clan de sorcières.

– Exact. Et ici, pas très loin de Goldshaw Booth, à la lisière ouest du bois des Corbeaux, se dresse la tour Malkin. Pour ma part, j'appelle ce secteur le Triangle du Diable. C'est là, entre ces trois villages, que nous trouverons Jack et sa famille, j'en suis persuadé. Reste à découvrir quel clan est responsable de leur enlèvement.

Posant le doigt sur une croix tracée au-dessus de Bareleigh, je demandai :

– Et la Combe aux Sorcières, qu'est-ce que c'est ?

– La Combe aux Sorcières ? répéta l'Épouvanteur en levant un sourcil. C'est la première fois que j'entends ce nom.

– Là encore, John, c'est moi qui ai inventé ce nom pour désigner un endroit dangereux. Les choses ont changé, depuis votre dernier séjour ici ; en pire. Ce vallon est devenu le refuge de nombreuses sorcières mortes. Certaines se sont échappées d'une tombe ; d'autres ont été déposées là après leur décès et abandonnées par leur clan. D'ordinaire, elles dorment le jour, enfouies dans l'humus, sous les arbres. La nuit, elles chassent, assoiffées du sang des créatures vivantes. Aussi, au coucher du soleil, les oiseaux eux-mêmes ne sont pas à l'abri dans leurs nids. C'est un lieu à éviter absolument, les gens du coin le savent. Quelques malheureux disparaissent néanmoins chaque année. Deux ou trois de ces sorcières sont redoutables, capables de s'aventurer à plusieurs milles de la combe. Par chance, les autres ont tout juste la force de faire quelques pas hors de leur tanière.

– On a une idée de leur nombre ? s'informa l'Épouvanteur.

– Une douzaine, au moins. Mais, comme je vous l'ai dit, seules deux ou trois ont été vues loin du vallon.

– J'aurais dû venir plus tôt, grommela mon maître. Les choses ont pris un tour beaucoup trop inquiétant. Je crains d'avoir manqué à mes devoirs...

– Sottises ! Tu ne pouvais pas le deviner. Tu es là, à présent, c'est ce qui compte, répliqua le père Stocks. En tout cas, il faut agir avant la célébration de Lammas.

– Lors de ta visite à Chipenden, reprit l'Épouvanteur, je t'ai posé une question, mais tu ne m'as pas donné de réponse satisfaisante. Selon toi, que vont faire les conventus ce jour-là ?

Le prêtre repoussa sa chaise, se releva lentement et poussa un long soupir :

– D'accord, je vais te le dire ! Qu'est-ce qui peut rapprocher trois conventus ? Qu'est-ce qui les pousse à mettre de côté leur légendaire inimitié ? Ils ne peuvent pas se sentir, et ne se sont rassemblés qu'une seule fois au cours des trente dernières années...

– Oui, pour me maudire ! fit mon maître avec un rictus amer.

– Exact, John ! Cette fois, c'est différent. La montée en puissance de l'obscur leur donne l'opportunité d'accomplir une tâche difficile et dangereuse. Je crains qu'en se regroupant, ils ne tentent d'invoquer Satan en personne.

L'Épouvanteur secoua la tête, l'air grave :

– J'en rirais, Bob, si je flairais une plaisanterie. Je ne t'ai jamais enseigné à croire au Diable, que je sache ! Est-ce ta soutane de curé qui t'incite à ce langage ?

– J'aimerais que ce soit le cas. Or, c'est l'épouvanteur qui parle autant que le prêtre. Tel est leur but, j'en suis convaincu. En ont-ils le pouvoir ? Je l'ignore. Deux conventus semblent estimer que oui et pressent le troisième de les rejoindre. Selon certaines sorcières, lorsque ce monde a été créé, Satan marchait parmi les hommes. Elles se sont mis en tête de le rappeler pour que commence un nouvel âge des ténèbres.

J'avais interrogé un jour mon maître à propos du Diable. Il m'avait avoué se demander si, après tout, il n'y avait pas quelque chose derrière les créatures mauvaises que nous affrontions ; quelque chose d'enfoui dans les profondeurs de l'ombre, qui grandissait à mesure que grandissait l'obscur. Apparemment, le père Stocks partageait cette hypothèse.

Un lourd silence tomba sur la pièce tandis que les deux hommes se plongeaient dans leurs pensées.

Enfin, le père Stocks se leva et se prépara à sortir. Nous traversâmes le cimetière avec lui pour l'accompagner jusqu'au portail. Les nuages se dispersaient, le soleil nous chauffait agréablement le dos.

– Le jardinier mériterait qu'on lui tire les oreilles, lâcha l'Épouvanteur d'un ton acide. Je n'ai jamais vu de tombes aussi mal entretenues.

Le prêtre soupira :

– Voilà plusieurs semaines qu'il nous a quittés. Il est retourné dans sa famille, à Colne. Ça ne m'a pas surpris. Travailler ici mettait ses nerfs à rude épreuve. Trois sépultures ont été profanées au cours des deux derniers mois – un méfait des sorcières, évidemment. Par les temps qui courent, un cimetière mal tenu est le cadet de nos soucis.

– Eh bien, Tom va nettoyer un peu.

Nous saluâmes le prêtre, qui s'éloignait. Puis mon maître me lança :

– Tu sais te servir d'une faux, petit. Assure-toi que tu n'as pas perdu la main. Ça t'occupera jusqu'à mon retour.

– Vous partez ? demandai-je, surpris. Je croyais que nous devions rester à Downham pendant que le père Stocks recherchait mon frère ?

– C'est ce qui était prévu. Mais des paroissiens terrifiés et des profanateurs de tombes, cela laisse supposer que l'endroit n'est plus aussi sûr que je le pensais. J'ai toujours préféré me faire une idée personnelle de la situation. Aussi, en l'absence du père Stocks, je vais mener ma petite enquête. Toi, règle leur compte aux mauvaises herbes !

5
Les trois sœurs

Je découvris la faux du jardinier dans un appentis. Après avoir ôté mon manteau et relevé mes manches, je me mis au travail. Je commençai dans la partie où les tombes étaient des dalles horizontales, c'était plus facile.

J'avais souvent manié la faux, à la ferme ; je retrouvai vite le bon geste. Je supportais assez bien la chaleur, mais, vers le milieu de l'après-midi, le soleil se mit à taper si fort que la sueur me coulait dans les yeux. Il me parut raisonnable de faire une pause et de reprendre un peu plus tard.

Il y avait un puits, derrière la maison. Je fis descendre le seau et remontai une eau aussi froide et délicieuse que celle des torrents proches de Chipenden. Après avoir étanché ma soif, je m'assis, le dos appuyé contre le tronc d'un if, et fermai les yeux. Bercé par le bourdonnement des insectes, je dus m'assoupir, car je fus brusquement tiré de ma somnolence par un aboiement lointain. Je m'aperçus alors que l'après-midi était fort avancé, et j'avais à peine fauché la moitié du cimetière. M'attendant à voir revenir le père Stocks et l'Épouvanteur d'un instant à l'autre, je me remis aussitôt à la tâche.

J'en eus terminé juste avant le coucher du soleil. Il me fallait encore ramasser l'herbe coupée, mais je décidai que ça attendrait le lendemain. Ni le prêtre ni mon maître n'était de retour. Je revenais à la maison lorsqu'un bruit léger attira mon attention. Cela provenait de derrière le petit mur de pierre, sur ma gauche : on marchait dans l'herbe.

— Ma foi, lança une fille, tu as fait du bon boulot ! Voilà des mois que cet endroit n'a pas été aussi propre !

— Alice ! m'exclamai-je.

Mais ce n'était pas elle, même si, au son de cette voix, j'avais pu m'y tromper. De l'autre côté du muret se tenait une fille à peu près de la même taille, quoiqu'un peu plus âgée. Tandis qu'Alice avait les yeux bruns et les cheveux noirs, le regard de l'inconnue était vert, comme le mien. De longs cheveux d'un blond pâle lui tombaient sur les épaules. Elle portait une robe élimée, bleu ciel, dont les manches effilochées étaient trouées aux coudes.

– Je ne suis pas Alice, mais je sais où elle est. C'est elle qui m'envoie. Elle veut que tu viennes tout de suite. Elle m'a dit : « Amène-moi Tom ! J'ai besoin d'aide, c'est urgent ! » Elle ne m'a pas prévenue que tu étais si joli garçon. Tu es plus agréable à regarder que ton vieux maître !

Je me sentis rougir. Mon instinct me criait de ne pas me fier à cette fille. Elle était agréable à regarder, elle aussi, avec ses grands yeux brillants ; mais il y avait quelque chose de sournois dans les plis de sa bouche.

– Où est Alice ? Pourquoi n'est-elle pas avec toi ?

– Elle n'est pas très loin, par là-bas, fit-elle en désignant vaguement le sud. On y sera en dix minutes, tout au plus. Elle n'a pas pu m'accompagner à cause d'un lien.

– Un lien ? Qu'est-ce que c'est que ça ?

– Tu es apprenti épouvanteur, et tu n'as pas entendu parler des sorts qui lient ? Quelle honte ! Ton maître manque à tous ses devoirs. Alice est retenue par un sort. Elle ne peut pas faire plus de cent pas autour de son point d'attache. Un sort bien conçu, c'est plus efficace que des chaînes. Mais je peux t'amener assez près pour que tu la voies.

– Qui a fait ça ? demandai-je. Qui a jeté ce sort ?

– Les Mouldheel, qui veux-tu que ce soit ? Ils la prennent pour une sorcière renégate, une traîtresse. Ils vont la tourmenter, c'est sûr !

– Bon, je vais chercher mon bâton !

– Ne perds pas de temps à ça ! Elle est dans une sale situation.

– Attends-moi ici, répliquai-je avec fermeté. J'en ai pour une minute.

Je courus jusqu'à la maison, empoignai mon bâton et revins aussi vite. La fille patientait derrière le muret. Je le franchis d'un bond. D'un coup d'œil je vérifiai si elle ne portait pas de souliers pointus. Elle était pieds nus. Elle surprit mon regard et sourit. Lorsqu'elle souriait, elle était vraiment jolie.

– Pas besoin de chaussures, en été, dit-elle. J'aime sentir le moelleux de l'herbe sous mes pieds et la fraîcheur de la brise autour de mes chevilles. Au fait, on m'appelle Mab, au cas où ça t'intéresserait.

Elle se mit en route, me conduisant à grands pas vers le sud. Malgré une dernière bande lumineuse à l'ouest, il ferait vite nuit. Je ne connaissais pas les environs, et il aurait sans doute été judicieux que je me munisse d'une lanterne. Par chance, j'y voyais mieux dans le noir que la plupart des gens et, au bout d'une dizaine de minutes, un croissant de lune monta derrière les arbres, éclairant notre chemin de sa pâle clarté.

– C'est encore loin ? m'enquis-je.

– Dix minutes, tout au plus.

– Tu as déjà dit ça quand on est partis ! protestai-je.

– Ah oui ? Alors, je me suis trompée. Ça m'arrive. Quand je marche, je m'évade dans mon propre monde, et je ne vois pas le temps passer...

Nous traversions une lande pentue longeant la colline de Pendle. Vingt bonnes minutes s'écoulèrent avant que nous atteignions notre destination : un monticule arrondi couvert d'arbustes et d'épais buissons, en bordure d'un bois. L'énorme masse noire de Pendle le dominait.

– C'est là que nous allons attendre Alice, là-haut, dans ces arbres.

Je sondai l'obscurité qui régnait sous les branches, mal à l'aise. N'allais-je pas tomber dans un piège ? Cette fille semblait compétente en matière de sortilèges. Elle avait pu se servir du nom d'Alice pour m'attirer ici.

– Où est-elle, en ce moment ? demandai-je d'un ton suspicieux.

– Elle est retenue dans une maison forestière, pas très loin. Tu ne peux pas t'en approcher, ce serait dangereux.

Ça ne me plaisait pas du tout. En dépit du danger, je voulais voir Alice tout de suite. Je m'exhortai cependant à la patience.

— Bon, fis-je en serrant plus fort mon bâton, je te suis.

Mab m'adressa un petit sourire et s'engagea sous le couvert des arbres, prenant un sentier sinueux encombré de buissons et de ronciers. J'étais prêt à me servir de mon bâton à la première alerte.

J'aperçus bientôt des éclats de lumière, au-dessus de nous. Je me sentais de plus en plus anxieux. Qu'est-ce qui nous attendait, là-haut ?

Au sommet de la butte, il y avait une clairière où des souches formaient une sorte de cercle. On aurait dit que les arbres avaient été abattus dans le simple but de fournir des sièges. Je fus fort surpris de découvrir là deux autres filles, assises, une lanterne à leurs pieds. Elles étaient un peu plus jeunes qu'Alice. Elles me dévisagèrent avec de grands yeux qui ne clignaient pas.

— Voici mes sœurs, dit Mab. Celle de gauche, c'est Jennet ; l'autre s'appelle Beth. Si j'étais toi, je ne me soucierais pas de me rappeler leur nom. Elles sont jumelles, et tout le monde les confond.

Effectivement, elles paraissaient identiques. Leurs longs cheveux étaient du même blond pâle que ceux de leur aînée ; là s'arrêtait la ressemblance.

Toutes deux étaient très minces, avec une petite figure étroite, des yeux perçants, un nez légèrement crochu. Leur bouche à la ligne dure n'était qu'une fente horizontale. Comme Mab, elles portaient des robes élimées et elles étaient pieds nus.

Ma main se crispa sur mon bâton. Les jumelles me fixaient avec intensité, mais leur regard restait sans expression. Impossible de deviner si elles étaient hostiles ou amicales.

— Assieds-toi, Tom, et repose tes jambes, me conseilla Mab en désignant une souche en face de ses sœurs. Il peut se passer un moment avant qu'on puisse voir Alice.

J'obtempérai, incertain. Mab s'installa à ma gauche, et le silence tomba. Pour m'occuper, je comptai les souches. Il y en avait treize. Il me vint à l'esprit que ce pouvait être un lieu de rendez-vous pour un conventus de sorcières.

À peine m'étais-je fait cette réflexion troublante qu'une chauve-souris traversa la clairière avant de disparaître dans les branches derrière moi. Puis ce fut un papillon de nuit qui, dédaignant la lumière des lanternes, se mit à virevolter autour de la tête de Jennet comme attiré par la flamme d'une chandelle. La fille ne portait aucune attention à la phalène, pourtant prête à se poser sur le bout de son nez.

Soudain, elle ouvrit la bouche et, d'un vif coup de langue, attrapa le papillon et l'ingurgita. J'en restai pantois. Alors, pour la première fois depuis mon arrivée, son visage s'anima. Un sourire lui étira les lèvres. Elle mâcha l'insecte et déglutit bruyamment.

– Il était bon ? s'enquit sa sœur Beth en lui lançant un regard en coin.

– Bien juteux ! Ne t'en fais pas, tu auras le prochain.

– T'inquiète pas pour moi ! Mais s'il n'en vient pas d'autre ?

– On jouera à un jeu, et je te laisserai choisir.

– Jouons à Crache-Aiguille ! J'aime bien.

– Parce que tu gagnes tout le temps. Tu sais que je ne réussis que le vendredi. On est mercredi. Le mercredi, je ne produis que des plumes. Propose autre chose.

– Roule-Buisson ? suggéra Beth.

– C'est un bon jeu, admit Jennet. La première en bas a gagné !

Aussitôt, elles se laissèrent tomber en arrière et entamèrent une série de galipettes ; elles dévalaient la pente de plus en plus vite à travers les broussailles et les ronciers, dans des craquements secs de branches qui se brisent, ponctués de cris de douleur et de gloussements hystériques. Enfin le silence revint, et j'entendis, tout près, le hululement d'un hibou. Je levai la tête, mais ne vis rien.

Mab commenta :

– Mes sœurs adorent ce jeu. Elles vont finir la soirée en léchant leurs plaies, aussi sûr qu'un œuf est un œuf !

Quelques minutes plus tard, les jumelles réapparurent et reprirent leur place en face de moi. Elles étaient dans un bel état : leurs robes en lambeaux – l'une des manches de Jennet était arrachée –, la peau zébrée de coupures et d'écorchures, des brindilles plein les cheveux. Je ne sus si je devais éclater de rire ou compatir. Un mince filet de sang coulait du nez de Beth jusque sous son menton ; elle ne semblait pas s'en soucier.

Se nettoyant la lèvre d'un coup de langue, elle s'écria :

– On s'est bien amusées !

Puis elle suggéra :

– Une partie de Vérité-Audace ?

– Ça me va, si c'est le garçon qui commence, fit Jennet en me défiant du regard.

D'un ton provocant, Beth me lança :

– Vérité, Audace, Baiser ou Promesse ?

– Je ne joue pas, déclarai-je avec fermeté.

Mab insista :

– Sois gentil avec mes petites sœurs ! Vas-y ! Fais un choix ! Ce n'est qu'un jeu.

– Je ne connais pas les règles.

C'était vrai. Je n'avais jamais entendu parler de ce jeu. Ça m'avait tout l'air d'être un truc de filles, et je n'avais pas eu de sœur.

— C'est facile, m'expliqua Mab. Si tu prends Vérité, tu dois répondre à une question avec sincérité. Audace, on te donne une tâche à faire. Baiser, tu embrasses quelqu'un ou quelque chose, c'est selon, et tu n'as pas le droit de te dérober. Promesse, c'est le plus difficile. Lorsque tu en as fait une, tu es lié par elle, peut-être pour toujours.

— Non, répétai-je. Je ne veux pas jouer.

— Ne sois pas idiot ! De toute façon, tu n'as pas le choix. Tu ne quitteras cet endroit que lorsqu'on te le permettra. Tu es cloué ici, tu n'as pas remarqué ?

Mon malaise s'accentuait. Il me paraissait à présent évident que, depuis notre rencontre au cimetière, Mab me manipulait. J'avais cessé de croire qu'on était là pour délivrer Alice. Quel imbécile j'étais ! Pourquoi l'avais-je suivie ?

Je voulus me lever ; j'en fus incapable. Mon corps était vidé de toute énergie. Mes bras retombèrent sans force et mon bâton de sorbier roula dans l'herbe.

— Tu seras bien plus à l'aise sans ce sale bâton, dit Mab. Tu joueras avec nous, que tu le veuilles ou pas. Tu joueras, et tu aimeras ça, tu verras. Allez, c'est toi qui commences. Choisis !

Je n'en doutais plus, désormais, ces trois filles étaient des sorcières. Mon bâton était hors de portée, et j'étais trop faible pour m'enfuir. Je n'avais pas vraiment peur, tant tout cela ressemblait à un rêve. Mais je savais que je ne dormais pas et que j'étais en danger. Je pris donc une longue et profonde inspiration et m'efforçai de réfléchir calmement. Mieux valait les contenter, pour le moment. Quand elles seraient bien prises par le jeu, je trouverais peut-être une solution pour leur échapper.

Mais laquelle des quatre options était la meilleure ? « Audace » m'obligerait à accomplir quelque tâche périlleuse sans moyen de m'y soustraire. « Promesse » était plus que risqué ; les promesses que j'avais faites jusque-là ne m'avaient causé que des ennuis. « Baiser » semblait le moins dangereux. Puis je me rappelai que je devrais embrasser quelqu'un ou *quelque chose*, et l'idée ne me plaisait guère. Je me décidai pour « Vérité ». Mon père m'avait appris à parler vrai. Quel mal pouvait-il y avoir à ça ?

– Vérité, dis-je.

Les trois filles échangèrent un sourire, comme si elles avaient souhaité cette réponse.

– Parfait ! s'écria Mab, triomphante. Parle-moi donc en vérité ! Et tu feras bien, si tu connais tes intérêts. Tu ne voudrais pas nous tromper, n'est-ce pas ? Voici la question : laquelle de nous trois préfères-tu ?

Je la regardai, ahuri. Je m'attendais à tout sauf à ça. Que dire ? Si j'en désignais une, les deux autres se sentiraient offensées. D'ailleurs, pour être franc, toutes les trois me faisaient peur. Je ne les aimais pas, c'était ça la vérité.

— Je ne préfère aucune de vous, dis-je, parce que je n'en aime aucune. Je ne voudrais pas me montrer désagréable, mais vous me demandez la vérité, et c'est la pure vérité.

Elles émirent toutes les trois un sifflement de rage. D'une voix basse et menaçante, Mab reprit :

— Ça ne va pas. Tu dois en désigner une.

— En ce cas ce sera toi, Mab. Tu es celle que j'ai vue en premier.

J'avais parlé d'instinct, sans réfléchir, mais Mab eut un sourire satisfait.

— À mon tour ! dit-elle en se tournant vers ses sœurs. Je prends « Baiser » !

— Embrasse Tom ! s'exclama Jennet. Embrasse-le tout de suite, et fais-le tien pour toujours !

Aussitôt, Mab se leva et se planta devant moi. Elle se pencha et posa les mains sur mes épaules.

— Lève-toi ! ordonna-t-elle.

Vidé de toute volonté, j'obéis. Mes yeux plongèrent dans ses yeux verts ; son visage s'approcha du mien. Elle avait un joli visage, mais son haleine était celle d'un chien. Le monde se mit à vaciller autour de moi, et, si elle ne m'avait pas soutenu, je me serais écroulé.

Puis, à l'instant où ses lèvres chaudes se pressaient doucement sur les miennes, je ressentis des piqûres douloureuses sur mon avant-bras gauche, comme si on m'y enfonçait une longue épine à quatre reprises.

Gémissant, je vacillai. Mab poussa une exclamation et bondit en arrière.

Je regardai mon bras. Il portait quatre cicatrices, et je me rappelai ce qui les avait causées. Alice m'avait un jour empoigné avec tant de force que ses ongles avaient profondément pénétré ma chair. Lorsqu'elle m'avait lâché, quatre gouttes de sang brillaient sur ma peau.

Longtemps après, tandis que nous nous rendions chez sa tante à Staumin, Alice avait passé le doigt sur mes cicatrices en disant – je n'ai jamais oublié ces mots : « Je t'ai imposé ma marque. Elle ne s'effacera jamais. »

Je n'étais pas sûr, alors, d'avoir compris ce que cela signifiait, et elle ne me l'avait pas expliqué. De nouveau, à Priestown, nous nous étions querellés et je m'apprêtais à partir de mon côté quand Alice avait crié : « Tu es à moi ! Tu m'appartiens ! »

À ce moment-là, je n'y avais pas vraiment prêté attention. Apparemment, la chose avait beaucoup plus d'importance que je ne lui en avais accordé. Alice et ces trois filles paraissaient croire qu'une sorcière avait le pouvoir de s'attacher quelqu'un pour la vie. Vrai ou pas, j'avais échappé au pouvoir de Mab, et c'était grâce à Alice.

Tandis que Mab se remettait sur ses pieds, l'air furieux, je lui montrai les cicatrices sur mon bras.

— Je ne peux t'appartenir, Mab, dis-je, les mots sortant de ma bouche comme par enchantement. Je suis déjà à quelqu'un. J'appartiens à Alice.

J'avais à peine fini de parler que Beth et Jennet se laissaient de nouveau tomber à la renverse et dévalaient la pente en folles roulades. De nouveau, j'entendis les craquements de branches et les froissements de feuilles. Mais, cette fois, aucune des deux ne rit ni ne cria.

Les yeux de Mab flambaient de colère. D'un geste vif, je ramassai mon bâton et l'élevai devant moi, prêt à la frapper s'il le fallait. Elle tressaillit et recula de deux pas.

Puis elle siffla entre ses dents :

— Un jour, c'est à *moi* que tu appartiendras, aussi sûr que je m'appelle Mab Mouldheel ! Et bien plus tôt que tu ne le crois ! Je te veux, Thomas Ward, et tu seras à moi quand Alice sera morte !

Elle fit volte-face, s'empara des deux lanternes et s'élança entre les arbres à la suite de ses sœurs.

Je me mis à trembler de tous mes membres : je venais de discuter avec trois sorcières du clan Mouldheel ! Mab avait su où me trouver – Alice avait dû le lui dire. Alors, *où* était-elle ? Mab et ses sœurs connaissaient l'endroit, j'en étais certain.

J'étais tenté de courir à Downham raconter mon aventure à l'Épouvanteur. Mais je n'avais pas aimé la façon dont Mab m'avait menacé. Alice était sûrement prisonnière des trois sœurs ; si elle était en leur pouvoir, elles la tueraient peut-être dès leur retour. Je n'avais pas d'autre choix que de leur emboîter le pas.

J'allais m'aventurer dans la partie est de la colline, la plus dangereuse ; marcher vers ces trois villages qui, sur la carte dessinée par le père Stocks, formaient le Triangle du Diable.

6

La cave aux miroirs

É tant le septième fils d'un septième fils, ma présence demeurait cachée aux sorcières tant que
je ne m'approchais pas trop. Je pouvais pister les
trois sœurs en toute sécurité, à condition de conserver
mes distances. Cependant, d'autres membres encore
plus dangereux de la famille Mouldheel risquaient
de surgir, et il me fallait être sur mes gardes.

D'abord, ce fut facile. J'étais guidé par la lueur
des lanternes et j'entendais de grands éclats de
voix ; les filles semblaient se disputer. Malgré toute
mon attention, je posai soudain le pied sur une
branche, qui se brisa avec un claquement sec. Je me
figeai, effrayé. Mais elles continuèrent, plus bruyantes
que jamais, inconscientes d'être suivies.

À la sortie du bois, ce fut beaucoup moins aisé. J'étais en terrain découvert, sur une lande lugubre et pentue. Le clair de lune n'était pas pour m'aider, et je m'efforçai de rester loin en arrière. Un nouvel avantage s'offrit à moi : un ruisseau. Les trois filles suivirent les méandres de la rive, jusqu'à ce qu'elle dessine un arc de cercle qui leur permettait de continuer dans la bonne direction. C'était bien des sorcières : elles étaient incapables de traverser une eau courante !

Or, moi, je le pouvais. Si bien que je pris les devants. Alors qu'elles quittaient la lande, j'avançai sur un chemin parallèle au leur, dissimulé autant que possible dans l'ombre des arbres et des haies. Puis le terrain devint plus rocailleux.

Bientôt, j'aperçus un autre bois, un fourré épais, s'enfonçant dans un vallon qui longeait la colline de Pendle. Je ralentis, creusant un peu plus l'écart entre nous. Ce ne fut qu'après avoir pénétré sous les arbres que je remarquai une chose étrange : les trois sœurs avaient cessé de parler à haute voix. Elles ne faisaient plus aucun bruit.

Un silence inquiétant s'installa, comme si la nature retenait son souffle. Jusque-là, seule une brise légère avait soufflé ; à présent, pas une feuille ne remuait. On n'entendait pas même la course ténue des petites créatures de la nuit, souris ou hérissons, à croire que la vie s'était retirée de ces lieux.

Alors, avec un frisson d'horreur, je compris où j'étais. Je traversais ce que le père Stocks avait appelé la Combe aux Sorcières ! Et toute personne qui passait par là ou marchait simplement à la lisière du bois devenait la proie des sorcières mortes ! Chaque année, des gens disparaissaient.

Agrippé à mon bâton, je m'immobilisai, l'oreille tendue. Rien ne bougeait, mais le sol était mou sous mes pieds ; des décades d'automnes humides avaient fourni aux sorcières mortes de parfaits repaires où se terrer. L'une d'elles pouvait fort bien être là, cachée sous les feuilles. Un pas de plus et elle attraperait ma cheville ! Elle y enfoncerait les dents et sucerait mon sang, s'affermissant à chaque aspiration !

Je tentai de me convaincre que, si cela était, je saurais me libérer à coups de bâton. Il n'empêche, je devais faire vite. À mesure que la sorcière gagnerait des forces, je perdrais les miennes. Et si j'avais affaire à l'une des plus puissantes ? Selon le père Stocks, elles étaient deux ou trois à rôder bien au-delà de la combe, à la recherche de victimes.

Essayant de chasser cette pensée de mon esprit, je repris ma route, lentement, prudemment. Je me demandai pourquoi les trois sœurs s'étaient tues. Craignaient-elles, elles aussi, les sorcières mortes ? Et, si oui, pourquoi ? N'étaient-elles pas de la même espèce ?

Je me souvins alors des explications du père Stocks : les trois conventus étaient ennemis depuis toujours. Malgré les mariages entre des membres des Deane et des Malkin, les clans ne se rassemblaient que pour unir leur noir pouvoir. Les sœurs Mouldheel redoutaient peut-être de rencontrer une morte d'une famille rivale ?

Ce furent des moments oppressants. Je risquais une attaque à chaque seconde. Enfin, j'atteignis l'autre bord de la combe, bien soulagé de sortir de l'ombre des arbres. Baigné par la clarté de la lune, je retrouvai la lumière dansante des lanternes, devant moi ; j'entendis de nouveau les voix irritées des trois sœurs, qui reprenaient leur dispute.

Après une dizaine de minutes, elles descendirent une pente raide. À quelque distance de là, je vis rougeoyer un feu dont les flammes montaient vers le ciel. Je ralentis et traversai un abattis d'aulnes et de hêtres, dont les troncs attendaient d'être ébranchés et débités, ce qui me fournit une bonne cachette. Un instant plus tard, dissimulé derrière un fourré de résineux, j'avais une vue dégagée sur la scène qui se jouait en contrebas.

Juste en dessous de moi, je découvris une rangée de cottages – huit en tout –, et, sur une large cour dallée, un feu de joie qui envoyait danser ses étincelles très haut dans la nuit noire. Plus près, entre les arbres, il y avait un autre groupe de maisons. C'était probablement Bareleigh, où vivait le clan Mouldheel.

Je comptai une douzaine d'individus, hommes et femmes en nombre égal. La plupart étaient accroupis, tenant des assiettes et mangeant avec leurs doigts. Ils paraissaient inoffensifs, tels des amis rassemblés par une chaude nuit d'été pour festoyer au clair de lune. Un vent léger emportait leurs paroles et leurs rires.

Près du feu, un chaudron était suspendu à un trépied. Une femme y plongea une louche, dont elle versa le contenu dans un bol. Elle alla l'offrir à une fille, assise un peu à l'écart, la tête baissée, fixant les dalles. Lorsque la femme lui tendit le bol, elle leva les yeux et refusa d'un geste ferme.

C'était Alice ! Elle avait les mains libres, mais un reflet métallique attira mon attention : ses pieds étaient entravés par une chaîne que fermait un cadenas.

C'est alors que les trois sœurs apparurent. À leur arrivée, tout le monde se tut.

Sans saluer personne, Mab marcha vers le feu et cracha dessus. Aussitôt, les étincelles s'éteignirent, les flammes moururent, les braises lancèrent un dernier rougeoiement avant de devenir cendres grises. Le phénomène n'avait duré que quelques secondes.

Cependant, les lanternes éclairaient encore la cour. Sur un signe de Mab, l'un des hommes s'avança vers Alice, la jeta sur son épaule et l'emporta. Je le vis franchir la porte du dernier cottage sur ma gauche.

Je crus que le cœur me remontait dans la bouche. Je me souvenais des paroles de Mab. Allaient-ils tuer Alice tout de suite ? Était-ce pour cela que l'homme l'avait emmenée ?

J'étais sur le point de dévaler la pente et de me précipiter dans la maison pour la sauver. Avec tous ces gens alentour, une telle tentative était vouée à l'échec, mais je ne pouvais supporter de rester là sans rien faire. Je me contins, rongé par l'anxiété. J'allais m'élancer, incapable de me morfondre plus longtemps, quand l'homme réapparut, seul, et verrouilla la porte. Mab et ses sœurs sur les talons, il entraîna l'assemblée sur un chemin qui longeait un ruisseau.

J'attendis que tout le monde ait disparu, puis je m'approchai prudemment. Il y avait peut-être dans le cottage quelqu'un qui n'avait pas pris part aux réjouissances. Auraient-ils laissé Alice sans surveillance ? Cela semblait peu probable.

Arrivé devant la maison, j'ouvris avec le passe-partout que m'avait donné Andrew, le frère de l'Épouvanteur, et entrai. Je me trouvai dans une cuisine en désordre. À la lumière de trois chandelles de cire noire, je découvris un évier encombré de vaisselle sale. Le carrelage était couvert d'ossements d'animaux et maculé de graisse. Tout en tirant silencieusement la porte derrière moi, je scrutai chaque recoin, prêt à bondir au premier danger. La pièce paraissait vide, mais je me tins un moment immobile, l'oreille tendue. L'odeur de graillon et de pourriture m'emplissant les narines, je m'efforçai de respirer lentement pour calmer ma nervosité. L'endroit était presque trop silencieux. J'avais du mal à croire que, si elle était vraiment seule, Alice ne fasse aucun bruit. L'angoisse me prit à la gorge, tandis que mon cœur martelait ma poitrine. L'avait-on déjà tuée ? L'homme l'avait-il portée dans la maison pour accomplir cette sinistre besogne ?

L'horreur de cette pensée me remit en mouvement. Il me fallait visiter chaque pièce l'une après l'autre. La maison ne comportant qu'un rez-de-chaussée, il n'y avait pas d'étage à explorer. Dans la cuisine, une porte donnait sur une chambre en pagaille, au lit défait, aux draps sales. Alice n'y était pas.

Près du lit, il y avait une autre porte. Je l'ouvris, et pénétrai dans un salon.

Un seul coup d'œil me suffit pour comprendre que je n'étais pas seul. À ma droite, des braises rougeoyaient dans l'âtre. Et juste devant moi était assise une sorcière bossue au regard féroce, au crâne hérissé d'une épaisse chevelure blanche. Elle tenait un chandelier dont la flamme vacillante fumait. D'un geste instinctif, je brandis mon bâton. Elle leva le poing vers moi et ouvrit la bouche. Mais pas un son n'en sortit. Elle n'était pas dans la pièce ! Face à moi était suspendu un grand miroir. La sorcière l'utilisait pour m'observer à distance.

Où était-elle ? À des milles de là, ou à portée de main ? Quoi qu'il en soit, à l'aide d'un autre miroir, elle pouvait prévenir les Mouldheel qu'un intrus était dans la maison. Dans combien de temps quelqu'un surgirait-il ?

À ma gauche, je distinguai un escalier s'enfonçant dans l'obscurité. Une cave. Alice était-elle en bas ?

Je m'emparai d'une chandelle noire, qui brûlait sur le rebord de la fenêtre et, ignorant la sorcière qui continuait à fulminer en silence, je descendis les marches. En bas, je trouvai une porte fermée. Ma clé eut vite raison de la serrure. Je poussai le battant et éclairai le réduit.

Une vague de soulagement me submergea quand je découvris Alice, assise, le dos au mur, près d'un tas de charbon. Une expression d'effroi lui tordit le visage. Puis elle me reconnut et lâcha un gros soupir :

– Oh, Tom ! C'est toi ! J'ai cru qu'ils venaient me tuer.

– Tout va bien, la rassurai-je en m'agenouillant près d'elle. Tu seras libre dans une minute.

J'ouvris le cadenas et libérai ses jambes de la chaîne. Jusque-là, pas de problème. Mais quand je l'aidai à se remettre sur ses pieds, elle se mit à trembler, l'air terrorisée. La bizarrerie de la pièce me frappa alors : elle était trop brillamment éclairée. Une seule chandelle ne pouvait produire autant de lumière.

Je trouvai aussitôt l'explication : sur chacun des quatre murs, à hauteur de ma tête, était accroché un grand miroir au cadre de bois noir ornementé. Ils reflétaient indéfiniment la flamme de la chandelle. Et, dans chaque miroir, un visage me fixait avec des yeux haineux.

Trois étaient ceux de sorcières à l'air féroce, aux cheveux en bataille. Je pris d'abord le quatrième pour celui d'un garçonnet. Les traits, cependant, étaient ceux d'un homme au crâne chauve, au nez busqué. L'image resta un moment immobile, à la manière d'un portrait. Puis la bouche s'ouvrit, telle la gueule d'un fauve prêt à fondre sur une proie, garnie de dents pointues, aussi tranchantes que des rasoirs.

Ce qu'était cette créature, je l'ignorais, mais sa vue m'épouvanta. On me voyait, on savait que j'avais délivré Alice. Je devais sortir de cette cave, et vite ! Je soufflai la chandelle et la jetai à terre.

– Viens, Alice, dis-je en la prenant par la main.
Filons d'ici !

Je la conduisis vers les marches. Cependant, soit
par peur, soit par faiblesse, elle se laissait traîner.

– Qu'est-ce que tu as ? m'énervai-je. Allez,
viens ! Ils peuvent surgir d'un instant à l'autre...

– Ce n'est pas si simple. Ils ne m'ont pas seulement mis des chaînes. Je suis liée à cet endroit. Je
ne pourrai pas aller au-delà de la cour...

Je la dévisageai dans l'ombre de l'escalier :

– Un sortilège ?

Je connaissais déjà la réponse. Mab avait parlé
d'un lien, elle n'avait pas menti.

Alice hocha la tête d'un air désespéré :

– Il y a une possibilité de me libérer, mais ça
ne va pas être facile. Ils m'ont coupé une mèche de
cheveux et l'ont nouée. Il faut la brûler ; c'est le
seul moyen.

– Où est-elle ?

– C'est Mab qui l'a ; c'est elle qui a lancé le sort.

– On discutera de ça dehors, dis-je en la tirant le
long des marches. Ne t'inquiète pas, j'y arriverai !

Malgré ce ton confiant, j'avais le moral au fond
des bottes. L'espoir de reprendre à Mab cette mèche
de cheveux était bien mince, entourée qu'elle
était de tous les membres de son clan.

Je finis par hisser Alice hors de la cave. Dans le
salon, le visage s'était retiré du miroir. La sorcière

qui m'avait espionné était-elle déjà en route ? Nous traversâmes la chambre et la cuisine. Lorsque j'ouvris la porte, mon cœur fit un bond : des voix furieuses montaient au loin, se rapprochant à chaque seconde.

Je m'engageai dans la cour. Je voulais rejoindre le sentier, devant la maison. Alice haletait, n'avançant qu'à grand-peine, le front couvert de sueur. Soudain, elle s'arrêta et lâcha dans un sanglot :

– Je ne peux pas ! Je ne peux pas faire un pas de plus !

– Je vais te porter, décidai-je. Mab m'a dit que tu ne dépasserais pas cent pas autour de ton point d'attache. Si je t'emmène au-delà, ça ira peut-être.

Et, sans attendre sa réponse, je l'attrapai par les jambes et la basculai par-dessus mon épaule droite. Mon bâton serré dans ma main gauche, je sortis de la cour, m'engageai sur le chemin et descendis dans le lit du ruisseau, aux eaux rapides. En prenant pied sur l'autre rive, je me sentis mieux. J'avais mis une barrière entre les sorcières et nous. Elles seraient obligées de faire un long détour. Cela nous donnait le temps d'arriver à Downham.

Alice était lourde et ne cessait de gémir comme si elle souffrait.

– Ça ne va pas ? demandai-je.

Elle me répondit par un autre gémissement. Mais je n'avais pas d'autre solution que de continuer.

Aussi, serrant les dents, je me dirigeai vers le nord, laissant la colline de Pendle sur ma gauche. Désirant éviter la Combe aux Sorcières, j'obliquai vers l'est, espérant m'en écarter suffisamment. J'atteignis bientôt un autre ruisseau. Ne percevant aucun signe de poursuite, je déposai Alice dans l'herbe de la berge. Elle avait les yeux fermés, et je m'inquiétai : était-elle endormie ou inconsciente ?

Je l'appelai à plusieurs reprises, la secouai doucement, sans résultat. De plus en plus anxieux, je m'agenouillai au bord du ruisseau ; j'emplis mes mains en coupe d'eau glacée, que je fis couler sur son front. Elle tressaillit et s'assit d'un coup, les yeux écarquillés de peur.

— Tout va bien, Alice. On leur a échappé, on est sains et saufs.

— Saufs ? Tu t'imagines qu'on est saufs ? Ils vont nous poursuivre !

— Mais non ! On a franchi le ruisseau, celui qui longe le chemin. C'est de l'eau courante, les sorcières ne peuvent...

Elle m'interrompit d'un geste :

— Allons, Tom ! Des tas de ruisseaux descendent de cette affreuse colline. Crois-tu que des sorcières s'installeraient dans une région où il leur serait aussi difficile de se déplacer ? Elles ne sont pas idiotes ! Elles ont construit des écluses dans des lieux stratégiques. Il leur suffit de tourner une manivelle, et une planche de bois vient couper le courant. Bien sûr, l'eau finit par déborder, mais ça leur donne largement le temps de traverser. Et, si je ne m'abuse, elles ne doivent pas être loin.

Alice avait à peine fini de parler que j'entendis des appels, sous les arbres, à quelque distance derrière nous. Je lui tendis la main pour l'aider à se relever :

— Tu peux marcher ?

— Oui, je crois. Tu m'as mise hors de portée des effets du sort. Ça m'a fait mal, mais je suis libre, à présent. Enfin, presque. Tant que Mab aura ma mèche de cheveux en sa possession, je n'ose pas imaginer quelle malédiction elle est capable de me jeter. C'est elle qui a l'avantage.

Nous reprîmes notre marche vers Downham. D'abord, Alice avança avec difficulté, mais elle reprenait de la vigueur à chaque pas, et, bientôt, nous progressâmes à bonne allure. Malheureusement, nos poursuivants gagnaient du terrain.

Alors que, montant la pente de la lande de Downham, nous pénétrions dans un petit bois, je sentis la main d'Alice se poser sur mon bras.

— Qu'est-ce qu'il y a ? demandai-je. Il faut continuer, sinon...

— Il y a quelqu'un, là, devant, souffla-t-elle. Une sorcière morte...

Une silhouette bossue marchait entre les arbres, ses pieds remuant les feuilles pourrissantes du dernier automne. C'était peut-être l'une de ces puissantes créatures capables de quitter la combe pour chasser. Elle venait vers nous, sans hâte.

Impossible de faire demi-tour, les Mouldheel étaient sur nos talons. Il fallait tenter de passer hors de sa portée. Or, quand je voulus entraîner Alice sur le côté, elle me retint de nouveau :

– Non, Tom, tout va bien. Je la connais. C'est la vieille Maggie Malkin, une parente. Elle a été pendue à Caster, il y a trois ans, mais on a eu la permission de la ramener ici pour ses funérailles. Évidemment, on ne l'a pas enterrée ; on l'a déposée dans la combe, où elle s'est trouvée en bonne compagnie. Je me demande si elle se souviendra de moi. N'aie pas peur, Tom ! Voilà peut-être une aide inattendue...

Je reculai et empoignai mon bâton. Moi, cette sorcière morte ne me disait rien qui vaille. Sa longue robe brune était maculée de terre et constellée de feuilles mortes. Elle devait s'enfouir sous les arbres pour dormir pendant le jour. Ses yeux à moitié sortis de leurs orbites paraissaient prêts à rouler sur ses joues ; son cou tordu était d'une longueur anormale. Les rayons de lune passant à travers les branches faisaient briller derrière elle une trace argentée, semblable à celle que laissent derrière eux les escargots ou les limaces.

— Ça fait plaisir de vous voir, cousine Maggie ! lança Alice d'une voix enjouée.

La sorcière s'arrêta. Elle était à cinq pas de nous, tout au plus.

— Qui m'appelle par mon nom ? croassa-t-elle.

— C'est moi, Alice Deane. Vous vous souvenez de moi, cousine ?

— Ma mémoire n'est plus ce qu'elle était, soupira la sorcière. Approche, mon enfant, que je te regarde.

Alice obéit. Je la vis avec horreur avancer vers la vieille Maggie, qui posa une main sur son épaule et la flaira bruyamment à plusieurs reprises. J'aurais détesté qu'elle me touche ! Ses longs ongles ressemblaient aux griffes d'un oiseau de proie.

— Tu as bien grandi, mon enfant, reprit la sorcière. C'est à peine si je te reconnais. Mais ton odeur est celle de la famille, et cela me suffit. Qui est ce garçon qui t'accompagne ?

— C'est mon ami, Tom.

La vieille Maggie me fixa en reniflant. Ses sourcils se froncèrent et sa bouche s'entrouvrit sur des dents noires et pointues :

— Curieux personnage. Il ne sent pas bon, et son ombre n'est pas normale. Ce n'est pas une relation pour une jeune fille comme toi.

Nos ombres s'allongeaient sur le sol. La mienne était deux fois plus grande que celles d'Alice et de Maggie. C'est toujours le cas, au clair de lune ; un curieux phénomène, auquel je suis accoutumé.

– Mieux vaut choisir des amis parmi tes semblables, reprit la sorcière. Je te le conseille. Sinon, cela n'entraîne que chagrins et regrets. Débarrasse-toi de lui. Donne-le-moi, tu seras une gentille fille. La chasse a été mauvaise, cette nuit, et ma bouche est aussi desséchée qu'un vieil os. Donne-moi le garçon... !

À ces mots, la sorcière morte tira une langue si longue qu'elle lui pendit jusque sous le menton.

– Non, Maggie. Vous méritez mieux que ça. Il n'a que la peau sur les os, et son sang est anémié. Non, c'est là-bas que la chasse sera bonne !

Alice désigna l'endroit d'où nous venions :

– Du sang de Mouldheel, voilà ce qu'il vous faut !

– Il y a des Mouldheel, par ici ?

Maggie releva la tête et scruta le couvert des arbres en se pourléchant les lèvres :

– Des Mouldheel, tu dis ?

– Assez pour vous permettre de tenir une semaine ou deux. Il y a Mab et ses sœurs, et d'autres encore. Ils vous feront oublier votre faim.

La bouche de la créature dégoulina de salive, qui tombait en grosses gouttes sur les feuilles pourrissantes. Sans un regard vers nous, la sorcière s'élança dans la direction d'où montaient les voix de nos poursuivants, traînant toujours les pieds, mais gagnant déjà en rapidité.

Nous nous éloignâmes à grands pas.

– Ça va les occuper un moment, dit Alice avec un sourire sinistre. La vieille Maggie déteste les Mouldheel. Dommage qu'on n'ait pas le temps de s'arrêter pour assister au spectacle !

Maintenant que le danger était écarté, un autre souci occupait mon esprit. J'avais une question à poser, même si je craignais la réponse :

– As-tu appris quelque chose à propos de Jack et de sa famille ?

– Ce n'est pas facile à dire, Tom. Mieux vaut pourtant que tu saches la vérité.

Mon cœur sombra dans ma poitrine :

– Ils sont morts, n'est-ce pas ?

– Ils étaient encore vivants il y a deux jours. Seulement, ils ne le resteront pas longtemps si on n'agit pas. Ils sont enfermés dans un cachot, sous la tour Malkin. C'est ma famille qui est dans le coup.

Secouant la tête, elle ajouta :

– Et ce sont les Malkin qui ont emporté tes malles.

7

Le récit d'Alice

Une heure plus tard, nous frappions à la porte du presbytère. Le père Stocks et l'Épouvanteur étaient revenus l'un et l'autre, et ils m'attendaient. Mon maître se montra d'abord courroucé que j'aie abandonné les lieux sans prévenir.

Lorsque nous prîmes place à table, dans la cuisine, je remarquai que le miroir, au-dessus de la cheminée, avait été retourné contre le mur. Il faisait encore nuit, et le père Stocks avait pris cette sage précaution pour éviter d'être espionné par des yeux indiscrets.

Mon maître exigea un rapport détaillé de mon aventure. Quand j'en eus terminé, le père Stocks posa devant nous quatre bols de bouillon de poulet.

L'Épouvanteur n'ayant pas l'intention d'affronter les sorcières dans l'immédiat, nous n'avions pas besoin de jeûner. J'avalai donc ma soupe avec gratitude.

Évidemment, après avoir expliqué comment nous avions échappé aux Mouldheel, je passai sous silence la rencontre avec la sorcière morte. Cela n'aurait fait que conforter mon maître dans l'idée qu'Alice subissait toujours l'influence de sa famille et qu'on ne pouvait pas lui faire confiance.

– Parfait, petit, fit-il en plongeant une épaisse tranche de pain dans son bouillon fumant. Tu t'es conduit comme un imbécile en suivant une fille que tu ne connaissais pas. Enfin, tout est bien qui finit bien. Maintenant, j'aimerais entendre ce qu'Alice a à nous dire.

Il tourna les yeux vers elle :

– Commence par le commencement, et raconte-moi tout ce qui est arrivé avant l'intervention de Tom. Ne laisse rien de côté. Le plus petit détail peut avoir son importance.

– J'ai fureté à droite et à gauche une journée et une nuit avant que les Mouldheel me tombent dessus, attaqua Alice. J'ai eu le temps d'apprendre pas mal de choses. J'ai rendu visite à Agnès Sowerbutts, une de mes tantes. C'est d'elle que je tiens la plupart de mes informations. Certaines sont aussi évidentes que le nez au milieu de la figure ; d'autres restent un mystère. Comme je l'ai dit à Tom, son frère Jack et sa famille sont prisonniers dans un des cachots situés sous la tour Malkin. Ce n'est pas une surprise. Que les Malkin soient derrière tout ça n'en est pas une non plus. Ce sont eux qui ont volé les affaires de Tom. Et les trois malles leur donnent du fil à retordre. Ils ont ouvert facilement les petites caisses, mais les malles, rien à faire. D'ailleurs, ils ignorent tout de leur contenu, sinon qu'il est d'une telle valeur que...

— Comment ont-ils découvert l'existence de ces malles ? l'interrompit l'Épouvanteur.

— Ils ont fait appel à leur « voyant ». Il s'appelle Tibb. Il les a localisées à distance, mais n'a pas pu voir à l'intérieur. Il sait seulement que ça vaut le coup de les ouvrir. Il lit l'avenir et pense que Tom est dangereux. Encore plus dangereux que vous. Ils ne peuvent prendre le risque de le laisser grandir. Les Malkin le veulent mort. Mais ils ont besoin de ses clés, pour ouvrir les malles de sa mère.

— Qui est ce soi-disant « voyant » ? demanda l'Épouvanteur, une note de dédain dans la voix. Est-il natif du Comté ?

Mon maître ne croyait pas qu'on puisse connaître le futur ; j'avais pourtant été témoin de certains événements qui prouvaient le contraire. Avant notre affrontement avec le Fléau de Priestown[1], maman m'avait écrit. Elle avait prédit ce qui arriverait, et les faits lui avaient donné raison.

— Il y est né, si on peut employer ce mot. Mais Tibb n'est pas humain. Il suffit d'un regard pour s'en persuader.

— Tu l'as vu ? fit mon maître.

— Je l'ai vu, et Tom aussi. Dans un miroir. Les Mouldheel me tenaient presque tout le temps prisonnière dans une cave, et les murs étaient garnis de miroirs. Ainsi, ils gardaient un œil sur moi. Tibb est puissant, il utilise les miroirs à ses propres fins. En tout cas, il sait que Tom m'a délivrée. C'est un petit être laid, avec des dents pointues, très fort et très dangereux. Il n'a que trois doigts de pied. Non, il n'est pas humain, c'est sûr.

— Enfin, d'où sort-il ? s'écria mon maître. Je n'avais jamais entendu parler de lui.

— Au dernier Halloween, les Malkin et les Deane ont conclu une trêve, et les deux conventus ont uni leurs pouvoirs pour créer Tibb. Ils ont fait bouillir une tête de sanglier dans un chaudron jusqu'à réduire la chair et le cerveau en pâté. Chaque membre de l'assemblée a craché treize fois dans le récipient. Puis ils ont fait manger la mixture à une truie. Sept

1. Lire *La malédiction de l'Épouvanteur*.

mois plus tard, ils ont ouvert le ventre de la bête et en ont sorti Tibb. Il n'a pas beaucoup grandi, depuis, mais il est plus costaud que n'importe quel homme.

— Ça a tout d'un cauchemar, fit l'Épouvanteur, une nuance de moquerie dans la voix. De qui tiens-tu ce conte ? De ta tante ?

— Pour une part. Et le reste, des sœurs Mouldheel, Mab, Beth et Jennet. Elles m'ont capturée alors que je contournais Bareleigh. Sans Tom, je ne serais plus de ce monde. J'ai tenté de les convaincre de me libérer ; je les ai assurées que je n'avais plus rien à voir avec ma famille. Mais elles m'ont torturée. Elles m'ont extorqué des informations que je ne voulais pas leur donner. Désolée, Tom, je n'ai pas pu résister. Je leur ai parlé de toi, j'ai révélé que tu allais venir à Pendle délivrer ta famille. J'ai même révélé à Mab où elle te trouverait. Je suis vraiment désolée...

Voyant briller des larmes dans ses yeux, je passai mon bras autour de ses épaules :

— Il n'y a pas de mal, Alice.

— Vous devez savoir aussi que..., reprit-elle.

Elle se mordit la lèvre, puis prit une grande inspiration avant de poursuivre :

— Pendant que j'étais prisonnière des Mouldheel, des Deane et des Malkin — deux de chaque clan —

ont sollicité une entrevue. Ils ont discuté dehors, autour du feu. J'étais trop loin pour entendre ce qui se disait, mais ils s'efforçaient visiblement de persuader Mab de quelque chose. Je l'ai vue refuser de la tête.

L'Épouvanteur leva un sourcil étonné :

— Pourquoi les Malkin et les Deane rechercheraient-ils les services d'une fille comme elle ?

— Il y a eu bien des changements depuis ton dernier passage, John, intervint le père Stocks d'un air pensif. Le conventus des Mouldheel a gagné en puissance, et représente désormais un sérieux défi pour les deux autres. C'est la nouvelle génération qui en est responsable. Mab a beau n'avoir que quatorze ans, elle est plus dangereuse qu'une sorcière du double de son âge. C'est elle qui mène le clan, et les autres la craignent. On dit qu'elle est très douée pour la « scrutation » et qu'elle prédit l'avenir mieux que quiconque. Ce Tibb est peut-être une créature fabriquée par les Malkin pour contrer son inquiétant pouvoir.

— Alors, souhaitons qu'elle ne changera pas d'avis et ne s'alliera pas avec les deux autres clans..., déclara gravement l'Épouvanteur.

Il se tourna vers Alice :

— Tibb a la capacité de voir à distance, dis-tu. A-t-il une sorte de « nez long » ?

– Les deux vont ensemble, expliqua-t-elle. Mais il ne peut pas le faire dans n'importe quelle condition. Il lui faut s'abreuver de sang humain, du sang frais...

Le silence retomba. Le père Stocks et l'Épouvanteur étaient plongés dans leurs pensées. « Scrutation » était le mot employé par les sorcières pour désigner le don de prédiction. Même si l'Épouvanteur n'y croyait pas, j'aurais parié qu'il était troublé par la façon dont Tibb avait trouvé les malles de maman. Plus j'en entendais, plus les choses me paraissaient aller de mal en pis. Depuis le jour où mon maître m'avait annoncé notre départ pour Pendle, mes appréhensions n'avaient fait que grandir. Comment espérait-il s'en sortir face à toutes ces sorcières ? Et que pouvions-nous entreprendre, alors que mon frère et sa famille étaient aux mains des Malkin ?

– Jack, Ellie, la petite Mary, murmurai-je, pourquoi les ont-elles emmenés ? Elles avaient les malles. Ça ne leur suffisait pas ?

Ce fut Alice qui répondit :

– Parfois, les sorcières agissent pour le simple plaisir de nuire. Elles auraient aussi bien pu les tuer avant de quitter la ferme ; elles en auraient été capables. Elles les ont gardés en vie parce qu'ils sont de ta famille. Elles ont besoin des clés, rappelle-toi. Des otages fournissent un bon moyen de pression.

— Nous savons où sont Jack, Ellie et Mary, maintenant, dis-je sentant monter ma colère et mon impatience. Qu'est-ce qu'on va tenter pour les libérer ? Comment allons-nous nous y prendre ?

— Je crois qu'il n'y a qu'une chose à faire, petit, dit l'Épouvanteur. Trouver de l'aide. J'envisageais de passer l'été et l'automne à harceler nos ennemies, à essayer de diviser les clans. À présent, il faut agir, et vite. Le père Stocks a fait une suggestion qui ne me satisfait pas totalement, mais il m'a convaincu qu'il n'y avait pas d'autre solution, si on voulait avoir une chance de sauver ta famille.

— C'est un gros risque à prendre, je vous l'accorde, reprit Robert Stocks. Il y a, dans ces trois villages, des gens qui, de gré ou de force, apportent leur soutien aux conventus. Il faut également compter avec les hommes du clan. Et, en supposant qu'on franchisse cet obstacle, reste à pénétrer dans la tour Malkin. Elle est bâtie en bonne pierre du Comté, entourée de douves et munie d'un pont-levis. Ajoutez à cela une porte massive, bardée de fer. Une vraie forteresse ! Donc, Tom, voici ce que j'envisage : demain, nous nous rendrons, toi et moi, à Read Hall, la grande demeure du juge. En tant que proche parent de personnes enlevées, tu as le devoir de porter plainte. Ce magistrat, Roger Nowell, présidait il y a cinq ans le tribunal de grande instance à Caster. Il a le rang d'écuyer, le grade qui précède celui de chevalier, et c'est un honnête homme. Nous tâcherons de le persuader d'intenter une action en justice.

– Hmmm..., fit l'Épouvanteur, dubitatif. Pendant tout le temps où il a officié à Caster, pas une seule sorcière n'a été jugée. Il est vrai que les inculpées le sont souvent sur de fausses accusations, mais cela en dit long sur lui. C'est un rationaliste, un homme de bon sens. En fait, il ne croit simplement pas à la sorcellerie.

– Comment peut-il raisonner ainsi en vivant à Pendle ? m'étonnai-je.

– Il y a des gens à l'esprit obtus, répondit mon maître. Et les clans de Pendle ont tout intérêt à lui dissimuler tout ce qui éveillerait tant soit peu ses soupçons.

– Nous nous garderons d'évoquer toute notion de sorcellerie, déclara le père Stocks. Vol et enlèvement, voilà des mots que Maître Nowell comprendra.

Il me montra un papier qu'il avait tiré de la poche de sa soutane :

– J'ai ici le récit de deux témoins qui ont vu ton frère et sa famille conduits à la tour Malkin par la route de Goldshaw Booth. J'ai noté leur déposition hier, et ils l'ont signée d'une croix. Tu vois, les habitants du Triangle du Diable ne sont pas tous sous la coupe des sorcières. Je leur ai promis l'anonymat ; sinon, leur vie ne vaudrait pas cher. Mais cela suffira à convaincre Nowell d'agir.

Ce plan ne m'emballait pas. L'Épouvanteur avait exprimé lui aussi ses réserves. Cependant, il fallait faire quelque chose, et je n'avais rien de mieux à proposer.

Il y avait quatre chambres à l'étage du presbytère, dont trois pouvaient recevoir des hôtes de passage. Nous nous accordâmes quelques heures de sommeil. À l'aube, nous étions debout. Après un petit déjeuner hâtif, composé de mouton froid, je sortis en compagnie du père Stocks. Cette fois, nous prîmes la route de l'ouest, laissant la colline de Pendle sur notre gauche.

– Read Hall est au sud de Sabden, m'expliqua le prêtre. Mais, même si nous nous rendions à Bareleigh, il vaudrait mieux passer par ici. C'est plus sûr. Tu as eu de la chance de sortir entier de la combe, hier soir...

Je n'avais pas pris mon bâton et ne portais pas mon manteau à capuchon, pour ne pas attirer l'attention. Le juge Nowell ne croyant pas à la sorcellerie, il ne devait avoir aucune considération pour les épouvanteurs et leurs apprentis. Je n'avais pas non plus rempli mes poches de sel et de limaille de fer, très efficaces contre les créatures de l'obscur. Je comptais sur le père Stocks pour nous conduire à Read Hall et nous ramener sains et saufs avant le crépuscule. De toute façon, nous marchions du côté tranquille de la colline.

Au bout d'une heure, nous fîmes halte pour étancher notre soif à un ruisseau. Le père Stocks s'assit sur la berge, ôta ses bottes et ses chaussettes, et plongea ses pieds dans l'eau froide.

– Ça fait du bien, soupira-t-il avec un sourire de contentement.

Je lui rendis son sourire et m'installai près de lui, sans prendre la peine de me déchausser. C'était une belle matinée. Pas un nuage dans le ciel. Le soleil commençait à chasser l'air frisquet. L'endroit était pittoresque. On apercevait la colline de Pendle entre les arbres. Pour l'heure, son aspect avait quelque chose d'amical. De petites taches blanches se déplaçaient sur ses pentes verdoyantes.

– On élève surtout des moutons, dans le coin, fis-je remarquer.

Plus près de nous, de l'autre côté du ruisseau, le champ était rempli d'un troupeau bêlant, des agneaux assez grands pour être séparés de leur mère, et qui finiraient chez le boucher.

– Oui, dit le prêtre, les moutons sont la principale richesse du pays. Nous produisons les meilleures bêtes du Comté, et certains éleveurs s'en sortent bien. Cependant, il y a aussi beaucoup de pauvreté. Bien des gens doivent mendier leur pain. Soulager leur peine est l'une de mes priorités, en tant que prêtre. Pour cela, je me fais mendiant moi-même. J'encourage mes paroissiens à donner : argent, vêtement, nourriture, que je distribue aux pauvres. C'est une tâche gratifiante.

– Plus gratifiante que celle d'épouvanteur ? demandai-je.

Il sourit :

– Pour moi, Tom, la réponse est « oui ». Mais chacun doit suivre sa route...

– Qu'est-ce qui vous a décidé à devenir prêtre ?

Le père Stocks me considéra un moment, les sourcils froncés. Je crus que ma brusquerie l'avait blessé. Quand il reprit la parole, il parut choisir ses mots avec soin :

– J'ai vu l'obscur installer sa domination. J'ai vu combien le combat d'un épouvanteur était rude ; j'ai vu John Gregory risquer sa vie à chaque instant sans jamais résoudre le vrai problème : le mal est au cœur de notre monde, bien trop puissant pour que nous puissions en venir à bout avec nos propres forces. Pauvres humains que nous sommes, il nous faut l'aide d'une force supérieure. Il nous faut l'aide de Dieu...

— Donc, vous croyez en Dieu ? Vous n'avez pas de doute ?

— Oui, Tom, je crois en Dieu, et ma foi est entière. Je crois aussi au pouvoir de la prière. De plus, ma vocation me donne la chance de secourir les malheureux. Voilà pourquoi j'ai choisi d'être prêtre.

J'approuvai d'un hochement de tête. C'était la belle réponse d'une belle âme. Je ne connaissais le père Stocks que depuis bien peu de temps, mais je l'aimais déjà, et je comprenais pourquoi mon maître le considérait comme un ami.

Nous reprîmes la route et arrivâmes enfin devant un portail. Au-delà s'étendaient de vastes et vertes pelouses où paissaient des daims. Des bosquets semblaient plantés ici et là pour l'agrément du regard.

— Nous y sommes, dit le père Stocks. Voici le parc de Read Hall.

— Mais où est la grande demeure dont vous m'avez parlé ? m'étonnai-je.

Je ne distinguai nulle part de bâtiment, et me demandai s'il était caché derrière les arbres.

— Ceci est une réserve de chasse, Tom. Ces terres appartiennent au juge. Le manoir lui-même est beaucoup plus bas. Nous y serons bientôt. C'est une demeure digne du premier magistrat du Comté.

8

Madame Wurmalde

Je n'avais jamais vu de bâtiment aussi imposant que ce manoir, bâti au cœur de la propriété. Il évoquait plus un palais que la demeure d'un notable de campagne. Un grand portail s'ouvrait sur une large allée carrossable recouverte de gravier, qui menait droit à l'entrée principale. Là, l'allée contournait la maison à droite et à gauche pour donner accès à la porte de derrière. C'était une construction de deux étages, encadrée de deux ailes couvertes de lierre délimitant une cour carrée.

Je contemplai les nombreuses fenêtres à meneau avec stupéfaction, me demandant combien l'habitation comptait de chambres.

– Le juge a-t-il beaucoup d'enfants ? m'informai-je.

– La famille de Nowell a vécu ici, autrefois, m'expliqua le père Stocks. Malheureusement, sa femme est morte il y a quelques années. Il a deux filles mariées, qui vivent au sud du Comté. Son unique fils est dans l'armée. Il y restera jusqu'au décès de son père, dont il recevra en héritage le manoir et les terres.

– Ça doit être bizarre d'habiter seul dans une aussi grande maison, fis-je remarquer.

– Oh, il n'est pas vraiment seul. Il a des domestiques et, bien sûr, une gouvernante, Mme Wurmalde. C'est une femme énergique, qui gère son ménage avec compétence et efficacité. En vérité, elle ne correspond pas à l'image qu'on pourrait se faire d'une simple gouvernante. Un étranger la prendrait aisément pour la maîtresse de maison. Elle s'est toujours montrée courtoise avec moi ; certains prétendent cependant qu'elle se donne des airs et se croit au-dessus de sa condition. Il est vrai qu'elle a imposé des changements, ces dernières années. Autrefois, quand je venais en visite, je passais par la grande porte. À présent, seuls les gens ayant le rang d'écuyer ou de chevaliers en ont le droit. Nous devrons emprunter l'entrée des fournisseurs, sur le côté.

De fait, au lieu de nous diriger vers le porche majestueux, nous contournâmes la maison par une allée bordée d'arbustes, jusqu'à une petite porte latérale. Le père Stocks frappa trois coups. Après une bonne minute d'attente, il frappa plus fort. Quelques instants plus tard, une servante vint ouvrir, clignant des yeux dans le soleil.

Le prêtre ayant demandé à parler à M. le juge Nowell, la jeune femme nous introduisit dans un vestibule aux murs recouverts de sombres boiseries. Puis elle s'en alla précipitamment, nous laissant de nouveau patienter un long moment. Il régnait là un silence d'église, qui fut enfin brisé par un bruit de pas. Ce ne fut pas le maître des lieux qui se présenta, mais une femme, qui nous examina d'un œil critique. Je devinai qu'il s'agissait de Mme Wurmalde.

De grande taille, les épaules et la tête fièrement rejetées en arrière, elle approchait de la quarantaine. Ses épais cheveux noirs, séparés par une raie, bouclaient de chaque côté de ses oreilles telle une crinière. Ce style de coiffure seyait à ses traits réguliers et autoritaires.

Ses lèvres et ses yeux attirèrent particulièrement mon attention. Tandis qu'elle fixait le prêtre, je remarquai son regard impérieux et perçant, un regard qui vous fouillait jusqu'à l'âme. Quant à ses lèvres, elles étaient d'une pâleur cadavérique, et cependant rondes et charnues. Tout, dans cette femme, donnait une impression de force et de vitalité.

Mais ce fut sa tenue qui me causa une vraie surprise. Je n'avais jamais vu de femme ainsi vêtue. Elle portait une robe de fine soie noire, au col orné d'une fraise blanche. La jupe bouffait sur ses hanches ; elle était si large qu'on aurait pu tailler dans le tissu une vingtaine de cotillons. L'ourlet en frôlait le sol, dissimulant ses pieds. Combien d'épaisseurs de soie avait-il fallu coudre l'une sur l'autre pour obtenir un tel effet ? Il y en avait pour de l'argent ! Et de tels atours auraient sûrement mieux convenu à un personnage royal qu'à la gouvernante d'un manoir perdu dans la campagne.

– Vous êtes le bienvenu, mon père, dit-elle. Mais qu'est-ce qui nous vaut l'honneur de votre visite ? Et qui est votre jeune compagnon ?

Le père Stocks esquissa un bref salut :

– Je désire m'entretenir avec M. le juge Nowell. Et ce garçon s'appelle Tom Ward ; il est de passage à Pendle.

Mme Wurmalde tourna les yeux vers moi, et je vis ses pupilles se dilater imperceptiblement. L'espace d'une seconde, ses narines palpitèrent, et un frisson glacé me parcourut le dos : j'étais en présence de quelqu'un qui avait affaire avec l'obscur. Cette femme était une sorcière, j'en eus la certitude. Et je compris qu'elle aussi savait *qui* j'étais. Un courant était passé entre nous. Nous nous étions reconnus.

Elle eut un froncement de sourcils, vite réprimé, et s'adressa au prêtre avec un sourire contraint :

– Je suis désolé, mon père, ça ne sera pas possible aujourd'hui. M. Nowell est extrêmement occupé. Puis-je vous suggérer de revenir demain ; dans l'après-midi, peut-être ?

Le père Stocks rougit et se raidit légèrement. Mais, quand il parla, sa voix était ferme et déterminée :

– Veuillez excuser mon insistance, madame Wurmalde. Je sollicite Maître Nowell en sa qualité de magistrat. Il s'agit d'une affaire urgente, qui ne souffre aucun délai.

La gouvernante hocha la tête sans réussir à dissimuler son mécontentement.

– En ce cas, attendez ici, nous ordonna-t-elle. Je vais voir ce que je peux faire.

Nous attendîmes donc. Empli d'anxiété, je désirais désespérément confier au père Stocks mes inquiétudes à propos de Mme Wurmalde, mais je craignais à tout instant de la voir réapparaître. Finalement, ce fut la jeune servante qui vint nous chercher. Elle nous conduisit par un long corridor dans le vaste hall principal – celui où nous n'avions pas été admis. Un escalier montait vers les étages. Par les portes entrouvertes, je devinai un élégant salon et une salle à manger. Une autre ouvrait sur un couloir qui me parut mener à la cuisine. La fille frappa à la quatrième porte et nous fit entrer dans un bureau, rivalisant avec la bibliothèque de l'Épouvanteur, tant par ses dimensions que par le nombre d'ouvrages qu'il contenait. Mais, alors que les livres de mon maître étaient de tailles diverses et présentaient une grande variété de couvertures, ceux-ci étaient tous richement reliés du même cuir brun. Il me sembla qu'ils servaient plus à la décoration qu'à la lecture.

La pièce était chaude et confortable. Une grosse bûche flambait dans la cheminée, surmontée d'un grand miroir dans un cadre doré. Maître Nowell écrivait à sa table de travail, couverte de papiers, dont le désordre contrastait avec l'alignement parfait des volumes sur les étagères. À notre arrivée, il se leva avec un sourire. C'était un homme d'une cinquantaine d'années, mince et athlétique, au visage buriné. Il devait aimer la vie au grand air, car il ressemblait plus à un riche fermier qu'à un magistrat. Il accueillit chaleureusement le père Stocks, me salua d'un signe aimable et nous invita à nous asseoir. Nous approchâmes deux sièges, et mon compagnon exposa sans attendre le but de notre visite. Pour conclure, il lui tendit le document portant les déclarations des deux témoins de Goldshaw Booth.

Le juge le parcourut rapidement avant de relever les yeux :

— Et vous dites, mon père, qu'ils confirmeraient sous serment les faits ici relatés ?

— Certainement, à condition qu'on leur garantisse l'anonymat.

— Bien. Il est grand temps qu'on mette hors d'état de nuire la bande de canailles qui s'abrite dans cette tour. Voilà qui nous en donne l'occasion.

Se tournant vers moi, il demanda :

— Tu sais écrire, petit ?

Je hochai la tête, et il poussa vers moi une feuille de papier :

— Note ici le nom et l'âge des personnes enlevées, ainsi que la description des objets volés. Tu signeras en bas.

Je m'acquittai de ma tâche et lui rendis le document. Il en prit connaissance, puis se leva en déclarant :

— Je vais envoyer chercher le prévôt de police, puis nous ferons une petite visite à la tour Malkin. Sois sans crainte, petit. Ta famille sera libre avant ce soir.

À l'instant de quitter la pièce, je crus apercevoir du coin de l'œil un bref mouvement dans le miroir, le flottement d'un tissu noir et soyeux. Wurmalde nous avait-elle espionnés ?

Une heure plus tard, nous nous dirigions vers la tour Malkin.

Le magistrat marchait en tête, chevauchant une grande jument rouanne. Deux pas en arrière venait le prévôt, un individu à la mine sévère du nom de Barnes, vêtu de noir, et monté sur un petit cheval gris. Tous deux étaient armés. Le fourreau d'une épée battait le flanc de Roger Nowell, et le policier portait un gourdin à la ceinture. Un fouet était accroché à sa selle. Le père Stocks et moi partagions les sièges d'une charrette avec deux baillis. Ils étaient assis en face de nous, muets, caressant leur matraque et évitant notre regard. Il était clair qu'ils auraient préféré être ailleurs. Le cocher était un des domestiques du juge Nowell, un certain Cobden. Il avait salué le prêtre d'un vague grognement et m'avait complètement ignoré.

La chaussée était défoncée, cahoteuse, et j'avais hâte de voir le bout du chemin. On aurait mieux fait de voyager à pied en coupant à travers champs, me disais-je, plutôt que de suivre ces mauvaises routes. Mais, personne ne m'ayant demandé mon avis, je gardai mes réflexions pour moi. D'autant que l'inconfort de notre véhicule n'était que le cadet de mes soucis.

Mon anxiété grandissait. Jack, Ellie et Mary avaient peut-être été transférés dans une autre prison. Des idées plus noires encore me harcelaient : et s'ils avaient été tués ? Leurs corps enterrés là où nous ne pourrions jamais les retrouver ? Qu'avaient-ils fait de mal pour mériter ça ? Une boule dans la gorge, je pensais à la petite Mary, qui n'était qu'une enfant ; et au bébé qu'Ellie portait, le fils que Jack avait tant désiré. C'était ma faute. Si je n'étais pas devenu l'apprenti de l'Épouvanteur, rien de tout ça ne serait arrivé. Les Malkin et les Deane voulaient ma mort : cela avait forcément à voir avec le métier qui allait être le mien.

Malgré la présence du juge Nowell et du prévôt, je doutais fort de nos chances d'entrer dans la tour. Les Malkin pouvaient simplement refuser de nous ouvrir. La porte était celle d'une forteresse, épaisse, bardée de fer. Je me demandai si cela posait un problème aux sorcières – qui ne supportent pas le contact du fer. Je me rappelai alors que les hommes du clan étaient là pour la manœuvrer. Il y avait aussi des douves. Nowell paraissait compter sur la peur de la loi et des conséquences qu'entraînerait une résistance. Mais il ignorait qu'il s'attaquait à des sorcières ; il s'imaginait que la menace d'une épée et de quelques matraques résoudrait la question.

Et puis, il y avait Mme Wurmalde. Tout en moi me criait : sorcière ! Or, elle était la gouvernante du juge Nowell, le principal représentant de la loi à Pendle, un homme qui, en dépit de tout ce qui se passait dans le pays, restait convaincu que la sorcellerie n'existait pas ! Était-il lui-même ensorcelé ? Cette femme usait-elle sur lui des pouvoirs de fascination et de séduction que mon maître m'avait décrits ?

Il n'était pas question que j'en parle à Nowell, mais il fallait que je mette le père Stocks et l'Épouvanteur au courant le plus tôt possible. J'aurais voulu prévenir le prêtre avant notre départ pour la tour ; malheureusement, je n'en avais pas eu l'opportunité.

Tandis que je tournais ces réflexions dans ma tête, nous entamions la traversée du village de Goldshaw Booth. La rue principale était déserte, mais des rideaux s'écartaient à notre passage. La nouvelle de notre arrivée était déjà parvenue à la tour Malkin, j'en étais sûr. Nous étions attendus.

Nous entrâmes dans le bois des Corbeaux, et j'aperçus la tour, au loin. Bâtie dans une clairière, sur une légère élévation de terrain, elle dominait le bois, sombre et formidable. C'était une construction ovale, conçue pour résister à l'assaut d'une armée. Sa base occupait au moins deux fois la surface de la maison de Chipenden. Elle était trois fois plus haute que les arbres alentour, garnie de créneaux à son sommet. Cela signifiait qu'un escalier intérieur menait jusque-là. D'étroites meurtrières s'ouvraient dans la muraille, où des archers pouvaient s'embusquer.

Quand nous arrivâmes dans la clairière, je vis que le pont-levis était relevé et que les douves étaient larges et profondes. Dès que la charrette se fut arrêtée, je sautai à terre, content de me dégourdir les jambes. Le père Stocks et les deux baillis m'imitèrent.

Nous restions là, alignés, regardant la tour. Rien ne se passa.

Au bout d'une minute, Nowell lâcha un soupir d'impatience. Il poussa sa jument jusqu'au bord des douves et lança d'une voix forte :

– Au nom de la loi, ouvrez !

Dans le silence qui suivit, on n'entendait que le souffle des chevaux.

Puis une voix de femme nous parvint, depuis l'une des meurtrières :

– Patientez, le temps que nous abaissions le pont-levis !

Il y eut aussitôt un grincement accompagné d'un bruit de métal ; lentement, le pont s'ébranla. J'observai sa descente. Des chaînes, attachées à l'extrémité de la lourde passerelle de bois, glissaient à travers des encoches, dans la pierre. Je supposai qu'elles s'enroulaient à l'intérieur sur une poulie, qui devait être manœuvrée par plusieurs personnes. À mesure que le pont s'abaissait, je découvrais la formidable porte qu'il cachait auparavant. Elle était sûrement aussi

solide que les épaisses murailles. Abattre ces redoutables défenses paraissait impossible.

Enfin, le pont fut en place, et nous attendîmes.
Je me sentais de plus en plus nerveux. Combien la
forteresse abritait-elle de sorcières, avec leurs hommes
et leurs alliés ? Nous n'étions que sept. Si nous
pénétrions à l'intérieur, il leur serait facile de
refermer le battant derrière nous ; nous resterions
prisonniers, coupés du monde.

Mais rien ne se passait, aucun bruit ne nous parvenait de la tour. Nowell fit signe à Barnes de le
rejoindre au bord des douves et lui donna des ins-
tructions. Le prévôt mit pied à terre et franchit le
pont. Arrivé devant la porte, il frappa du poing sur
le métal, qui résonna sourdement. Une nuée de
corbeaux s'envola avec des croassements affolés.

Personne ne réagissant, le policier frappa de nouveau. Je distinguai alors, derrière les créneaux, une
silhouette en noir qui se penchait. Un flot de
liquide brunâtre tomba sur la tête de l'infortuné
Barnes, qui bondit en arrière en poussant un juron.
Un gloussement retentit en haut de la tour, assorti
de huées et de ricanements.

Le policier revint vers son cheval en s'essuyant
le visage. Il avait les cheveux trempés, et sa veste de
cuir était constellée de taches sombres. Il se remit
en selle et revint vers nous en compagnie du juge.

Ils discutaient avec animation, mais je ne saisissais pas le moindre mot. Ils s'arrêtèrent face à nous, et une bouffée d'air m'apprit ce que le policier avait reçu sur la tête : le contenu d'un pot de chambre. Ça empestait !

Nowell, rouge de fureur, annonça au prêtre :

— Je me rends à Colne immédiatement, mon père. Ceux qui défient la loi et insultent ses représentants méritent de sévères représailles. Je connais le commandant de la garnison, là-bas. C'est à présent aux soldats d'intervenir.

Il talonna son cheval, puis fit volte-face et nous lança :

— Je serai de retour aussitôt que possible avec la troupe. En attendant, mon père, veuillez dire à Mme Wurmalde que vous êtes mes hôtes, ce soir. Vous et le garçon.

Il s'éloigna au grand galop, tandis que nous remontions dans la charrette. Je n'avais aucune envie de dormir à Read Hall, sachant qu'une sorcière hantait la maison.

J'avais le cœur lourd à l'idée de laisser Jack et les siens passer une nuit de plus en captivité dans cet endroit sinistre. Et je n'espérais pas que l'arrivée d'une armée de soldats résolve le problème. Ça ne rendrait pas les murailles et la porte moins épaisses...

Nous reprîmes le chemin du manoir. Le prévôt chevauchait un peu en avant de nous ; seuls les deux hommes qui partageaient notre charrette échangèrent quelques mots.

– Barnes tire une drôle de tête, fit remarquer l'un avec un sourire moqueur.

– Tant qu'il reste dans le bon sens du vent, grommela l'autre, il peut bien tirer la tête qu'il veut...

Lorsque nous traversâmes de nouveau Goldshaw Booth, la rue principale était un peu plus animée. Des gens allaient à leurs affaires, d'autres flânaient. Certains nous regardaient passer depuis le seuil de leur porte. Quelques cris d'oiseaux et des sifflets s'élevèrent ; une pomme pourrie, lancée d'on ne savait où, manqua de peu la tête du prévôt. Il fit virer brutalement son cheval en décrochant son fouet, mais le coupable demeura invisible. Nous continuâmes sous les huées, et retrouvâmes la route de campagne avec soulagement.

En arrivant devant le portail de Read Hall, Barnes lâcha ses premières paroles depuis que nous avions quitté la tour :

– Eh bien, père, je vous souhaite une bonne nuit. Nous vous retrouverons demain à l'aube, ici même pour retourner à la tour.

Le père Stocks et moi descendîmes de la charrette. Nous franchîmes la grille en prenant soin de la refermer derrière nous et nous suivîmes l'allée, tandis que le prévôt s'éloignait.

Cobden continua dans la même direction, ramenant probablement les deux baillis à la ville avant de rentrer au manoir. C'était le moment ou jamais.

– Père, dis-je, il faut que je vous parle de Mme Wurmalde.

– Oh, ne te laisse pas influencer par les apparences, Tom ! Son arrogance n'est due qu'à une conscience exacerbée de sa position. Si elle t'a regardé de haut, c'est son problème, pas le tien. Au fond, c'est une brave femme. Personne n'est parfait.

– Non ! m'exclamai-je. C'est bien pire que ça ! Elle appartient à l'obscur ! C'est une sorcière, une pernicieuse !

Le prêtre s'arrêta et me fixa d'un air sévère :

– Tu es sûr de ce que tu dis, Tom ? Une pernicieuse ou une faussement accusée ?

– Quand elle m'a observé, il y a eu ce froid... C'est ce que je ressens parfois, à l'approche d'une créature de l'obscur.

– Parfois, ou chaque fois, Tom ? L'as-tu senti en présence de la jeune Mab Mouldheel ? Et si oui, pourquoi l'as-tu suivie ?

– La plupart du temps, le froid accompagne l'apparition des morts ou les manifestations de l'obscur, bien que ce ne soit pas toujours le cas. Mais, lorsque c'est aussi fort, comme avec Mme Wurmalde, il n'y a aucun doute. Ce n'est pas un effet de mon imagination. Elle m'a reniflé, elle sait qui je suis.

— Peut-être est-elle seulement un peu enrhumée, reprit le père Stocks. N'oublie pas que je suis, comme toi, le septième fils d'un septième fils. Je connais cette sensation de froid. Or, je ne l'ai jamais éprouvée devant Mme Wurmalde.

Je ne sus que répliquer. Pourtant, ce froid avertisseur, je ne l'avais pas imaginé ; ni le reniflement.

Le père Stocks poursuivit :

— Tout cela ne constitue pas une preuve, Tom, nous sommes bien d'accord ? Cependant, nous serons prudents.

— Mme Wurmalde sait que je sais qu'elle est une sorcière, repris-je. La nuit est douce. J'aimerais mieux dormir à la belle étoile. Je me sentirai beaucoup plus en sécurité.

— Non, Tom. Nous dormirons au manoir. Ce sera plus sage. En supposant que tu aies raison, Mme Wurmalde vit ici depuis des années, dans le confort et l'honorabilité. Elle ne trouverait pas une meilleure place ailleurs. Elle ne prendra pas le risque de la perdre. Je suis persuadé que nous ne risquons rien. Qu'en penses-tu ?

J'acquiesçai sans conviction, et le prêtre me tapota l'épaule d'un geste encourageant. Nous allâmes frapper, pour la seconde fois ce jour-là, à la porte latérale. La même servante vint nous ouvrir. À mon grand soulagement, nous n'eûmes pas à rencontrer de nouveau Mme Wurmalde. La servante, ayant appris que nous étions envoyés par le juge Nowell, alla en informer la gouvernante. Elle revint bientôt et nous conduisit à la cuisine, où on nous servit un souper léger, composé – pour changer ! – de mouton froid. Dès que nous fûmes seuls, le père Stocks récita un rapide bénédicité et attaqua son assiette avec appétit. Je jetai un coup d'œil à la mienne et la repoussai ; mais ce n'était pas par dégoût.

Le père Stocks me sourit par-dessus la table. Il avait compris que je jeûnais pour mieux résister à l'obscur.

– Mange donc, Tom ! me lança-t-il. Il ne se passera rien cette nuit, je te le promets. Nous affronterons l'obscur bien assez tôt ! Mais pas dans la maison du juge Nowell. Sorcière ou pas, Mme Wurmalde sera obligée de garder ses distances.

– Je préfère prendre mes précautions, mon père, dis-je.

– Fais comme tu veux. Mais nous aurons besoin de toutes nos forces, demain matin. Ce sera une dure journée...

Il n'était pas utile de me le rappeler. Néanmoins, je refusai de manger.

Quand la servante revint, elle jeta un regard offusqué à mon assiette intacte, puis, sans prendre le temps de débarrasser la table, nous invita à monter dans nos chambres.

Elles étaient contiguës, situées dans l'aile est de la maison, au dernier étage, et donnaient sur le grand portail. Dans la mienne, un miroir était accroché au-dessus du lit. Je m'empressai de le retourner contre le mur. Au moins, aucune sorcière ne pourrait m'espionner. Après quoi, je soulevai la fenêtre à guillotine et passai la tête au-dehors, inspirant à grandes bouffées l'air frais de la nuit. J'étais fermement déterminé à ne pas dormir.

L'obscurité fut bientôt totale. Une chouette hulula au loin. La journée avait été longue, et il m'était de plus en plus difficile de rester éveillé. C'est alors que je perçus des bruits : le claquement d'un fouet, des sabots martelant les pavés. Cela venait de l'arrière de la maison. À ma totale surprise, un carrosse tiré par quatre chevaux surgit au coin et descendit l'allée menant au portail. Et quel carrosse ! De ma vie je n'en avais vu de semblable !

Il était noir comme l'ébène, et si luisant que la lune et les étoiles s'y reflétaient. Les chevaux aussi étaient noirs, la tête ornée de plumets noirs. Le cocher fit de nouveau claquer son fouet. Je n'en étais pas certain, mais je crus reconnaître Cobden, l'homme qui avait conduit notre charrette jusqu'à la tour Malkin. Il me sembla aussi que le portail s'ouvrait de lui-même et se refermait après le passage du véhicule. Mais, encore une fois, à cette distance, je ne pouvais en être certain.

Qui ce carrosse transportait-il ? Des rideaux noirs étant tirés derrière les vitres, il était impossible d'en juger. Mais cet équipage était digne d'un personnage royal. Mme Wurmalde était-elle à l'intérieur ? Si c'était le cas, où allait-elle ? Et pour quoi faire ? J'étais maintenant tout à fait réveillé. J'étais sûr qu'elle rentrerait avant l'aube.

9

Des traces de pas

J e restai à mon poste une demi-heure sans qu'il se passât rien. La lune descendait lentement vers l'ouest. Il y eut une brève mais violente averse, qui laissa de larges flaques dans l'allée. Puis les nuages s'éloignèrent, et le clair de lune baigna de nouveau toutes choses de sa lumière blafarde. Quinze autres minutes s'écoulèrent. Je devais lutter pour ne pas m'assoupir ; mes paupières se fermaient toutes seules, ma tête ballottait. Soudain, le cri d'une chouette me fit sursauter. J'entendis alors, au loin, une galopade et un roulement de voiture.

Le carrosse se dirigea droit vers le portail. À l'instant où les chevaux semblaient sur le point de s'y écraser, il tourna de lui-même. Je le vis clairement, cette fois. L'attelage fonça vers la maison. Le cocher fit claquer son fouet comme si sa vie en dépendait. Il ne retint ses bêtes qu'à l'embranchement qui les amènerait derrière le manoir.

C'était le moment de savoir si Mme Wurmalde était la passagère. J'avais la certitude que j'allais découvrir quelque chose d'essentiel. L'une des chambres donnant sur l'arrière m'offrirait un excellent poste d'observation. À part le prêtre et moi, il n'y avait personne d'autre à l'étage. Du moins, je l'espérais.

Je sortis cependant avec mille précautions. Je tendis l'oreille. Seuls les puissants ronflements du père Stocks s'élevaient dans la chambre voisine. Traversant le corridor, j'ouvris la première porte et me glissai dans la pièce, le plus silencieusement possible. Elle était vide, et un mince rayon de lune passait entre les rideaux. Je me dirigeai vers la croisée et, dissimulé dans l'ombre du rideau, je jetai un regard à l'extérieur. J'arrivais juste à temps. La fenêtre donnait sur une cour au sol couvert de gravier, où scintillaient des flaques d'eau. Le carrosse s'était arrêté le long d'un chemin pavé, qui conduisait à une entrée, à ma droite. Le cocher sauta de son siège. C'était bien Cobden. Il ouvrit la portière du véhicule, puis recula en s'inclinant.

Mme Wurmalde descendit avec précaution comme si elle craignait de manquer une marche. Puis elle traversa la cour à pas lents, avant de rejoindre l'allée pavée. L'ourlet de son énorme jupe en forme de cloche balayait le sol. Elle tenait la tête droite, l'air toujours aussi impérial. Cobden se précipita pour pousser la porte devant elle, avec une profonde courbette. Une servante attendait ; elle accueillit la gouvernante d'une révérence. Cobden retourna au carrosse et l'emmena hors de ma vue, vers les écuries.

J'allais quitter mon poste d'observation quand je remarquai un détail qui me glaça les sangs. Malgré la récente averse, le passage pavé, abrité, était resté sec. Les pas de Mme Wurmalde y avaient imprimé leurs empreintes, à côté de celles du cocher.

Je les fixais, osant à peine en croire mes yeux. Les traces de souliers pointus allaient jusqu'à la porte. Et, entre elles, il y en avait d'autres : des pattes à trois orteils, comme celles d'une bête qui marcherait sur deux pieds... Et, dans un sursaut d'horreur, je compris.

Où la gouvernante était allée, je l'ignorais. En tout cas, elle n'était pas revenue seule. Voilà à quoi lui servait une jupe aussi volumineuse ! Tibb était dissimulé dessous. Maintenant, il était au manoir.

Pris de panique, me rappelant l'horrible visage qui m'était apparu dans un des miroirs de la cave, je courus vers ma chambre. Pourquoi l'avait-elle amené ici avec tant de hâte ? Était-ce à cause de ma présence ?

Je devinai alors la raison de tout cela. Tibb était un voyant. Qu'il puisse ou non prédire le futur, il voyait certainement à distance mieux que n'importe quelle sorcière. Et il savait où se trouvaient les clés des malles : autour de mon cou ! Mme Wurmalde ne pouvait s'attaquer à moi tant que j'étais l'hôte du juge Nowell. Tibb, si !

Je devais ficher le camp d'ici, et vite ! Mais pas question de partir sans réveiller le père Stocks et l'avertir du danger. J'allai directement à sa chambre et toquai doucement. Il ronflait toujours. J'entrai. Les rideaux étaient tirés, mais la chandelle brûlait encore.

Le père Stocks était allongé sur le dos ; il n'avait pas pris la peine de se déshabiller, ni de se glisser sous le drap. Je m'approchai du lit. Il dormait, bouche ouverte, ses lèvres vibrant à chaque ronflement. Je le pris par l'épaule et le secouai. Il ne réagit pas. Je le secouai un peu plus fort, puis me penchai et lui chuchotai à l'oreille :

– Père Stocks !

Je l'appelai une seconde fois, en élevant la voix.

Il ne répondit pas. Son visage me parut rouge. Je posai la main sur son front et le trouvai très chaud. Était-il malade ?

L'explication me frappa soudain, comme un coup de poing dans l'estomac. Je n'avais rien mangé, le soir ; le père Stocks, lui, avait dévoré le contenu de son assiette ! Les sorcières de Pendle étaient expertes dans l'art des poisons. Une pincée de champignon vénéneux avait pu être répandue sur la viande.

Mais Mme Wurmalde n'aurait pas pris le risque de tuer le prêtre sous son toit ! Elle l'avait juste plongé dans un profond sommeil pour laisser à Tibb le temps de s'emparer de mes clés.

Pourtant... N'aurait-elle pu le faire elle-même sans grande difficulté ? Puis je compris : la servante avait dû lui dire que je n'avais pas touché à mon dîner. Elle avait donc eu recours à son affreux aide. Lui, il saurait me prendre les clés, que je dorme ou pas !

La pièce tourna autour de moi. Le cœur battant à tout rompre, je bondis vers la porte et m'élançai vers l'escalier. Je n'avais plus qu'une idée en tête : quitter le manoir et retourner à Downham pour prévenir l'Épouvanteur. Quel pouvait bien être le rôle de Mme Wurmalde dans les conventus de Pendle ? Quelle part prenait-elle à leurs sinistres activités ?

Je me retrouvai dans le sombre vestibule de l'entrée principale. Par où sortir ? La grande porte ouvrait sur la cour, devant la maison. Traverser cet espace découvert était trop risqué. Le salon ? Le bureau ? Ils avaient des fenêtres donnant sur le côté.

Mais Tibb pouvait être n'importe où, et je n'avais pas davantage envie de croiser la gouvernante. Restait la cuisine ; personne ne serait aux fourneaux à cette heure de la nuit. De là, je pourrais sortir par l'allée latérale, me dissimuler dans les buissons et filer.

Je suivis l'étroit couloir menant à la cuisine, poussai la porte et entrai. Je compris aussitôt mon erreur. Éclairée par un rayon de lune, Mme Wurmalde était debout près de la table. À croire qu'elle m'attendait, prévoyant par où j'allais m'échapper. Tibb l'en avait-il informée ?

Détournant les yeux, je balayai la pièce du regard. Elle était sombre, remplie de coins obscurs. Je ne vis pas trace de Tibb, mais sa petite taille lui permettait de se cacher n'importe où, sous la table, dans un placard, sous les jupes de la gouvernante...

D'un ton aussi tranchant qu'un rasoir, elle me lança :

– Si tu avais mangé, tu n'aurais pas faim maintenant.

Je la dévisageai sans répondre. J'étais tendu, prêt à bondir. Mais je sentais que Tibb n'était pas loin.

– C'est pour cela que tu viens fouiner dans ma cuisine à cette heure de la nuit, n'est-ce pas ? reprit-elle. Ou comptais-tu t'en aller sans même un mot de remerciement pour l'hospitalité reçue ?

Je perçus alors dans sa voix quelque chose que je n'avais pas encore remarqué : une légère trace d'accent étranger. Cette découverte me causa un choc : maman avait le même.

— Si j'avais mangé, rétorquai-je, je serais dans le même état que le père Stocks. Je me passe de ce genre d'hospitalité.

— Eh bien, petit, tu ne mâches pas tes mots. Je vais donc être aussi directe que toi. Nous avons les malles, et nous avons besoin des clés. Pourquoi ne pas me les remettre tout de suite ? Tu t'éviteras bon nombre de douleurs et de tracas.

— Les clés m'appartiennent, ainsi que les malles.

— Bien sûr. C'est pourquoi nous sommes prêts à te les acheter.

— Elles ne sont pas à vendre.

— Oh que si, elles le sont ! Surtout quand tu connaîtras le prix que nous en offrons ! En échange des malles *et* des clés, nous t'accordons la vie de ta famille. Sinon...

J'ouvris la bouche pour parler, mais aucun mot n'en sortit. J'étais estomaqué.

— Voilà qui te donne à réfléchir, fit-elle, une expression de triomphe sur le visage.

Comment pouvais-je résister plus longtemps, si mon refus signait la condamnation à mort de Jack, d'Ellie et de Mary ? Pourtant, malgré la peine qui me déchirait le cœur, j'avais une bonne raison de rejeter cette proposition. Ces malles devaient avoir une grande importance pour les sorcières. Sans doute ce qu'elles contenaient – un savoir d'un genre particulier, peut-être – augmenterait la puissance de l'obscur. Comme me l'avait répété M. Gregory, il y avait en jeu ici bien plus que la vie des miens. Il me fallait gagner du temps. Du temps pour parler à mon maître. D'autant que quelque chose m'étonnait. Les sorcières sont vigoureuses. Pourquoi Wurmalde ne me prenait-elle donc pas les clés de force ?

– J'exige un délai, dis-je. Je ne peux pas me décider comme ça.

– Je t'accorde une heure, pas une minute de plus. Retourne dans ta chambre et réfléchis. Puis reviens ici avec la réponse.

– Ce n'est pas assez, protestai-je. Il me faut une journée. Un jour et une nuit.

Mme Wurmalde fronça les sourcils, et une lueur de colère flamba dans ses yeux. Elle avança vers moi, faisant bruire sa robe de soie, tandis que ses souliers pointus claquaient sur le carrelage :

– Le temps est un luxe que tu ne peux te permettre, siffla-t-elle. N'as-tu donc pas une once d'imagination, petit ?

Je déglutis, la bouche sèche.

– Laisse-moi te décrire le tableau : imagine un cachot noir, lugubre, grouillant de vermine et infesté de rats. Imagine un puits empli d'ossements, restes de captifs morts sous la torture, dont la pestilence est une injure au ciel. La lumière du dehors n'y pénètre jamais ; une seule chandelle est autorisée chaque jour, quelques heures de clarté tremblotante pour illuminer l'horreur. Ton frère Jack est lié à un pilier. Il divague et délire, le regard fou, le visage émacié, l'esprit en enfer. C'est nous qui l'avons mis là, mais c'est toi qui es à blâmer. Oui, c'est ta faute, s'il souffre ainsi.

– Comment cela peut-il être ma faute ? m'insurgeai-je.

– Parce que tu es le fils de ta mère, son héritier, et que tu dois continuer sa tâche.

Ces mots me piquèrent au vif :

– Qu'est-ce que vous savez de ma mère ?

– Nous sommes de vieilles ennemies, cracha-t-elle. Nous venons du même pays – elle, des régions barbares du Nord, moi du climat raffiné du Sud. Nous nous connaissons bien. Nous avons lutté l'une contre l'autre à maintes reprises, autrefois. Mais je tiens ma revanche ; je vais la vaincre, malgré tout son pouvoir. Même repartie chez elle, elle exerce encore sa force contre nous. Nous ne pouvions pas pénétrer dans la chambre où les malles étaient enfermées. Elle nous était interdite. Nous avons battu ton frère au sang. Le bougre est têtu, il a résisté. Nous avons alors menacé de frapper sa femme et son enfant. Il a enfin cédé, et il est entré. Il avait fait forger en secret une copie de ta clé, à l'époque où il en avait la garde. La pièce n'a pas été tendre avec lui. Peut-être parce qu'il t'a trahi. Il était jaloux de ton héritage, figure-toi. Dès que les malles ont été en notre possession, il s'est mis à rouler des yeux de dément et à déraisonner. Depuis, son corps gît, enchaîné, mais son esprit doit errer dans quelque lieu effroyable. Vois-tu la scène à présent ? Les choses sont-elles claires ?

Avant que j'aie pu réagir, Mme Wurmalde poursuivit :

– Son épouse fait ce qu'elle peut, lui baignant le front, tentant d'apaiser son délire avec de douces paroles. C'est bien dur pour elle, car elle a sa lourde part de chagrin. Il lui est déjà assez pénible de voir sa petite fille dépérir sous ses yeux, de l'entendre hurler de terreur quand la chandelle s'éteint. Le pire, c'est qu'elle a perdu son bébé, le fils et l'héritier que ton frère désirait tant. Je doute que la pauvre femme puisse en supporter davantage. Et, s'il est encore nécessaire de t'émouvoir, j'ajouterai ceci : il y a une sorcière appelée Grimalkin, une meurtrière, une créature cruelle, que les Malkin envoient parfois contre leurs ennemis. Elle est habile au maniement des armes, en particulier les longues épées. Elle aime tuer, mutiler. Et elle a un autre talent, qui satisfait son esprit sadique : elle prend plaisir à torturer. Elle raffole du *clic, clic* de ses ciseaux. Dois-je placer ta famille entre ses mains ? Il suffit d'un mot ! Alors, réfléchis bien, petit ! Laisseras-tu les tiens endurer de tels tourments ne serait-ce qu'une heure de plus – sans parler de la journée et de la nuit que tu as exigées ?

Mon cerveau bouillonnait. Je me rappelai le dessin de ciseaux gravé dans le tronc du chêne, tel un sinistre avertissement. Ce que Wurmalde décrivait était épouvantable, et il me fallut faire appel à toute mon énergie pour ne pas arracher les clés de mon cou, les lui remettre, et que tout soit fini. Au lieu de cela, j'inspirai profondément et m'efforçai d'effacer de mon esprit les images qu'elle venait d'évoquer. J'avais beaucoup changé, depuis les premiers temps de mon apprentissage. À Priestown, j'avais affronté une créature maléfique, le Fléau, et rejeté sa demande de liberté. À Anglezarke, j'avais tenu tête à Golgoth, un des Anciens Dieux, et, bien que persuadé d'y sacrifier ma vie et le salut de mon âme, j'avais refusé de le faire sortir du pentacle où il était enfermé. Cette fois, cependant, c'était différent. Ma propre famille était menacée, et la description de ce qu'elle endurait me serrait la gorge et me mettait les larmes aux yeux.

Malgré cela, je résistai. Mon maître m'avait enseigné que j'étais au service du Comté et je me devais d'abord à ses habitants. À *tous* ses habitants, pas seulement à ceux qui m'étaient chers.

– Une journée et une nuit ! insistai-je d'une voix aussi ferme que possible. Accordez-moi ce délai ou la réponse est non.

Mme Wurmalde siffla comme un chat en colère :

– Tu cherches à gagner du temps, hein ? Ne te mens pas à toi-même ! Les murs de la tour Malkin sont solides. Tu te fais des illusions si tu comptes sur une poignée de soldats. Leur sang tournera en eau et leurs genoux flageoleront de terreur. Pendle les avalera vivants, et on oubliera jusqu'à leur existence.

Elle me toisait, tête haute, arrogante, irradiant la mauvaiseté par tous les pores, et sûre de son pouvoir. Je n'avais aucune arme sous la main ; mais j'en trouverais à Downham, à quelques milles au nord. Que ressentirait Mme Wurmalde avec une chaîne d'argent bien serrée autour du corps et lui écrasant les lèvres sur les dents ? Si je m'échappais d'ici, c'est ce qu'elle subirait bientôt. Pour l'instant, hélas, j'étais à sa merci. Les sorcières sont robustes, et celle-ci me paraissait capable de se saisir de moi et de m'arracher les clés. Une fois de plus, je m'étonnai qu'elle ne le fasse pas. Préférait-elle laisser le sale boulot à Tibb ? Craignait-elle de nuire à sa position sociale et à sa réputation, comme l'avait suggéré le père Stocks ? Possible. Mais s'il y avait une autre explication ? Si elle *ne pouvait pas* m'enlever les clés de force ? Peut-être devais-je les lui donner de mon plein gré, ou en échange de quelque chose d'autre ? Peut-être maman le lui interdisait-elle, créant une barrière de pouvoir à distance ? C'était un espoir bien mince ; je m'y accrochai cependant avec la dernière énergie.

— Une journée et une nuit, répétai-je.

— Eh bien, soit ! aboya-t-elle. Pendant que tu tergiverses, pense aux souffrances des tiens ! Mais tu ne quitteras pas cette maison. Retourne dans ta chambre. Tu y resteras jusqu'au moment où tu devras me remettre les clés.

— Si je ne vais pas à la tour Malkin, le juge Nowell se demandera ce qui m'est arrivé...

Elle eut un sourire venimeux :

— Je lui ferai porter un mot, disant que le père Stocks et toi êtes fiévreux. Maître Nowell sera trop occupé, demain, pour s'inquiéter de votre absence. Vous serez le cadet de ses soucis. Non, tu demeureras ici. Tenter de t'en aller sans permission serait fort imprudent : cette maison est gardée par une créature que tu ne souhaites certainement pas rencontrer. Tu n'en sortirais pas vivant.

Un son monta alors du fond de la maison. Le carillon d'une horloge, qui résonna longuement. Douze coups. Il était minuit.

— Avant cette heure, la nuit prochaine, tu devras t'être décidé, m'avertit Mme Wurmalde. Si tu ne me donnes pas de réponse ou si tu prends le mauvais parti, ta famille mourra. À toi de choisir !

10
Tibb

J e retournai à ma chambre et fermai la porte. Je n'avais qu'une idée en tête : fuir ! Mais j'avais peur. Tout courage m'avait abandonné. Tibb était quelque part dans la maison, épiant mes moindres mouvements. À la première tentative d'évasion, il me tomberait dessus.

Sans penser une seconde à dormir, des images angoissantes tournant indéfiniment sous mon crâne, je tirai une chaise près de la fenêtre et m'assis là, à scruter la nuit. La campagne alentour, baignée de clair de lune, paraissait paisible. J'entendais les ron-flements du père Stocks, dans la chambre voisine et, de temps à autre, de légers craquements venant du palier. Des souris. À moins que ce ne fût Tibb. Cette idée me rendait affreusement nerveux.

J'ouvris la fenêtre et regardai le mur, au-dessous. Il était couvert de lierre. Et si je m'échappais par là ? Le lierre supporterait-il mon poids ? Penché sur le rebord, j'en empoignai une touffe. Les tiges et les feuilles me restèrent dans la main ; c'était de nouvelles pousses. Les plantes devaient être taillées régulièrement autour des fenêtres. En contrebas, les branches seraient peut-être plus épaisses, accrochées plus solidement à la pierre ?

Mais le risque était grand. Je devrais descendre avec mille précautions, et cela prendrait du temps. Et si je tombais ? Et si Tibb m'attendait à l'arrivée ? Non, c'était trop risqué. J'abandonnai l'idée, aussitôt des images insoutenables prirent le relais : Jack roulant des yeux de dément ; la petite Mary hurlant de peur dans le noir ; la pauvre Ellie pleurant son bébé perdu. Et Grimalkin, la meurtrière, prête à leur infliger les pires tourments ; le *clic, clic* de ses ciseaux...

À mesure que les heures nocturnes s'écoulaient, mon anxiété cédait peu à peu à la fatigue. Mes membres devenaient pesants ; je ressentis le besoin de me coucher. Comme le père Stocks, je ne pris pas la peine de me déshabiller ; je m'allongeai simplement sur le dos, par-dessus les draps. Je ne voulais pas m'endormir, mais mes paupières alourdies se fermaient toutes seules ; mes angoisses lentement se délayaient.

Je me rappelai que Wurmalde m'avait accordé une journée et une nuit pour prendre un parti. Tant que je restais dans la maison, je ne risquais rien. Au matin, je serais frais et dispos, apte à trouver le moyen de résoudre mes problèmes. Je n'avais rien de mieux à faire que me détendre...

Combien de temps avais-je dormi ? Je n'aurais su le dire. Mais je fus brusquement réveillé par des cris :

– Non ! Non ! Laisse-moi ! Va-t'en ! Lâche-moi !

Pendant quelques instants, je ne pus me rappeler où j'étais et fixai le plafond, en pleine confusion. Il faisait noir, dans la chambre ; la lune s'était cachée. Alors, lentement, la conscience me revint. C'était le père Stocks. Que se passait-il ?

– Seigneur ! Oh, Seigneur, délivrez-moi ! hurlat-il encore d'une voix emplie d'épouvante.

Quelqu'un le tourmentait ! Tibb ou la sorcière ? Je n'avais ni mon bâton ni ma chaîne ; je ne pouvais pourtant le laisser sans secours. Mais, quand je voulus me lever, je n'en eus pas la force. Mes bras et mes jambes ne m'obéissaient plus. Je me sentais faible et nauséeux.

Je n'avais pas touché au mouton, ce ne pouvait donc être l'effet du poison. Étais-je ensorcelé ? Je m'étais trouvé très près de Wurmalde. Trop près. Sans nul doute, elle avait utilisé quelque sombre magie contre moi.

J'entendis alors le père Stocks réciter un psaume :
Des profondeurs, je crie vers toi, Seigneur.
Ô Dieu, écoute mon appel… !

D'abord, sa diction était clairement audible, ponctuée de gémissements et de cris de douleur. Puis ce ne fut plus qu'un faible murmure, qui s'éteignit tout à fait.

Il y eut un silence d'une ou deux minutes, avant que des grattements s'élèvent contre la porte de ma chambre. De nouveau, je tentai de me redresser. Sans résultat. En réunissant mes forces, je parvins cependant à tourner légèrement la tête de ce côté.

Malgré l'obscurité, je devinai que la porte s'entrouvrait légèrement. Elle pivota lentement, grinçant sur ses gonds. Mon cœur cognait à m'en faire mal. Le battant s'ouvrit complètement. Terrifié, les yeux écarquillés, je fouillai le rectangle de ténèbres, attendant de voir Tibb pénétrer dans la pièce.

Au bruit de ses griffes égratignant le bois, je compris que cela venait d'en haut. Une forme sombre se déplaçait au plafond telle une monstrueuse araignée. Elle s'arrêta au-dessus de mon lit. Je m'obligeai à respirer profondément, tâchant de ralentir les battements de mon cœur. Je devais contrôler ma peur, car c'est de la peur que l'obscur se nourrit.

Je distinguais les contours du corps et des quatre membres, et leur position me parut bizarre. J'ai toujours eu la faculté de voir dans le noir, et je compris vite : Tibb avait rampé, accroché aux panneaux de bois du plafond, son dos et l'arrière de ses membres me faisant face. Et sa tête pendait au bout d'un long cou musculeux, de sorte que ses yeux, légèrement luminescents, plongeaient droit dans les miens. La bouche grande ouverte révélait deux rangées de dents pointues.

Un liquide tiède et gluant dégoulina sur mon front. Une goutte tomba sur mon oreiller, juste à côté de ma tête, une autre mouilla ma chemise. Puis Tibb parla, et sa voix rauque déchira l'obscurité :

– *J'ai vu ton avenir. Triste sera ta vie. Ton maître va mourir, et tu seras seul. Il aurait mieux valu pour toi que tu ne sois jamais né.*

Je le laissai dire. Ma peur refluait ; un grand calme s'installa en moi.

– *J'ai vu une fille, qui sera bientôt femme*, continua-t-il. *Celle qui partagera ta vie. Elle t'aimera, elle te trahira, puis elle mourra pour toi. Et tout ça pour rien. Pour rien ! Ta mère est cruelle. Quelle mère mettrait un enfant au monde pour un avenir sans espoir ? Quelle mère lui demanderait de faire ce qui ne peut être fait ? Elle entonne le chant du bouc et te place au milieu. Souviens-toi de mes paroles, quand tu regarderas dans la bouche de la mort !*

– Ne parle pas de ma mère sur ce ton, répliquai-je avec colère. Tu ne sais rien d'elle.

Cependant, l'expression « le chant du bouc » me déconcertait. Qu'est-ce que cela signifiait ?

Tibb ricana, et de nouvelles gouttes de salive souillèrent ma chemise.

– *Je ne sais rien ? Tu te trompes. J'en sais bien plus que toi ! Bien plus que tu n'en sauras jamais !*

– En ce cas, dis-je avec lenteur, tu sais ce qu'il y a dans les malles.

Il lâcha un grognement de colère.

– Ah, tu ne peux pas le voir, c'est ça ? raillai-je. Tu ne peux pas *tout* voir !

– *Tu vas nous donner les clés, alors, nous verrons. Nous saurons.*

– Je vais te le dire dès maintenant. Inutile d'attendre les clés.

– *Dis-moi ! Dis-moi !*

Il ne me faisait plus peur. Quand je me mis à parler, les mots qui sortirent de ma bouche me parurent prononcés par quelqu'un d'autre :

– Dans les malles, il y a ta mort. Les malles renferment la destruction des sorcières de Pendle.

Tibb rugit de rage et de frustration, et je crus qu'il allait se laisser tomber sur moi. Puis j'entendis les crissements de ses griffes sur le bois du plafond ; une ombre disparut par la porte. L'instant d'après, j'étais seul.

Je voulus me lever pour aller dans la chambre voisine, dans l'espoir de venir en aide au père Stocks ; impossible de me sortir du lit ! Étendu dans le noir, je luttai pendant de longues heures contre cette faiblesse inexplicable, soumis au pouvoir de Wurmalde.

Je ne fus délivré du sortilège qu'aux premières lueurs de l'aube. Je réussis enfin à m'asseoir. Je découvris alors des taches sanglantes, sur mon oreiller et sur la chemise. Tibb avait trouvé à s'abreuver... Me rappelant les cris et les supplications qui étaient montés de la chambre voisine, je me ruai dans le couloir. Je trouvai la porte du prêtre entrouverte. Les lourds rideaux étaient toujours tirés ; la chandelle s'étant entièrement consumée, l'obscurité emplissait la pièce. Je devinais une silhouette allongée sur le lit, mais n'entendais aucune respiration.

— Père Stocks ! appelai-je.

Un gémissement me répondit. Puis le prêtre parla d'une voix faible :

— Tom ? C'est toi ? Est-ce que tu vas bien ?

— Oui, père. Mais vous ?

— Ouvre les rideaux, fais entrer un peu de lumière...

Je m'empressai d'obéir.

Le temps s'était gâté ; de lourds nuages gris roulaient dans le ciel. Je me tournai vers le père Stocks et eus un mouvement d'effroi. Son oreiller et sa chemise étaient trempés de sang. Je courus à ses côtés, empli de compassion.

– Aide-moi, Tom. Aide-moi à m'asseoir...

Il s'accrocha à mon bras pour se redresser, gémissant de douleur. Son front était couvert de sueur, et il était affreusement pâle. Je disposai les oreillers derrière lui. Il tenta de sourire :

– Merci, Tom. Tu es un brave garçon.

Sa voix tremblait, et il avait le souffle court.

– As-tu vu cet horrible gnome ? T'a-t-il visité, cette nuit ?

Je hochai la tête :

– Il est venu dans ma chambre. Il m'a parlé, c'est tout.

– Dieu soit loué ! À moi aussi, il a parlé. Quel récit il m'a fait ! Tu avais raison, à propos de Mme Wurmalde. Je n'avais rien compris. Sa position dans cette maison lui importe peu, à présent ; elle n'a plus besoin de feindre. C'est elle qui manipule les clans de Pendle, qui s'emploie à les rassembler. Elle a déjà réussi à allier les Malkin et les Deane, et se fait fort de convaincre les Mouldheel. Alors, le jour de Lammas, les trois conventus invoqueront le Diable. Toute cette région tombera dans les griffes de Satan lui-même, et un nouvel âge de ténèbres s'étendra sur notre monde. Quand il a eu terminé son discours, il s'est jeté sur ma poitrine. J'ai essayé de le repousser, mais il s'est abreuvé voracement de mon sang ; je me suis vite senti aussi faible qu'un chaton. J'ai prié. J'ai prié avec la plus grande ferveur. J'aime à croire que Dieu m'a entendu, quoique, en vérité, si l'immonde créature a fini par me laisser en paix, c'est probablement parce qu'elle était repue...

– Il vous faut un médecin, dis-je. Je vais aller chercher de l'aide.

– Non, Tom. Non, pas de médecin ! Avec un peu de repos, les forces me reviendraient. Mais je n'aurai pas cette chance. La nuit prochaine, la bête reviendra à son festin de sang, et je n'y survivrai pas.

Il serra ma main, tremblant, les yeux emplis d'effroi :

– Oh Tom ! J'ai peur de mourir ainsi, seul dans le noir. J'ai cru tomber au fond d'un puits, tandis que Satan me tirait plus bas encore et qu'il étouffait ma voix, afin que Dieu lui-même restât sourd à mes appels. Je suis trop faible pour me lever ; toi, Tom, tu dois fuir. Va chercher John Gregory. Amène John ici ! Tout de suite ! Il est le seul à pouvoir me sortir de là...

Je fis de mon mieux pour le rassurer :

– Ne vous tourmentez pas, mon père. Reposez-vous. Vous serez en sécurité pendant les heures du jour. Je vais partir dès que possible, et je serai de retour avec mon maître avant le crépuscule.

Je regagnai ma chambre, tâchant d'évaluer la menace que Tibb représentait. Étant une créature de l'obscur, il devait se cacher le jour. À supposer qu'il supporte la lumière, il ne serait pas trop dangereux. J'avais pris la décision de tenter la descente en m'accrochant au lierre du mur ; toutefois, pas avant que la charrette n'ait franchi le portail. Je ne voulais être vu ni de Cobden, ni des deux baillis, qui étaient peut-être eux aussi à la solde de Wurmalde.

Au bout d'une vingtaine de minutes, je perçus un martèlement de sabots. La charrette passa le coin du manoir, et Cobden la mena vers le portail. Cette fois, il ne s'ouvrit pas de lui-même. Le cocher dut descendre de son siège et manœuvrer les grilles. Il fut rejoint à l'extérieur par le prévôt, Barnes, à cheval, suivi de ses deux hommes à pied. Ceux-ci montèrent dans la charrette, et l'attelage prit la direction de la tour Malkin. Aucun des nouveaux venus ne jeta un coup d'œil vers la maison. Nul doute que Cobden avait reçu des consignes. Le prévôt et le juge Nowell seraient informés que le père Stocks et moi étions alités et fiévreux.

Tout en les voyant s'éloigner, je m'interrogeai : était-il sage de retourner à Downham ? Alice et l'Épouvanteur pensaient nous voir rentrer rapidement. Sans nouvelles de nous, ils avaient peut-être décidé de venir aux renseignements ; auquel cas ils étaient déjà en route. Tous deux connaissant bien la région, ils auraient pris le chemin le plus direct, par l'ouest de la colline, celui par lequel nous étions venus, le père Stocks et moi. J'avais donc une chance de les croiser.

Je soulevai l'abattant de la fenêtre, passai les jambes à l'extérieur et me retournai face au mur. Agrippant fermement le rebord, je me laissai pendre de toute la longueur de mes bras, enfonçai ma main gauche dans le lierre. Les branches étaient solides sous mes doigts, la plante supportait mon poids ; mais l'idée de ce qui pouvait m'attendre en bas me rendait nerveux... Dans ma hâte à toucher le sol, je pris pas mal de risques. Quelques instants plus tard, cependant, j'étais debout sur les graviers et m'élançais vers la grille. Deux ou trois regards en arrière m'assurèrent que je n'étais pas poursuivi. Dès que j'eus quitté le domaine, je continuai vers le nord en galopant de toutes mes forces.

À vol d'oiseau, il n'y a guère que cinq ou six milles entre Read Hall et Downham, mais le terrain accidenté m'obligeait à des détours. Je devais pourtant faire l'aller et retour avant la nuit et ne pouvais ralentir ma course. Mieux valait couvrir la première moitié du chemin aussi vite que possible pour revenir à une allure plus modérée, compte tenu de la fatigue qui me plomberait les jambes.

Au bout de deux milles environ, je pris un pas de marche rapide. Puis, estimant que j'avais parcouru la moitié du trajet, je m'accordai cinq minutes de pause et j'étanchai ma soif à l'eau vive d'un ruisseau. Après cela, j'eus du mal à garder le rythme. Si le jeûne permet sans nul doute d'affronter l'obscur, ce n'est pas l'idéal pour la forme physique, et je n'avais rien avalé depuis le précédent petit déjeuner. Je me sentais faible, la tête me tournait. Serrant les dents, fixant ma pensée sur le malheureux père Stocks, je m'obligeai à courir encore un mille avant de reprendre la marche. Je remerciai le ciel de s'être couvert de nuages, qui me protégeaient de l'ardeur du soleil.

J'espérais toujours rencontrer Alice et l'Épouvanteur, mais ne voyais personne. Malgré tous mes efforts, je n'atteignis les faubourgs de Downham qu'au milieu de l'après-midi, et la perspective de devoir refaire le chemin en sens inverse me décourageait d'avance.

À ma grande déception, quand j'arrivai au presbytère, mon maître n'y était pas.

11
Voleur et assassin

Alice m'accueillit devant le portail de l'église. Son sourire de bienvenue s'évanouit aussitôt : à l'expression de mon visage, elle avait compris qu'il y avait un problème.

– M. Gregory est-il ici ? soufflai-je.

– Non. Ton frère James est arrivé hier soir, ils sont partis tous les deux ce matin à la première heure.

– Où sont-ils allés ? Ont-ils dit quand ils reviendraient ?

– Le vieux Gregory ne me confie jamais grand-chose, tu le sais bien. Il a discuté avec James en prenant soin de se tenir hors de portée de mes oreilles. Il me refuse sa confiance et ne me l'accordera sans doute jamais. Il n'a pas précisé non plus quand il comptait revenir. Mais je suis sûre qu'il sera là avant le soir. Il a juste demandé que tu l'attendes ici.

– Impossible ! m'écriai-je. Le père Stocks est en danger. Si on ne le secourt pas, il mourra. Je venais chercher l'Épouvanteur. Il ne me reste plus qu'à repartir et tâcher de me débrouiller seul.

– Pas seul, Tom. Où tu iras, j'irai. Raconte-moi tout...

Je lui fis un bref récit des événements, tout en marchant entre les tombes du cimetière pour rejoindre le presbytère. Alice parut horrifiée quand je lui décrivis la façon dont Tibb s'était abreuvé du sang du prêtre. Lorsque je mentionnai Mme Wurmalde, une lueur d'étonnement passa dans son regard.

À la fin, elle soupira :

– Tout va de mal en pis...

Nous étions arrivés à la maison. Sans perdre de temps, je me munis de mon bâton en bois de sorbier. Mon sac n'aurait fait que m'encombrer, je le laissai donc. Je mis toutefois une poignée de sel dans ma poche droite, une de limaille de fer dans la gauche. Et j'enroulai ma chaîne d'argent autour de ma taille, sous ma chemise. Je ne pris pas mon manteau à capuchon : il était mal venu, à Pendle, de signaler que vous étiez l'apprenti d'un épouvanteur.

Je rédigeai ensuite un court billet à l'intention de mon maître :

Cher monsieur Gregory,

S'il vous plaît, rejoignez-moi à Read Hall dès que vous pourrez. Amenez James ; son aide sera la bienvenue. Robert est en grand danger : Tibb a bu son sang ; il est très affaibli. La créature reviendra s'abreuver cette nuit, et, si nous n'intervenons pas, votre ami mourra. Prenez garde : Mme Wurmalde, la gouvernante, est une sorcière. C'est elle qui s'efforce de réunir les trois clans. Elle vient de Grèce, et c'est une vieille ennemie de ma mère.

Votre apprenti, Tom.

P.-S. Certains des hommes du juge Nowell sont les complices de Wurmalde. Ne vous fiez à personne.

Cela fait, je bus un verre d'eau et mangeai un bout de fromage. J'en emportai un morceau pour la route et, vingt minutes après mon arrivée à Downham, j'étais de nouveau en chemin. Mais, cette fois, je n'étais pas seul.

Nous marchâmes d'abord en silence, à vive allure. Alice allait en tête ; elle avait compris la nécessité d'être au manoir avant la nuit. Après avoir couvert un tiers de la distance, je me sentis épuisé. Je me

forçai à avancer, m'imaginant Tibb accroché au plafond, prêt à sauter sur la poitrine du père Stocks.
Image insoutenable ! Je devais absolument sortir le
prêtre de cette maison à temps.

Néanmoins, presque sans nous en rendre compte,
nous commençâmes à ralentir. À cause d'Alice. Elle
traînait en arrière, à présent, respirant difficilement.
Je tournai la tête et remarquai sa pâleur.

– Qu'est-ce qui ne va pas ? demandai-je en
m'arrêtant. Tu n'as pas l'air bien.

Elle se laissa tomber sur les genoux en gémissant.
Puis elle porta ses mains à sa gorge :

– J'étouffe. J'ai l'impression que quelqu'un me
serre le cou.

Un instant, je fus pris de panique, ne sachant
que faire. Peu à peu, Alice se remit à respirer normalement. Elle s'assit lourdement dans l'herbe.

– C'est un tour de Mab Mouldheel, fit-elle. Elle
manipule ma mèche de cheveux. Elle a joué à ça
toute la journée. Ne t'inquiète pas, c'est passé. Dans
dix minutes, ça ira mieux. D'ailleurs, j'ai quelque
chose à te dire. Quelque chose qui te donnera à
réfléchir...

Inquiet pour le père Stocks, j'eus envie de continuer seul et de demander à Alice de me rattraper
quand elle serait reposée. Mais j'étais moi-même
fatigué, et nous serions à Read Hall avant le coucher

du soleil. Je pouvais lui accorder dix minutes. De plus j'étais intrigué. Qu'avait-elle à me révéler ?

Je m'assis donc près d'elle, le dos à la colline. Dès que j'eus allongé mes jambes avec soulagement, Alice se lança :

– J'ai parlé à Mab. Elle m'a confié un message pour toi.

– Mab Mouldheel ? Quel besoin avais-tu de lui parler ?

– Je n'avais pas le choix, figure-toi ! Elle est venue me trouver, ce matin, peu après le départ du vieux Gregory. J'ai entendu quelqu'un crier mon nom de l'autre côté du mur du cimetière. Je suis sortie. C'était Mab. Elle ne peut franchir cette limite, parce que la maison est bâtie près de l'église, sur une terre consacrée. Bref, voici ce qu'elle te propose : tu lui donnes les malles, à elle. En échange, elle te guidera dans la tour Malkin et t'aidera à délivrer ta famille.

Je fixai Alice, abasourdi :

– Elle en serait capable, tu crois ?

– Oui. Et si tu veux le fond de ma pensée, elle a un faible pour toi. Un gros faible, même.

– Ne sois pas stupide, répliquai-je. C'est une sorcière, une pernicieuse. Nous sommes ennemis par nature.

– Il arrive des choses plus étranges, railla Alice.

Je préférai changer de sujet :

— De toute façon, comment m'introduirait-elle dans la tour ?

— Il existe un tunnel souterrain, qui mène aux cachots.

— En ce cas, nous pouvons nous passer de Mab. Tu es une Deane, et une Malkin par ta mère. Tu connais l'entrée de ce tunnel, non ?

Alice fit un geste de dénégation :

— Je suis allée quelquefois dans la tour, et je me souviens assez bien de la disposition des pièces supérieures. Mais seule Anne Malkin, l'actuelle chef du conventus, détient cette information ; c'est un secret transmis de génération en génération. Elle ne serait autorisée à le révéler que si tout le clan était en danger mortel et devait trouver refuge dans la tour.

— Comment Mab est-elle au courant, alors ? C'est encore une de ses ruses. Elle prétend savoir, et ne sait rien du tout.

— Non, Tom, ce n'est pas une ruse. Tu te rappelles, la nuit où tu m'as tirée des mains des Mouldheel, quand nous avons rencontré la vieille Maggie dans le bois ? Elle avait soif de sang, ma tante. Et je l'ai envoyée vers nos poursuivants. Malheureusement, ils étaient trop nombreux ; ils ont eu le dessus. Maggie a été chef de clan autrefois ; elle sait où se trouve l'entrée. Ils lui ont arraché son secret. J'ignore comment ils s'y sont pris, mais ça n'a pas dû être beau à voir. Elle ne parle pas facilement, notre Maggie ; ils ont dû lui en faire subir de rudes. Mab m'a menacée du même genre de traitement si je ne te transmettais pas son message. Elle a toujours ma mèche de cheveux. Je recommence à me sentir mal. Elle est sans doute en train de s'amuser avec, au cas où j'oublierais qu'elle me tient en son pouvoir. Cela fait aussi partie de notre accord. Tu lui donnes les malles et les clés, elle te conduit dans le tunnel et elle me rend ma mèche de cheveux. Lorsque je l'aurai récupérée, je t'aiderai plus efficacement. Pour l'instant, je ne suis que l'ombre de moi-même.

La situation paraissait simple. J'abandonnais les malles, et je sauvais Jack, Ellie et la petite Mary. Peut-être même avant minuit ; avant que Wurmalde ne mette ses menaces à exécution. En réalité, rien n'avait changé.

Alice avait l'air malade. D'une façon ou d'une autre, nous devions récupérer cette mèche de cheveux. Mais pas de cette façon-là. Je secouai la tête :

– Désolé, Alice, je ne peux pas faire ça. Je te l'ai dit, Wurmalde est prête elle aussi à échanger Jack et sa famille contre les clés. Que je les donne à Wurmalde ou à Mab, je les aurais toujours livrées à une sorcière. Elle s'en servirait pour invoquer l'obscur, et le Comté serait en danger.

– Ce que je te propose est la meilleure solution, tu ne crois pas ? Peux-tu faire confiance à Wurmalde ? Qui te garantit que tu récupéreras les tiens sains et saufs ? Mab Mouldheel, elle, met un point d'honneur à tenir parole. Une fois le marché conclu, elle nous montrera le chemin en personne. Elle nous guidera jusqu'au cachot, parce que les malles ne seront pas loin. Elle prendra un gros risque : ce serait terrible pour elle d'être surprise par les Malkin ; elle a donc intérêt à entrer et à sortir sans être vue. Nous ne la lâcherons pas d'un pouce. De plus, si elle nous aide, elle ne rejoindra peut-être pas les Malkin et les Deane. Tout en délivrant ta famille, nous empêcherions la réunion des trois clans et, du même coup, l'invocation du Démon.

– Il faudrait lui céder les malles. Je ne l'accepte pas.

– Laisse-moi lui parler. Si elle se contentait d'une seule ? Imagine qu'elle accepte, et qu'elle promette de me rendre ma mèche de cheveux avant qu'on entre dans le tunnel ! Alors là, on rira bien ! Une seule malle, ça n'engage pas à grand-chose...

– Une seule malle, c'est une malle de trop. Maman a voulu qu'elles me reviennent, toutes. Il y a sûrement une raison à ça. La dernière chose qu'elle attend de moi, c'est que j'en fasse cadeau à l'obscur !

– Non, Tom ! La dernière chose qu'elle attend de toi, c'est que tu laisses mourir Jack et les siens !

– Je n'en suis même pas sûr, Alice, répondis-je tristement. C'est la sécurité du Comté, peut-être du monde entier, qui est en jeu. Aussi douloureux que ce soit, je n'ai pas le droit de donner la priorité à ma famille.

– Très bien, fit-elle sèchement. En ce cas, on dira à Mab que tu acceptes. Une fois dans la tour, ce sera facile de la neutraliser. Les Mouldheel s'y sont mis à plusieurs pour me capturer. Seule face à Mab, j'aurai le dessus. Il faudra juste que...

– Elle a ta mèche de cheveux, Alice ! Tu as dit toi-même que tu n'étais pas dans ton état normal.

– Tu es avec moi, non ? Écoute ! À nous deux, nous viendrons à bout de Mab. Avant minuit, nous aurons libéré ta famille, et, dès que les soldats auront percé une brèche dans le mur, nous sortirons les malles.

Je réfléchis un instant, puis hochai la tête :

– Je crains que ce soit la seule possibilité. Je doute cependant qu'une poignée de soldats fassent le poids contre les Malkin.

– C'est juste. Nous devrons peut-être trouver un autre moyen de sortir les malles. Malgré tout, pour sauver les prisonniers, il n'y a pas de meilleur plan.

– Je sais, dis-je. Seulement, je me sens coupable de tromper Mab comme ça.

– Hein ? Tu penses vraiment ce que tu dis ? Tu crois qu'elle se sentait coupable, elle, quand elle envisageait de me tuer, l'autre nuit ? Quand elle tentait de t'ensorceler ? Tu crois que ça la dérange de me tourmenter à longueur de journée en jouant avec ma mèche de cheveux ? Tu te ramollis, Tom, comme le vieux Gregory. Une jolie fille te sourit, et ta cervelle se liquéfie.

– C'est mal de ne pas tenir parole. C'est ce que mon père m'a enseigné.

– Il n'avait pas prévu que tu aurais affaire à une sorcière. Le vieux Gregory ne serait pas d'accord non plus, mais, ces jours-ci, il n'est jamais là quand on a besoin de lui. Sinon, on ne serait pas obligés de se débrouiller seuls pour sauver le père Stocks et ta famille.

À ces mots, je me rappelai soudain en quelle terrible situation était le prêtre, et quelle épreuve nous attendait au manoir de Read.

– J'ai un autre souci, repris-je. Qui est exactement Wurmalde ? Elle prétend venir du même pays que ma mère ; or, elle s'exprime comme si elle appartenait aux conventus, comme si elle parlait en leur nom.

Alice fronça les sourcils :

– Je ne savais rien d'elle jusqu'à aujourd'hui...

– Pourtant, deux ans plus tôt, tu vivais à Pendle. Wurmalde est au service de Roger Nowell depuis longtemps.

– Nowell est un juge. On se gardait bien de rôder du côté de chez lui ! Quant à sa gouvernante, qui s'en souciait ?

– Bon, soupirai-je, le mystère reste entier. Repartons, maintenant ; on a perdu assez de temps. Tu te sens mieux, ou dois-je filer devant ?

– Je vais marcher aussi vite que je pourrai. Si je suis trop lente, tu n'auras qu'à me laisser derrière.

Nous reprîmes la route et Alice tint le coup, même si notre allure était moins rapide que j'aurais voulu. Lorsque le manoir fut en vue, nous avions encore une heure de jour devant nous. Le problème était : comment pénétrer dans la maison sans être repérés ?

À cette heure, Tibb n'était pas trop inquiétant. Wurmalde, elle, ne flairerait pas notre approche mais pourrait nous voir par une fenêtre. Il fallait aussi compter avec les domestiques. Certains étaient probablement inconscients de ce qui se tramait derrière le dos du juge. Cobden, lui, s'il était revenu de la tour Malkin, représentait un danger. Impossible de remonter simplement la grande allée.

– Le meilleur moyen, dis-je, c'est de contourner la maison en se cachant derrière les buissons. Grâce à ma clé, on se faufilera par l'entrée des fournisseurs.

Alice acquiesça d'un signe de tête.

Arrivé à une vingtaine de pas de la porte, je soufflai à Alice :

– Il serait plus prudent que j'y aille seul.

– Non, Tom, s'indigna-t-elle. Je viens avec toi. À deux, nous serons plus forts.

– Pas cette fois ! Il y a trop de risques. Reste cachée, et, si je me fais prendre, je saurai qu'il y a au moins quelqu'un dehors pour me secourir.

– Alors, dès que tu auras ouvert, jette ta clé sur la pelouse. J'irai la ramasser quand tu seras entré.

– Prends aussi mon bâton, dis-je, il va m'encombrer. Le père Stocks sera très affaibli, je devrai l'aider à descendre les escaliers.

Il faisait encore jour, j'espérais donc ne rien avoir à craindre de Tibb. Ma chaîne me suffirait à affronter Wurmalde ; si je la ratais, je pourrais en venir à bout en lui jetant du sel et de la limaille de fer.

Alice ne put retenir une grimace lorsque sa main toucha le bois de sorbier. Elle supportait mal ce contact.

J'avançai jusqu'à la porte sur la pointe des pieds et posai une oreille contre le battant. N'entendant rien, j'insérai ma clé dans la serrure et la tournai très lentement. Il y eut un léger déclic. Je levai la clé pour qu'Alice la voie et la lançai. J'avais bien visé ; elle tomba dans l'herbe, à moins d'un pas du buisson où ma complice se dissimulait. J'entrai alors avec mille précautions. Dès que j'eus repoussé la porte, elle se verrouilla d'elle-même. J'attendis une bonne minute, figé sur place, tous mes sens aux aguets.

Rassuré par le silence, je pris le corridor menant à l'entrée principale et me dirigeai vers le grand escalier. Je m'arrêtai de nouveau, le temps d'ôter la chaîne de ma taille et de l'enrouler autour de mon poignet gauche.

En bas des marches, je scrutai l'obscurité. Personne. Je commençai à monter, m'immobilisant au plus léger craquement. J'atteignis enfin le palier. Encore dix pas, et je serais dans la chambre du père Stocks.

Les épais rideaux étaient de nouveau tirés devant la fenêtre, et il faisait très sombre. Je distinguais cependant la silhouette du prêtre, allongé sur le lit. J'appelai à voix basse :

– Père Stocks ?

Comme il ne répondait pas, je marchai jusqu'à la fenêtre et tirai les rideaux pour qu'un peu de lumière pénètre dans la pièce. Avant même de m'être approché du lit, j'avais compris.

Le père Stocks était mort. Il gisait, la bouche grande ouverte, ses yeux vides fixant le plafond. Mais ce n'était pas Tibb qui l'avait vidé de son sang. Un poignard était planté dans sa poitrine.

Je chancelai, aussi paniqué qu'horrifié. Moi qui l'avais cru en sécurité jusqu'à la nuit ! Je n'aurais jamais dû le quitter ! Était-ce Wurmalde qui l'avait poignardé ? Le sang qui tachait sa chemise et ses draps provenait de sa blessure. Avait-elle fait ça pour qu'on ignore les agissements nocturnes de Tibb ? Mais comment espérait-elle s'en sortir après avoir tué le prêtre ?

Tandis que je contemplais, navré, le corps du pauvre père Stocks, quelqu'un pénétra dans la chambre. Je me retournai vivement, pris par surprise. C'était Wurmalde.

Elle me tint un instant sous son regard glacé, puis un léger sourire étira ses lèvres. Je levai le bras, m'apprêtant à lancer ma chaîne d'argent. Quoique nerveux, j'étais confiant. Je me souvenais qu'à mon dernier entraînement, je n'avais pas raté une seule fois le poteau qui me servait de cible.

Alors, à ma totale stupéfaction, quelqu'un d'autre vint se placer près de la gouvernante, le front plissé de mécontentement. C'était le juge Nowell !

D'une voix accusatrice, Wurmalde croassa :

– Vous avez devant vous un voleur et un meurtrier ! Voyez ce sang, sur sa chemise ! Voyez ce qu'il tient dans sa main ! C'est en argent, si je ne me trompe.

Je la fixai, stupide, muet. Les mots « voleur » et « meurtrier » résonnaient encore dans ma tête.

– D'où tiens-tu cette chaîne ? m'interrogea Nowell.

– Elle m'appartient, lui répondis-je, me demandant ce que la gouvernante avait bien pu inventer. Ma mère me l'a donnée.

Les rides, sur son front, se creusèrent davantage :

– Je croyais que tu venais d'une famille de fermiers ? Réfléchis bien, mon garçon ! Il va te falloir fournir une meilleure explication. Je n'ai jamais vu la femme d'un paysan posséder un objet d'une telle valeur.

– C'est ce que je vous ai dit, Maître Nowell, reprit Wurmalde. J'ai entendu du bruit dans votre bureau, la nuit dernière. Je suis vite descendue, et je l'ai pris sur le fait. Il avait forcé votre secrétaire et s'emparait des bijoux de votre défunte épouse. Il s'est enfui avant que j'aie pu l'attraper et il a disparu dans la nuit. Quand je suis montée prévenir le père Stocks, j'ai découvert le malheureux prêtre un couteau en plein cœur. Et voilà que, non content d'avoir tué et d'avoir volé cette chaîne je ne sais où, il est revenu chez vous, espérant mettre la main sur un autre butin !

Quel idiot j'avais été ! Je n'avais pas imaginé une seconde que Wurmalde pouvait assassiner le père Stocks et m'accuser du crime. Avant que j'aie ouvert la bouche pour protester, Nowell s'avança, m'attrapa fermement par l'épaule et m'arracha la chaîne.

— Ne pers pas ta salive à essayer de nier ! me lança-t-il, blême de colère. Mme Wurmalde et moi t'avons vu arriver et contourner la maison avec ta complice. Mes hommes sont sur ses traces, elle n'ira pas loin ! Avant la fin du mois, vous serez pendus l'un et l'autre à Caster.

Je sentis mon cœur sombrer dans ma poitrine. Wurmalde avait usé de fascination et de séduction pour contrôler le juge, je le comprenais, à présent ; et il tenait pour vrai chaque mot qu'elle lui disait. Elle s'était sûrement introduite dans le bureau elle-même pour fracturer le secrétaire et simuler une tentative de vol. Mais l'accuser ne me servirait de rien. Je ne pouvais pas non plus expliquer l'exacte situation, puisque Nowell ne croyait pas à la sorcellerie.

— Je ne suis ni un voleur ni un meurtrier, déclarai-je. Je suis venu à Pendle à la poursuite de ceux qui ont volé des biens m'appartenant, et enlevé mon frère, sa femme et sa petite fille.

— Oh, ne t'inquiète pas de ça, mon garçon ! J'ai bien l'intention de démêler cette histoire. Les habitants de la tour Malkin défient la loi depuis trop longtemps. Cette fois, je les conduirai en justice. Que tu sois leur complice ou qu'il s'agisse d'un règlement de comptes entre malfrats, dès demain nous en aurons le cœur net. Il m'a fallu une journée pour convaincre les gens d'armes de venir jusqu'ici. Mais toute cette engeance sera bientôt envoyée à Caster, enchaînée et sous bonne escorte, pour y être interrogée. Et toi aussi ! Maintenant, vide tes poches ! Voyons ce que tu as dérobé !

J'étais contraint d'obéir. Au lieu de bijoux, ce fut du sel et de la limaille de fer qui tombèrent sur le plancher. Nowell parut décontenancé. Je craignis un instant qu'il me fouille et découvre les clés pendues à mon cou. Mais Wurmalde lui lança un étrange sourire, et son visage perdit soudain toute expression. Puis il se reprit, me fit descendre au sous-sol et m'enferma dans une cellule qui devait servir aux arrestations provisoires. C'était une petite pièce munie d'une lourde porte ; sans mon passe-partout, je n'avais aucun moyen de m'en échapper ; et j'étais démuni de mes armes habituelles : Nowell avait ma chaîne, Alice mon bâton ; mes poches étaient vides.

Je savais qu'Alice aurait senti venir les hommes du juge et qu'elle se serait enfuie avant qu'ils l'aient repérée. C'était la bonne nouvelle. La mauvaise, c'est qu'il y avait peu de chances qu'elle tente de me délivrer cette nuit. Ce serait trop dangereux. Et, sans moi, elle ne pouvait rien pour ma famille. Le temps passait, me rapprochant de l'heure fatale, minuit, où le délai accordé par Wurmalde s'achèverait. Si je ne lui donnais pas mes clés, elle abandonnerait Jack, Ellie et la petite Mary aux mains de Grimalkin. C'était une idée insupportable.

Cependant, tant qu'Alice serait libre, je pouvais garder quelque espoir. Dès demain, elle agirait – à condition que je sois encore vivant au lever du jour. Wurmalde viendrait sûrement me réclamer les clés. Ou, pire, elle enverrait Tibb.

Peu après, tandis que je me morfondais dans l'obscurité de la cellule, j'entendis une clé tourner dans la serrure. D'un bond, je fus sur mes pieds et me réfugiai dans le coin le plus éloigné. Était-ce Alice ? Oserais-je l'espérer ?

Ce fut Wurmalde qui apparut, une chandelle à la main. Elle referma la porte derrière elle. Je fixais ses jupes volumineuses, me demandant si Tibb était entré avec elle.

Sa bouche s'étira en un mince sourire :

– La situation est grave, mais pas désespérée. Tout peut rentrer dans l'ordre. Si tu me donnes les clés des malles, tu seras de retour chez toi dès demain soir.

– Oui, et pourchassé comme meurtrier ! Je n'ai plus nulle part où aller, désormais.

Elle secoua la tête :

– Dans quelques jours, Nowell sera mort, et toute la région nous appartiendra. Personne ne sera là pour t'accuser. Laisse-moi faire ! Il suffit que tu me donnes les clés, c'est aussi simple que ça.

Ce fut à mon tour de sourire. Qu'est-ce qui l'empêchait de s'en emparer de force ? J'étais seul, à sa merci. Cela confirmait mon hypothèse.

– C'est ce que je dois faire, n'est-ce pas ? demandai-je. Vous *donner* les clés ? Vous ne *pouvez pas* me les prendre ?

Wurmalde se renfrogna.

– Rappelle-toi ce que je t'ai dit la nuit dernière, menaça-t-elle. Si tu ne le fais pas pour toi, fais-le pour sauver les tiens. Sinon, ils mourront tous les trois.

À cet instant, une horloge sonna, quelque part dans la maison. Wurmalde me fixa jusqu'à ce que le douzième coup ait résonné.

– Eh bien, petit ? Je t'ai accordé le délai demandé. J'attends ta réponse !

– Non, répondis-je avec fermeté. Je ne vous les donnerai pas.

D'une voix suave, elle déclara :

– Tu connais les conséquences de ta décision.

Elle quitta la cellule, verrouilla la porte. Je l'entendis s'éloigner. Il n'y eut plus autour de moi que silence et obscurité. J'étais seul avec mes pensées, et elles n'avaient jamais été aussi sombres.

Je venais de prononcer l'arrêt de mort des miens. Mais que pouvais-je faire d'autre ? Laisser les malles de maman tomber entre les mains des sorcières ? L'Épouvanteur m'avait enseigné que mon devoir envers le Comté passait avant toute autre chose.

Un an et quelques mois plus tôt, je travaillais encore à la ferme avec mon père. À cette époque, cela me paraissait ennuyeux. À présent, j'aurais donné n'importe quoi pour être à la maison, avec mon père, ma mère, Jack et Ellie, tous réunis, tous vivants.

À cet instant, je souhaitai n'avoir jamais vu l'Épouvanteur, n'être jamais devenu son apprenti. Je m'assis par terre et pleurai.

12
L'arrivée de la troupe

La porte de ma cellule s'ouvrit de nouveau, et je vis entrer Barnes, le prévôt. Il tenait une curieuse planche de bois articulée, renforcée de métal et creusée de deux trous. Je compris qu'il allait m'entraver. J'avais vu une fois un homme, le cou et les bras emprisonnés dans un appareil de ce genre, au centre d'une place, sous les huées des passants qui lui lançaient des fruits pourris.

– Tes mains ! m'ordonna-t-il.

J'obéis. Il referma les deux morceaux de la planche en tenaille sur mes poignets et verrouilla la serrure avec une clé, qu'il replaça ensuite dans sa poche de pantalon. La planche était lourde et me serrait si étroitement que je n'avais aucune chance de m'en libérer.

— À la plus petite tentative d'évasion, me cracha-t-il méchamment, je te mets les fers aux pieds. C'est clair ?

Je hochai la tête, accablé.

— Nous retrouverons Maître Nowell à la tour. Dès qu'on aura creusé une brèche dans les murailles, tu seras conduit à Caster pour y être pendu avec cette troupe de misérables. Quoique, à mon avis, la pendaison soit un châtiment trop doux pour un tueur de prêtre !

Barnes me saisit par l'épaule et me poussa dans le corridor, où je découvris Cobden, un gourdin à la main. Si j'avais tenté de fuir, je n'aurais pas été loin.

Les deux hommes me firent sortir par une porte dérobée. Une charrette attendait dans la cour. Les deux hommes du prévôt étaient déjà assis sur le siège arrière. Ils me jetèrent un regard dur. L'un d'eux me cracha à la figure au moment où je grimpais dans le véhicule.

Cinq minutes plus tard, nous franchissions le grand portail et prenions la route menant à la tour Malkin, par-delà le village de Goldshaw Booth.

Lorsque nous arrivâmes près de la tour, Nowell n'était pas seul. Cinq soldats à cheval l'entouraient, vêtus de l'uniforme rouge du Comté, qui les rendait visibles bien avant qu'on ait atteint la clairière. Tandis que la charrette approchait en cahotant, l'un d'eux mit pied à terre et contourna le bâtiment. Il examinait les murs de pierre avec une curieuse fascination.

Cobden tira sur les rênes, et la voiture s'arrêta. Nowell désigna à Barnes un homme corpulent, à la figure cramoisie barrée d'une moustache noire :

— Voici le capitaine Horrocks.

— Bonjour, monsieur le prévôt, dit le capitaine.

Puis, me dévisageant, il demanda :

— Alors, voilà le garçon dont Maître Nowell m'a parlé ?

— C'est lui, répondit Barnes. Et il y en a d'autres dans son genre, à l'intérieur de cette tour.

— Pas de souci ! répliqua le capitaine. Nous aurons bientôt ouvert une brèche dans ce mur. Le canon va arriver d'un moment à l'autre. C'est le plus gros du Comté, le travail sera vite fait. Ces canailles paieront pour leurs crimes.

Sur ce, il fit volter son cheval et entama, à la tête de ses hommes, un parcours de reconnaissance autour du repaire des Malkin. Barnes et le juge les suivirent.

Les heures suivantes s'écoulèrent avec lenteur. Je me sentais nauséeux et bien près de sombrer dans le désespoir. J'avais échoué ; je ne délivrerais pas les miens ; s'ils n'étaient pas déjà morts dans un cul-de-basse-fosse, ils allaient être torturés par ma faute. Je n'attendais plus qu'Alice vienne me secourir, à présent. Je serais emmené à Caster avec les habitants de la tour qui auraient survécu au bombardement. Et je ne pouvais compter sur un procès équitable.

En fin de matinée, le lourd canon apparut, tiré par six puissants chevaux de trait. C'était un long cylindre, sur un affût équipé de deux grosses roues cerclées de fer.

La bouche à feu fut mise en position, non loin de notre charrette. Les soldats dételèrent les chevaux pour les conduire à l'abri d'un bouquet d'arbres. Puis ils s'employèrent à régler la hauteur de la gueule du canon, grâce à un système de leviers et de roues dentelées, jusqu'à ce qu'elle pointe directement sur la tour.

Barnes nous rejoignit au petit trot et ordonna à Cobden :

– Fais descendre le gamin et éloigne les chevaux. Le capitaine dit que le bruit du canon les rendrait fous de terreur.

Les deux baillis m'extirpèrent de la charrette et me déposèrent sur l'herbe, tandis que Cobden, tirant les bêtes par la bride, conduisait l'attelage vers le petit bois.

Un autre véhicule se présenta alors, chargé de boulets, de deux grands tonneaux d'eau et de sacs de toile emplis de poudre. Les canonniers, à l'exception de leur sergent, tombèrent leurs vestes rouges, roulèrent leurs manches et se mirent à décharger la charrette, empilant les munitions en pyramides de chaque côté du canon. Quand le premier tonneau d'eau fut descendu, l'un des baillis lâcha en riant :

– On aura de quoi boire, hein, petit !

Un canonnier le toisa d'un air méprisant :

– Ça sert à refroidir le canon. C'est une pièce de dix-huit, et, sans eau, la chaleur la ferait exploser. Vaudrait mieux pas que ça arrive, hein, surtout si vous restez à côté !

Le bailli échangea un regard inquiet avec son compère.

Le déchargement effectué, cette charrette-là fut emmenée elle aussi sous le couvert des arbres. Peu après, le capitaine Horrocks et Nowell revinrent de leur inspection. Lançant son cheval au petit galop, Horrocks vociféra ses ordres :

– Sergent, tenez-vous prêt ! Feu à volonté ! Et que chaque coup porte ! Nous aurons bientôt affaire à un ennemi autrement redoutable...

Le juge et le capitaine s'éloignèrent. Le bailli, que la précédente mise en garde du canonnier avait échaudé, ne put s'empêcher de s'enquérir :

– Un ennemi redoutable ? Qu'est-ce qu'il veut dire par là ?

– Ce n'est pas votre problème, fanfaronna le sergent. Mais, si vous voulez le savoir, il y a des rumeurs d'invasion, au sud du Comté. Ce siège gagné d'avance n'est rien à côté des batailles qui nous attendent. Mais pas un mot à qui que ce soit, sinon, je vous coupe la langue et la jette en pâture aux corbeaux !

Se tournant vers ses hommes, le sergent cria :

– On y va, les gars ! Montrez au capitaine ce que vous savez faire !

L'un des hommes se saisit d'un des sacs de toile et le fourra dans la bouche du canon ; un autre le poussa au fond du tube à l'aide d'une longue perche. Un troisième introduisit un boulet. C'était prêt.

Le sergent s'adressa à celui des baillis qui était resté silencieux :

– Vous avez déjà entendu tirer un engin comme celui-là ?

L'homme fit non de la tête.

– Eh bien, ça produit un fracas à vous exploser les tympans ! Si j'étais vous, je m'éloignerais d'une bonne centaine de pas. Et je vous conseille de plaquer les mains sur vos oreilles.

Il regarda mes poignets, toujours emprisonnés dans le carcan de bois.

– Le gamin ne pourra pas en faire autant, fit-il remarquer.

Le bailli grommela :

– Là où on l'emmène, il n'aura plus besoin de ses oreilles. Il a assassiné un prêtre ; il sera pendu avant la fin du mois.

– En ce cas, un petit aperçu de l'enfer ne lui fera pas de mal, ironisa le sergent en me lançant un regard empli de répulsion.

Il se dirigea vers le canon d'un air bravache et ordonna la mise à feu. L'un des soldats alluma une mèche qui dépassait du tube et recula vivement au milieu de ses compagnons. Tous couvrirent leurs oreilles de leurs mains, ainsi que les baillis.

Le coup partit. Je crus que la foudre était tombée à côté de moi. L'affût bondit en arrière, le boulet fila vers la tour en hurlant telle une horde de banshies, ces créatures qui annoncent la mort. Il atterrit dans les douves en soulevant de grandes éclaboussures, tandis qu'un vol de corbeaux affolés s'enfuyait en croassant. Un nuage de fumée s'éleva de la bouche à feu, et les soldats qui s'étaient approchés pour le recharger semblaient se mouvoir dans le brouillard d'automne.

Ils rectifièrent la hauteur, nettoyèrent l'intérieur du tube avec des éponges fixées au bout d'une perche, qu'ils trempaient dans le tonneau. Enfin, ils firent feu une deuxième fois. L'explosion fut encore plus violente, mais, curieusement, je n'entendis pas le boulet siffler à travers les airs. Je n'entendis pas non plus le bruit de l'impact contre la tour. Pourtant je vis clairement les éclats de pierre pleuvoir dans les douves.

Combien de temps cela dura, je ne saurais le dire. À un moment donné, les baillis eurent une conversation. Je voyais leurs lèvres bouger, mais pas un mot ne me parvenait. J'étais devenu sourd. J'espérais seulement que c'était provisoire. La fumée stagnait tout autour, à présent, et un goût acide me brûlait la gorge. La pause était chaque fois plus longue entre les coups, car les canonniers plongeaient de plus en plus souvent leurs éponges dans le tonneau avant de les introduire dans le tube surchauffé.

Les baillis, sans doute fatigués de rester aussi près du canon, m'attrapèrent par les bras et me traînèrent à une centaine de pas, comme le sergent le leur avait recommandé. Le bruit était nettement moins fort, et pendant les arrêts entre chaque tir, je constatai que l'ouïe me revenait petit à petit. J'entendais de nouveau le sifflement du projectile et le fracas de la boule de fer contre la pierre. Les canonniers connaissaient leur travail : chaque impact frappait le mur à peu près au même endroit. Pourtant, rien ne laissait présager qu'une brèche allait s'ouvrir. Puis il y eut un nouvel arrêt : la réserve de boulets était épuisée, et la charrette chargée de nouvelles munitions n'arriva qu'en fin d'après-midi. Comme je mourais de soif, je priai un des baillis de me donner un peu de l'eau qu'un des soldats leur avait apportée dans une cruche.

– Vas-y, petit, sers-toi ! rigola-t-il.

Évidemment, avec mes mains entravées, j'étais incapable de soulever le récipient. Je m'agenouillai devant, dans l'intention d'aspirer le liquide. Mais l'homme le mit hors de portée et m'ordonna de rester assis si je ne voulais pas qu'on m'y oblige à coups de pied.

Au coucher du soleil, j'avais la bouche aussi desséchée qu'un vieux parchemin. Nowell était déjà retourné à Read Hall. La canonnade était finie pour la journée, et seul un jeune soldat montait la garde à côté du canon. Les autres, ayant allumé un feu dans un coin dégagé du bois, se mirent à cuisiner. Le capitaine Horrocks était parti à cheval, ayant sans doute trouvé un lit pour la nuit au village. Les conducteurs de charrettes restèrent sur place.

Les baillis me tirèrent sous les arbres, et nous nous assîmes à quelque distance des soldats avec Barnes et Cobden. Ils allumèrent leur propre feu, bien qu'ils n'aient rien à faire cuire. Un des soldats finit par s'approcher et leur demanda s'ils avaient faim.

– Un petit morceau, ce ne serait pas de refus, dit Barnes. Cependant, à cette heure, tout aurait dû être terminé ; je devrais être de retour à Read Hall, devant une bonne soupe.

– Cette tour résiste mieux qu'on n'aurait cru, admit le soldat. Ne vous faites pas de bile, on l'aura. De près, on voit les fissures. Ça craquera avant demain midi, et là, on rigolera !

Bientôt, Barnes, Cobden et les baillis se régalaient d'un ragoût de lapin. Avec des clins d'œil complices, ils en placèrent une assiettée sur l'herbe, devant moi.

– Mange, petit ! m'invita Cobden.

Évidemment, quand je voulus m'agenouiller pour approcher ma bouche du plat, il l'envoya valser d'un coup de pied dans le feu avec son contenu.

Ils s'esclaffèrent, enchantés de leur mauvaise blague, et me laissèrent assis là, affamé, assoiffé, à les regarder s'empiffrer.

La nuit était tombée, et les nuages s'étaient épaissis à l'ouest. Je n'avais guère d'espoir de m'échapper, car ils avaient organisé un tour de garde pour me surveiller, et les soldats auraient leur propre sentinelle postée non loin de là.

Cobden avait pris le premier tour. Au bout d'une demi-heure, Barnes ronflait bruyamment, la bouche ouverte. Les deux baillis avaient dodeliné de la tête un moment avant de s'allonger dans l'herbe.

Je ne tentai même pas de dormir. La planche qui m'emprisonnait les poignets me faisait mal, et de sombres pensées roulaient dans ma tête. Je me rappelai mon affrontement avec Wurmalde ; ma conversation avec Tibb ; la mort du pauvre père Stocks, que je n'avais su empêcher. De toute façon, Cobden était bien décidé à me tourmenter.

– Si je dois rester éveillé, alors, toi aussi, gamin ! ricana-t-il en me lançant des coups de botte dans les tibias.

Il paraissait toutefois garder difficilement les yeux ouverts. Il se leva en bâillant et se mit à marcher de long en large, m'envoyant des coups de pied au passage. La nuit promettait d'être longue. Il finit par s'asseoir dans l'herbe, l'œil hagard. De temps en temps, il me jetait un regard furieux, comme si c'était ma faute. Finalement, il appuya son menton contre sa poitrine et commença à ronfler doucement.

J'observai le campement des soldats. Ils étaient à une certaine distance, mais je ne discernai aucun mouvement. C'était peut-être l'occasion de m'échapper. Je patientai cependant quelques minutes, pour être sûr que Cobden dormait.

Enfin, avec mille précautions, je me relevai. À peine sur mes pieds, je crus voir quelque chose bouger derrière les arbres, quelque chose de gris ou de brun qui tremblotait. Puis je surpris un autre mouvement sur ma gauche. Cette fois, pas de doute. Je m'accroupis vivement. J'avais bien fait. Des silhouettes venaient vers moi à travers le bois. D'autres soldats ? Je n'avais pas entendu parler de renforts. D'ailleurs, ils ne se déplaçaient pas comme des soldats. Ils glissaient, silencieux, tels des fantômes.

Il me fallait fuir avant leur arrivée. La planche qui entravait mes poignets rendrait ma course difficile mais pas impossible. J'allais m'élancer quand je perçus une ombre du coin de l'œil. Je me retournai. Des formes sombres convergeaient vers nous de tous les côtés du bois. À mesure qu'elles se rapprochaient, je distinguai des femmes, vêtues de longues robes grises, brunes ou noires, aux yeux brillants, aux chevelures hirsutes.

Des sorcières, mais de quel clan ? Les Malkin étaient enfermés dans la tour. Des Deane ? S'il y avait eu clair de lune, j'aurais remarqué leurs armes plus tôt. Il fallut qu'elles approchent du feu pour que je remarque la longue épée qu'elles tenaient à la main gauche. Dans la droite, elles portaient un objet que je n'arrivais pas à identifier. Avaient-elles l'intention de nous tuer pendant notre sommeil ? Cette sinistre pensée m'arrêta dans mon projet d'évasion. Je ne pouvais abandonner mes gardiens à leur destin. Même s'ils m'avaient rudement traité, ils ne méritaient pas de mourir ainsi. Le prévôt Barnes n'était pas à la solde de Wurmalde, et il estimait faire son devoir. Et, si je les réveillais, j'avais encore une chance de fuir en profitant de la confusion.

Je secouai donc Cobden du bout du pied. Comme il ne réagissait pas, je cognai plus fort, sans résultat. Je m'agenouillai et lui criai à l'oreille ; il continua de ronfler. J'essayai de réveiller Barnes, sans succès. Alors, je compris...

Ils avaient été drogués, comme le pauvre père Stocks à Read Hall ! N'ayant rien mangé, j'avais été épargné. J'ignorais comment le produit avait été mis dans le civet de lapin, mais je n'avais plus le temps de m'interroger : les sorcières n'étaient plus qu'à une quinzaine de pas.

Je m'apprêtai à m'élancer, ayant repéré une brèche entre les arbres. C'est alors qu'une voix m'appela. Je la reconnus aussitôt : c'était celle de Mab Mouldheel.

— N'aie pas peur, Tom ! Ne t'enfuis pas ! On est là pour t'aider. On a un marché à te proposer...

Elle marcha vers Cobden, s'agenouilla et leva sa lame.

— Non ! protestai-je, horrifié.

Je venais de découvrir ce qu'elle élevait dans sa main droite : une coupe de métal montée sur un long pied, une sorte de calice. Les sorcières du clan

Mouldheel pratiquaient la magie du sang. Elles étaient là pour se servir...

Mab m'adressa un sourire sinistre :

– Ne t'affole pas, Tom. On ne va pas les tuer. Tout ce qu'on veut, c'est un peu de leur sang.

– Non, Mab ! Une seule goutte répandue, et il n'y aura pas de marché qui tienne entre nous !

Elle me dévisagea, stupéfaite :

– Que sont ces hommes, pour toi ? Ils t'ont mal-traité ! Ils t'enverraient à Caster pour y être pendu sans l'ombre d'un remords.

Elle cracha sur Cobden avant d'ajouter :

– Et celui-ci appartient à Wurmalde !

– Je ne parle pas en l'air, Mab, menaçai-je.

Un petit groupe de sorcières nous entoura pour écouter. D'autres se dirigeaient vers le camp des soldats, l'épée pointée.

– Je veux bien discuter avec toi, repris-je, mais si je vois couler une seule goutte de sang, je n'accepterai rien. Rappelle ces femmes ! Ordonne-leur d'arrêter !

Mab se releva, l'air renfrogné. Finalement, elle grommela :

– D'accord, Tom. Je le fais pour toi.

Sur son ordre, les sorcières laissèrent les soldats et revinrent vers nous. Je pensai soudain que ces hommes endormis risquaient de mourir des effets de la drogue. Les sorcières sont expertes en poisons et contrepoisons ; il était peut-être encore temps de les sauver.

— Il y a autre chose, Mab. Vous avez empoisonné le civet. Donnez à ces hommes un antidote avant qu'il soit trop tard !

Elle secoua la tête :

— La drogue était dans l'eau, pas dans la viande ; et elle ne va pas les tuer. Nous voulions juste les endormir pour leur prendre un peu de sang. Ils se réveilleront au matin avec un bon mal de crâne, c'est tout. J'ai besoin qu'ils soient en forme, pour qu'ils achèvent la tâche commencée et ouvrent une bonne brèche dans la tour. Maintenant, Tom, suis-moi ! Alice est là, un peu plus loin.

— Elle est avec toi ? m'écriai-je, surpris.

Mab avait employé le même argument pour m'attirer dans les bois deux jours plus tôt. Elle avait alors prévu de tuer mon amie.

— Bien sûr ! On a négocié, toutes les deux. On a beaucoup à faire avant l'aube, si tu veux tenter de sauver ta famille.

À ces mots, je sentis les larmes me monter aux yeux :

— Trop tard, Mab. Ils sont morts.

— Qui t'a dit ça ?

— Wurmalde devait s'en occuper si je ne lui donnais pas mes clés avant minuit.

— Ne crois jamais ce qu'elle dit, Tom, fit Mab avec dédain. Ils sont en mauvais état, je dois le reconnaître. Mais ils sont toujours en vie ; je les ai vus, avec mon miroir. Aussi, il n'y a pas de temps à perdre. Je suis là pour t'aider, Tom. Je t'offre une seconde chance.

Elle vira sur ses talons en me faisant signe de la suivre.

Toute cette journée, mon moral avait été au plus bas. J'avais douté de sauver ma vie, et cru celle des miens perdue. À présent, j'étais libre et j'avais repris confiance. Je pouvais espérer revoir Jack, Ellie et Mary. Peut-être réussirais-je à m'entendre avec Mab. Alors, elle nous montrerait l'entrée du tunnel menant aux cachots de la tour Malkin.

13
Le sépulcre

Alice nous attendait à l'orée du bois des Corbeaux. Dans la lueur grise d'avant l'aube, elle était assise sur un tronc abattu, mon bâton à ses pieds. Devant elle, la surveillant d'un œil suspicieux, se tenaient les jumelles, Beth et Jennet.

Alice se leva en me voyant approcher :

– Ça va, Tom ? me demanda-t-elle, inquiète. Laisse-moi ôter cet affreux engin !

Elle tira mon passe-partout de la poche de sa jupe et eut vite fait de déverrouiller la planche qui m'entravait les mains. Les deux parties s'ouvrirent et tombèrent à terre. Je frictionnai mes poignets endoloris avec soulagement.

Je mis vite Alice au courant des derniers événements :

– Wurmalde a assassiné le pauvre père Stocks, et m'a accusé de ce meurtre. On allait m'emmener à Caster pour que j'y sois jugé et pendu.

– On ne t'emmènera nulle part, Tom, dit-elle. Tu es libre.

– Grâce à moi ! intervint vivement Mab.

Elle m'adressa un sourire matois :

– C'est moi qui t'ai délivré, pas Alice. Ne l'oublie pas !

– Merci ! J'apprécie ton intervention.

– Tu es libre, nous pouvons donc discuter, reprit-elle.

Alice fit claquer sa langue :

– Je lui ai exposé notre marché, Tom. Mais elle refuse de me rendre ma mèche de cheveux. De plus, une seule malle ne lui suffit pas.

– Je ne te fais pas confiance, Alice Deane, grinça Mab avec un rictus. Vous êtes deux, et je suis seule, aussi, je garde cette mèche jusqu'à ce que j'aie obtenu ce que je veux : les trois malles, et les clés. C'est à prendre ou à laisser. En contrepartie, je vous conduirai jusqu'aux cachots, là-bas, sous la tour. Avec mon aide, vous sauverez la vie des prisonniers. Si je ne viens pas avec vous, ils mourront, c'est sûr.

Je sentis sa détermination. Elle ne rendrait pas la mèche de cheveux tant qu'elle n'aurait pas les clés. Ce qui signifiait que, dans le tunnel, Alice serait en son pouvoir. Je devrais me débrouiller seul.

Mon père m'avait appris qu'un marché était un marché, qu'on n'avait pas à revenir sur sa parole. Or, c'était ce que je m'apprêtais à faire, et la chose me semblait bien amère. D'autant que, même si Mab avait agi pour son propre compte, elle m'avait libéré. Je n'étais plus ce prisonnier qu'on menait au gibet ; j'étais son débiteur. Et j'allais la trahir. D'une façon ou d'une autre, je me sentirais coupable, mais il me fallait prendre un parti. J'allais berner Mab parce que des vies étaient en jeu. Je n'avais pas l'intention de lui céder quoi que ce fut appartenant à ma mère, et j'allais devoir me montrer habile :

— Je t'accorde deux malles, Mab. Deux, c'est mon dernier mot.

Elle secoua la tête d'un air buté.

Je soupirai et, fixant mes pieds, fis mine de me plonger dans une profonde réflexion. Au bout d'une longue minute, je relevai les yeux :

— La vie des miens est en jeu, je n'ai donc pas le choix. D'accord, tu auras les trois.

Son sourire lui étira la bouche d'une oreille à l'autre. Elle tendit la main, paume ouverte :

— Marché conclu ! Donne-moi les clés !

Ce fut à mon tour de secouer la tête.

— Si je te les donne maintenant, qu'est-ce qui m'assure que tu rempliras ton engagement ? Tu serais la plus forte, non ? dis-je en désignant les jumelles qui nous observaient, ne perdant pas un mot de la discussion. Dès que ma famille sera hors de danger, tu auras les clés. Pas avant.

Mab me tourna le dos, peut-être pour que je ne puisse rien lire sur son visage. Elle chercherait à me duper de son côté, j'en étais sûr.

Finalement, elle me regarda de nouveau :

– Soit, j'accepte. Mais ça ne va pas être facile. Pour entrer dans cette tour et en sortir vivants, il faudra opérer au coude à coude.

Comme nous nous mettions en route, je ramassai mon bâton. Mab fronça les sourcils :

– Tu n'as pas besoin de ce sale truc. Laisse-le ici !

Le bois de sorbier la mettait mal à l'aise, je le savais. Je refusai avec fermeté :

– Si je n'emporte pas mon bâton, notre pacte est rompu.

Alice et moi emboîtâmes le pas à Mab, qui nous entraîna dans une longue boucle à travers les arbres. Bientôt, nous sortîmes du bois des Corbeaux. Sur notre gauche, la silhouette noire de la tour Malkin se découpait contre le ciel clair. Sur notre droite, à quelque distance de là, la colline de Pendle nous dominait de sa masse imposante. Il me sembla soudain apercevoir une lueur à son sommet. Je m'arrêtai pour mieux voir. La lumière vacilla, puis se mit à brûler, haute et vive, sûrement visible à des lieues à la ronde.

– On dirait que quelqu'un a allumé un feu, là-haut, dis-je.

Il y avait ici et là dans le Comté des hauteurs d'où l'on envoyait des signaux lumineux, qui voyageaient de colline en colline plus vite qu'un homme à cheval. À l'ouest de Chipenden, l'une d'elles était même appelée la colline du Phare. Était-ce un message destiné à l'un ou à l'autre des clans de sorcières ?

Mab m'adressa un sourire énigmatique avant de reprendre sa marche. Alice et moi échangeâmes un coup d'œil. Je haussai les épaules et suivis notre guide.

Une quinzaine de minutes plus tard, Mab pointa le doigt :

– Voilà l'entrée !

Nous approchions de ce que mon père aurait appelé une brousse. Les bois sont généralement éclaircis chaque année ; des arbres sont abattus et débités pour en faire du bois de chauffage. Cela donne de l'espace et de la lumière aux autres, qui peuvent se développer, de sorte que les humains en profitent autant qu'eux. Ici, un fouillis d'arbustes et de buissons étouffait les troncs des vieux chênes, des ifs et des frênes. Ce bois n'était pas entretenu depuis des lustres ; je me demandai pourquoi.

Puis, comme nous atteignions la lisière, je vis que des pierres tombales émergeaient du sol et je compris que cet enchevêtrement de végétation dissimulait un ancien cimetière.

L'endroit paraissait impénétrable. Mais Mab, sans même un regard vers nous, s'engagea sur une sente étroite. Cela me surprit ; elle ne pouvait poser le pied sur une terre bénie. Ce lieu avait dû être désacralisé, probablement par un évêque.

Je suivis Mab, Alice sur mes talons. J'aperçus bientôt une ruine, couverte de mousses et de lichens. Seuls deux murs étaient encore debout, le plus haut m'arrivant à l'épaule.

– C'est tout ce qui reste de l'ancienne église, expliqua Mab. La plupart des tombes sont vides ; les ossements ont été emportés et enterrés ailleurs. Du moins, ceux qui ont été retrouvés...

Au milieu de ce fourré s'ouvrait une clairière parsemée de stèles. Certaines s'étaient couchées, d'autres dessinaient avec le sol un angle bizarre. Des trous marquaient les endroits d'où les cercueils avaient été retirés. On n'avait pas pris soin de reboucher les fosses, où croissaient les orties et les herbes folles. Au centre s'élevait une petite construction. Un jeune sycomore avait poussé à travers le toit, écartant les pierres, abritant le bâtiment sous ses branches ; le lierre avait envahi les murs. Le bâtiment n'avait pas de fenêtre. La seule ouverture était fermée par une porte de bois vermoulue. Je m'enquis :

– Qu'est-ce que c'est ?

C'était trop petit pour être une chapelle.

– C'est un sépul..., commença Alice.

Mab lui coupa la parole :

– C'est *moi* qu'il a questionnée ! C'est un sépulcre, Tom. Un monument funéraire élevé autrefois par une famille plus riche d'argent que de bon sens. À l'intérieur, il y a six alcôves. Dans chacune reposent encore des défunts.

– Leurs ossements sont restés là ? m'étonnai-je. Pourquoi n'ont-ils pas été transférés avec les autres ?

– La famille n'a pas voulu troubler la paix de ses morts, dit Mab en marchant vers la porte du sépulcre. Mais ils ont été dérangés malgré tout, et vont l'être de nouveau.

Elle saisit la poignée et poussa lentement le battant. Il faisait déjà sombre dans l'ombre du sycomore, et, à l'intérieur du caveau, l'obscurité était complète. Je n'avais pas apporté mon briquet à amadou, mais Mab fouilla dans la poche de sa robe et en sortit un bout de chandelle en cire noire. Sous mes yeux, la mèche s'alluma d'elle-même.

– Comme ça, on verra où on met les pieds, fit Mab avec un sourire ambigu.

Elle nous précéda dans le sépulcre en levant sa chandelle, éclairant les tablettes de pierre sur lesquelles étaient étendus les morts. Je compris ce que Mab avait voulu dire : ils avaient été « dérangés », en effet ; beaucoup d'ossements étaient éparpillés sur le sol.

La jeune sorcière tira la porte derrière nous. La flamme vacilla dans le courant d'air, et les crânes aux orbites vides s'animèrent d'un semblant de vie.

À peine la porte refermée, je fus saisi d'un frisson soudain. Un vague grognement s'éleva dans un coin. Un spectre ? Un fantôme ?

– Inutile d'avoir peur, dit Mab en s'avançant vers l'endroit d'où montait ce bruit inquiétant. Ce n'est que la vieille Maggie, et elle n'ira plus nulle part, maintenant...

La sorcière morte était appuyée contre le mur suintant. Les bracelets qui lui entravaient les chevilles étaient fixés par une chaîne à un anneau, encastré dans les dalles du sol. Ces bracelets étaient en fer, et la faisaient souffrir. Maggie était bel et bien prisonnière.

– Est-ce une Deane, que je sens ? gémit-elle.

Alice fit un pas vers elle :

– Je suis désolée de vous voir ici, Maggie, dit Alice. C'est moi, Alice Deane.

— Oh, mon enfant, aide-moi ! supplia la sorcière.
J'ai la bouche sèche et mes os me font mal. Je ne
supporte pas ces entraves ! Délivre-moi de ce
tourment !

— Je ne peux pas vous aider, répondit Alice en
s'approchant encore. Je le voudrais bien, mais il y a
une Mouldheel, ici. Elle m'a pris une mèche de
cheveux ; je suis en son pouvoir.

— Viens plus près, mon enfant, croassa Maggie.

Alice obéit, et la sorcière lui parla à l'oreille.

— On ne chuchote pas ! On ne se dit pas de
secrets ! gronda Mab. Recule-toi !

Alice obtempéra aussitôt, mais je la connaissais
assez pour saisir un subtil changement dans son
expression. Maggie lui avait confié quelque chose
d'important, qui pourrait nous servir contre Mab.

— On continue ! décida celle-ci. Suivez-moi ! Le
passage est étroit...

Elle s'accroupit et rampa dans l'alcôve la plus
basse, à sa gauche, dispersant les restes d'ossements.
Bientôt, je ne vis plus que la plante de ses pieds nus
avant qu'elle disparaisse complètement. Elle avait
gardé la chandelle, si bien que le caveau fut plongé
dans le noir total.

Serrant mon bâton, je rampai à mon tour dans
l'étroite fissure qui s'ouvrait au fond de l'alcôve. Je
sentis de la terre molle sous mes doigts ; devant moi
vacillait la flamme de la chandelle. Mab nous

attendait dans un tunnel au plafond si bas qu'il fallait rester à quatre pattes.

Alice m'avait déjà dit que la seule issue pour sortir mes malles de la tour était la grande porte bardée de fer – par où on les avait fait entrer. Un coup d'œil à cet espace confiné me le confirma. Comment Mab imaginait-elle s'y prendre ? Même si elle s'en emparait, jamais elle ne les ferait passer par là !

Le problème était identique pour moi ; du moins avais-je l'espoir de délivrer ma famille. Et, tant que je n'abandonnerais pas les clés, aucune sorcière n'ouvrirait les malles.

Dès qu'Alice nous eut rejoints, Mab s'élança, et nous la suivîmes de notre mieux. J'avais déjà dû emprunter pas mal de galeries, depuis mes débuts d'apprenti, mais jamais d'aussi resserrées, d'aussi étouffantes. Aucune poutre ne soutenait la voûte, et je m'efforçais de ne pas penser aux tonnes de terre qui nous surplombaient. S'il se produisait un éboulement, nous serions enterrés vivants dans ce conduit obscur, condamnés à mourir de suffocation, dans une longue et lente agonie.

J'avais perdu toute notion du temps. Nous rampions, me semblait-il, depuis une éternité quand nous émergeâmes enfin dans une salle où il était possible de se redresser. Je crus un instant que nous étions parvenus au-dessous de la tour, puis je distinguai, juste devant moi, le trou d'ombre d'un autre tunnel. Celui-là était étayé, et on pouvait s'y tenir debout.

— Je ne suis encore jamais allée plus loin, dit Mab. Ça ne sent pas bon, par ici...

Elle avança la tête dans l'ouverture, renifla bruyamment à plusieurs reprises, et je me demandai si elle possédait « le nez long ». Elle recula alors avec un frisson de dégoût :

— Il y a quelque chose de mort et de mouillé, là-dedans. Ce chemin ne me dit rien qui vaille...

— Ne fais pas ta mijaurée ! se moqua Alice. Et laisse-moi sentir. Deux nez valent mieux qu'un, non ?

— D'accord, fit Mab avec nervosité. Dépêche-toi !

Alice flaira rapidement l'entrée et se retourna vers nous avec un sourire :

— Rien à craindre ! C'est mort et c'est mouillé, mais on en viendra à bout. Tom a son bâton en bois de sorbier ; ça devrait suffire pour tenir la chose à distance. En route, Mab ! Passe devant ! Du moins, si tu n'as pas trop peur... Je pensais que les Mouldheel en avaient davantage dans le ventre !

Mab lui lança un regard furieux et s'engagea dans la galerie. Je serrai plus fort mon bâton, avec le pressentiment d'avoir bientôt à m'en servir.

14
L'antrige

Si le gardien du tunnel était mort et mouillé, c'était probablement un antrige, et il devait y avoir de l'eau à proximité. J'avais lu quelque chose sur ces créatures dans le Bestiaire de l'Épouvanteur. Ils étaient peu nombreux, mais très dangereux. Des sorcières les avaient créés en emprisonnant, grâce à la magie noire, l'âme d'un marin mort dans son cadavre. Le corps ne se décomposait pas, mais gonflait et acquérait une force surhumaine. Les antriges étaient généralement aveugles, leurs yeux ayant été mangés par les poissons, mais ils avaient l'ouïe très fine et repéraient une victime sur la terre sèche même en restant sous l'eau.

Comme je m'apprêtais à emboîter le pas à Mab, Alice me fit signe d'attendre et passa devant moi. Visiblement, elle avait une idée en tête. Je lui cédai la place, en espérant qu'elle savait ce qu'elle faisait.

Nous marchâmes longtemps ; le tunnel n'en finissait pas. Puis Mab ralentit et s'arrêta tout à fait :

— Je n'aime pas ça. Il y a de l'eau, pas loin. L'endroit n'est pas sûr, je le sens...

Je me pressai contre Alice, de sorte à voir par-dessus l'épaule de Mab. Je m'étais attendu à trouver une rivière souterraine que la jeune sorcière n'aurait pu traverser. Au lieu de ça, la galerie s'élargissait, formant une vaste caverne ovale qui renfermait un petit lac. L'eau léchait les parois de la caverne, laissant seulement, à notre gauche, un étroit passage boueux, en pente, qui me parut fort glissant.

Ce lac avait un aspect inquiétant. Sombre, couleur de vase, il semblait profond, et des rides y couraient comme si un souffle de vent agitait sa surface. Or, ici, sous terre, l'air était parfaitement immobile. Qu'est-ce qui se cachait là-dessous ?

Mab avait flairé « quelque chose de mort et de mouillé ». Était-ce vraiment un antrige ?

— On ne va pas rester cloués là, Mab, lança Alice d'une voix enjouée. Moi non plus, je n'aime guère cet endroit. Alors, plus vite on sera passés, mieux ce sera !

La jeune Mouldheel, nerveuse, s'aventura sur le sentier fangeux. À peine avait-elle avancé de quelques pas que ses pieds nus dérapèrent. Elle perdit l'équilibre et se raccrocha de justesse à la paroi. La flamme de la chandelle vacilla et faillit s'éteindre.

— Hé, vas-y mollo ! se moqua Alice. Ça ne me semble pas une bonne idée de prendre un bain là-dedans. Tu aurais dû prévoir une bonne paire de souliers. Moi, je n'aimerais pas sentir cette bouillasse s'introduire entre mes orteils. Tes pieds vont puer comme jamais.

Mab se retourna, la lèvre retroussée de colère. Elle s'apprêtait à répondre vertement quand une grande main blême, exsangue et bouffie, jaillit soudain hors de l'eau et se referma sur sa cheville. Elle vacilla et, avec un cri de cochon qu'on égorge, tomba dans l'eau, envoyant autour d'elle de grandes éclaboussures. L'estomac à l'envers, je la vis s'enfoncer en hurlant de terreur. Si Alice ne s'était pas tenue entre nous, je lui aurais tendu mon bâton pour qu'elle s'y agrippe. Laisser l'antrige l'emporter ainsi était trop horrible.

Mab se cramponnait toujours à sa chandelle, mais, à force d'agiter les bras, elle allait la plonger dans l'eau d'une seconde à l'autre. Nous serions alors dans le noir complet, incapables de voir de quel côté surgirait le danger.

La même pensée avait traversé l'esprit d'Alice. Agile comme un chat, elle bondit, arracha la bougie de cire noire des mains de la sorcière. Puis elle recula et regarda celle-ci sombrer lentement.

– Sauve-la, Alice ! criai-je. Personne ne mérite une telle mort !

Elle eut un temps d'hésitation, puis, avec un haussement d'épaule, elle se pencha et saisit Mab par les cheveux.

La malheureuse hurla plus fort, autant d'effroi que de douleur. Il y eut un instant de lutte sauvage. Quelque chose s'efforçait d'entraîner Mab sous la surface ; Alice résistait et tirait dans l'autre sens. La victime allait-elle être déchirée en deux ?

– Utilise ton bâton, m'ordonna mon amie. Flanque-lui une raclée, qu'il reparte d'où il vient !

Je m'approchai autant que je pus sur le terrain glissant et pointai mon arme, à la recherche d'un endroit où frapper. L'eau brune bouillonnait, des vagues boueuses léchaient le sentier, et je ne distinguais rien. Je visai un point juste en dessous, estimai-je, des pieds de Mab. Je projetai mon bâton deux ou trois fois, de toutes mes forces. Aucun résultat. Alice perdait du terrain ; Mab était dans l'eau jusqu'aux aisselles.

J'essayai encore. Rien. Enfin, à ma huitième ou neuvième tentative, je touchai une masse dure. L'eau se souleva comme une houle, et, d'un coup, Mab fut libre. Alice la hala sur le bord.

– Ce n'est pas fini, Tom, me lança-t-elle. Tiens ça, et garde ton bâton prêt, au cas où cette chose reviendrait !

Je pris la chandelle qu'elle me tendait et la levai bien haut pour éclairer la surface brunâtre du lac, mon bâton pointé.

Alice tordit alors le bras de Mab derrière son dos et, cramponnant toujours de sa main gauche les cheveux de la sorcière, elle obligea celle-ci à s'agenouiller, lui plongeant presque la figure dans l'eau.

– Rends-moi ce qui m'appartient ! rugit-elle dans l'oreille de sa prisonnière. Vite ! Avant que cette créature ne t'arrache le nez !

D'abord, Mab se débattit. Puis, quand l'eau enfla de nouveau, elle glapit, affolée :

– Prends-la ! Prends-la ! Elle est à mon cou.

Alice relâcha sa prise et, de sa main libre, fourragea dans l'encolure de Mab. Elle en sortit à demi un bout de ficelle, qu'elle coupa avec ses dents et qu'elle brandit devant moi :

– Brûle-la !

En approchant la chandelle, je distinguai, nouée à la ficelle, une mèche de cheveux. Elle s'enflamma et se consuma avec un bref crépitement. Une légère odeur de brûlé flotta dans la caverne. Alice lâcha les restes carbonisés dans l'eau sombre.

Cela fait, elle remit Mab sur ses pieds et la poussa devant elle sur l'étroit sentier. Je les suivis, m'efforçant de ne pas glisser, surveillant le lac du coin de l'œil. Je vis soudain un remous agiter la surface. Dans l'ombre, non loin de la paroi opposée, une tête émergea. Les cheveux emmêlés sur le haut du crâne flottaient comme des algues. Le visage était blanc, gonflé, avec deux trous vides à la place des yeux. Lorsque son nez sortit de l'eau, la créature se mit à renifler à la manière d'un chien sur la piste d'un gibier.

Heureusement, nous étions hors d'atteinte, à l'entrée d'un nouveau tunnel. Mab, trempée, les vêtements à moitié arrachés, avait perdu toute son assurance. En revanche, depuis notre arrivée à Pendle, Alice n'avait jamais paru aussi contente d'elle.

Elle m'adressa un sourire triomphal :

– Il faudra remercier la vieille Maggie. Elle m'a prévenue qu'il y avait un antrige, là-dedans. C'est le gardien du sentier, il est bien dressé ; il ne toucherait pas à qui que ce soit ayant du sang Malkin dans les veines. Je porte le nom de Deane, mais suis à moitié Malkin par ma mère. C'est pour ça que je t'ai fait passer derrière, Tom. Mab, elle, était en grand danger.

– Tu m'as joué un sale tour, grommela Mab. Mais c'est de bonne guerre, je ne proteste pas. Du moment que je peux avoir les malles...

– Je t'ai repris ma mèche de cheveux, je ne proteste pas non plus, ironisa Alice. Seulement, tu n'auras pas les malles avant que la famille de Tom ne soit saine et sauve. Alors, si tu tiens à ta peau, plus d'entourloupe !

– En aucun cas je ne tromperai Tom, déclara Mab. Il m'a sauvé la vie. C'est une chose qu'on n'oublie pas.

– *Il m'a sauvé la vie*, l'imita Alice. Je l'y ai aidé, je te le rappelle, au cas où tu ne t'en serais pas aperçue !

Attrapant de nouveau la jeune Mouldheel par les cheveux, elle la poussa rudement devant elle.

Cette fille ne méritait pas d'être traitée ainsi. L'attitude d'Alice me déplaisait, et je le lui fis savoir. Pour toute réponse, elle grommela entre ses dents. Mais il n'était plus temps de se disputer : une porte en bois encastrée dans un mur de pierre se dressait face à nous : l'entrée de la tour Malkin.

Un loquet surmontait une serrure. Je confiai la chandelle à Alice, soulevai le loquet avec mille précautions et tirai. La porte résista. Elle était fermée à clé. Ce n'était pas un problème, grâce au passe-partout d'Andrew, qu'Alice avait récupéré. Quelle chance que le frère de l'Épouvanteur fût serrurier !

Sans lâcher Mab, Alice prit la chandelle entre ses dents, sortit la clé de sa poche et me la tendit. Je l'enfonçai dans la serrure, la tournai. La clenche coulissa.

– Prête ? soufflai-je en rendant la clé à Alice.

Elle acquiesça d'un signe de tête.

– Et plus de chamailleries, les filles ! ajoutai-je. Pas un bruit jusqu'à ce qu'on ait retrouvé les prisonniers et qu'on soit sortis d'ici !

– Et jusqu'à ce que j'aie mes malles, ajouta Mab.

Mais nous l'ignorâmes.

Je tirai prudemment la porte.

Elle tourna, révélant un trou d'ombre d'où montait une telle puanteur que j'en eus un haut-le-cœur. L'air était saturé d'une odeur de mort.

Alice fronça le nez, la mine dégoûtée, et leva la chandelle. Devant nous s'étendait un corridor bordé de portes de chaque côté. Des cachots. En haut de chaque porte s'ouvrait un judas garni de barreaux. Au bout du corridor, on apercevait une salle assez grande, sans porte. Jack et les siens étaient-ils dans un de ces cachots ?

– Surveille Mab, dis-je à Alice. Donne-moi la chandelle, je vais inspecter les cellules...

J'approchai ma lumière du premier judas. La pièce paraissait vide. La seconde avait un occupant : un squelette couvert de toiles d'araignée, encore vêtu des lambeaux d'une chemise et d'un pantalon, les bras et les jambes fixés au mur par des chaînes. Le prisonnier avait-il été abandonné là, jusqu'à mourir de faim ? Cette idée me fit frissonner. À cet instant, une mince colonne de lumière éclaira le squelette, et un visage anxieux se dessina au-dessus.

La face grimaça comme si elle tentait de parler, n'émettant en guise de mots qu'un vague gémissement. Le prisonnier ne savait pas qu'il était mort. Il était toujours là, dans ce cachot, souffrant comme en ses derniers jours d'agonie. J'aurais voulu le soulager, mais j'avais plus urgent à faire. Combien d'autres fantômes hantaient-ils ces souterrains, dans l'attente d'une délivrance ? Cela prendrait des heures et des heures de parler à toutes ces âmes tourmentées pour les convaincre de partir dans l'autre monde.

J'examinai chaque cachot. Aucun d'eux n'avait été utilisé depuis bien longtemps. Il y en avait seize en tout, et sept contenaient des ossements. Quand j'atteignis le bout du corridor, j'écoutai attentivement. Je n'entendis qu'un léger bruit d'eau tombant goutte à goutte. Ayant fait signe à Alice de me rejoindre, j'attendis que les deux filles fussent à mes côtés pour entrer dans la grande salle. La lumière de la chandelle n'éclairait pas les coins les plus reculés. De l'eau coulait du plafond sur les dalles, l'atmosphère était humide et glaciale.

C'était une vaste pièce circulaire qui, au premier regard, semblait inoccupée. Au fond s'ouvrait un autre corridor, semblable à celui que je venais d'explorer. Des marches de pierre s'élevaient le long du mur jusqu'à une trappe, qui devait donner accès à l'étage supérieur. Cinq épaisses colonnes soutenaient le haut plafond, chacune d'elles équipée de chaînes et d'anneaux. Je remarquai également un brasero empli de cendres froides et une lourde table où reposait un assortiment de pinces et d'autres instruments.

– C'est là qu'ils torturent leurs prisonniers, dit Alice, et sa voix résonna lugubrement dans le silence.

Elle cracha sur les dalles :

– C'est un malheur d'être née dans une telle famille...

– Oui, fit remarquer Mab. Un garçon devrait choisir ses relations avec plus de discernement. Si c'est une sorcière que tu veux pour amie, Tom, il y a des familles plus dignes de toi.

– Je ne suis pas une sorcière, grommela Alice.

Et elle tira les cheveux de Mab assez durement pour lui arracher un cri.

– Ça suffit ! soufflai-je. Vous voulez les avertir de notre présence ?

Les filles prirent un air contrit et cessèrent leur querelle. Je regardai autour de moi, frémissant à la pensée de ce qui avait dû se dérouler entre ces murs. Le froid coulait par vagues le long de mon dos : bien des suppliciés qui étaient morts ici hantaient encore ces lieux.

Il restait l'autre corridor à visiter. Les miens étaient sûrement là, dans un de ces cachots. Après ce que j'avais vu dans les seize premiers, je m'attendais au pire.

– Je ne peux négliger aucune cellule, dis-je à Alice. Ça va prendre un moment...

Elle approuva de la tête :

– Bien sûr, Tom. Mais, comme il n'y a qu'une chandelle, on t'accompagne.

À peine avait-elle fini de parler qu'un rire grossier éclata au-dessus de nos têtes, celui d'un homme, suivi d'un gloussement de femme qui s'acheva sur une note aiguë. Nous nous figeâmes. Cela venait de derrière la trappe. Des Malkin descendaient-ils dans les cachots ?

À ma grande stupeur, Mab brisa le silence, sans même prendre le soin de baisser la voix :

– N'ayez pas peur ! Ils ne viennent pas ici, pas maintenant, je peux vous l'assurer. J'ai un certain talent pour la scrutation. Tu perds ton temps, Tom. C'est là-haut que tu trouveras ta famille.

D'un geste, elle désigna le plafond.

– Pourquoi te croirait-on ? siffla Alice. La scrutation, hein ? Et l'antrige, tu l'avais scruté, peut-être ?

Je me désintéressai de leur prise de bec. Alice m'avait dit que Mab tenait toujours parole. Peut-être. Néanmoins, je voulais me rendre compte par moi-même, et il était évident que des sorcières se tenaient à l'étage au-dessus. Aussi, le cœur lourd, j'entamai un examen systématique de la deuxième série de cachots. Je restais aux aguets, m'attendant à tout instant à entendre la trappe s'ouvrir et à voir les Malkin dévaler l'escalier pour se saisir de nous.

De nouveau, je découvris de nombreux ossements, mais, à part quelques rats, rien de vivant. Je fus soulagé lorsque cette lugubre inspection fut terminée. Je fixai alors les marches, me demandant ce que recelait l'étage supérieur.

Alice me jeta un regard attristé :

– Ça m'ennuie de te dire ça, Tom : ça ne va pas être facile de s'échapper par le tunnel, dans le noir. Et il y a toujours cet antrige. Il faut qu'on parte vite, avant de se retrouver sans lumière.

Elle avait raison. La chandelle était presque entièrement consumée. Nous serions bientôt plongés dans les ténèbres. Pourtant, je ne voulais pas partir ; pas si tôt :

– J'aimerais voir l'étage au-dessus. Juste un coup d'œil, et on y va.

– Fais vite, Tom ! Des prisonniers y étaient parfois conduits pour être questionnés. Si on n'en tirait rien, on les ramenait en bas, on les torturait, et on les laissait pourrir dans un cachot.

— Tu aurais dû chercher là-haut quand je te l'ai dit, intervint Mab. Ça nous aurait évité de perdre du temps.

Ignorant sa remarque, je m'approchai des marches. Alice me suivit, sans lâcher Mab. Toutefois, elle ne la tenait plus par les cheveux mais par le bras. Arrivé au sommet de l'escalier, je poussai la trappe avec précaution ; elle n'était pas verrouillée. Je pris une grande inspiration avant de la soulever, très lentement, à l'affût du moindre signe de danger. Et si je tombais sur un cercle de sorcières, prêtes à me sauter dessus ?

Je ne passai la tête dans l'ouverture qu'une fois la trappe complètement ouverte, levant la chandelle pour éclairer l'obscurité. Il n'y avait personne. Pas même un rat courant sur les dalles humides. Le long des parois de pierre un étroit escalier s'élevait en spirale. À intervalles réguliers, une porte de bois devait fermer un cachot. L'air était saturé d'humidité, les murs couverts de mousses verdâtres, de l'eau gouttait du plafond et rebondissait sur les dalles. Cette section de la tour était probablement encore souterraine. Je franchis la trappe et me dirigeai vers le nouvel escalier, invitant d'un geste Alice à me suivre.

– Je vais vite courir à chaque porte et regarder par les judas, lui dis-je. Si je ne les vois pas, nous partirons avant qu'il soit trop tard.

– On est venus jusqu'ici, autant aller au bout, maintenant, déclara Alice, dont la voix résonna dans le vide. De toute façon, ce sont les dernières cellules. C'est à l'étage supérieur qu'ils ont leurs quartiers d'habitation et leurs réserves de nourriture. Va ! Je reste ici et je surveille Mab.

Au moment où je m'élançais, il y eut une explosion lointaine, suivie d'un choc sourd, qui fit trembler les murs et les dalles sous mes pieds.

– On dirait que le bombardement a repris, constata Alice.

– Déjà ? m'écriai-je, stupéfait que les soldats se soient remis si vite à la tâche.

– Ils ont recommencé à l'aube, dit Mab. Un peu trop tôt pour nous. C'est ta faute, Tom. Tu m'aurais permis de leur prendre un peu de sang, ils auraient dormi plus longtemps.

– Laisse-la parler, me conseilla Alice. Monte ! Plus vite on partira d'ici, mieux ça vaudra.

Je n'avais pas besoin d'encouragement. Cependant, malgré ma hâte, je ne courais pas. Les marches étaient raides et, à mesure que je grimpais, le vide, à ma gauche, devenait impressionnant. Personne dans la première cellule. Avant que j'aie atteint la suivante, il y eut une autre explosion ; les murs et le sol vibrèrent de nouveau. Un deuxième boulet avait frappé la tour.

Ce n'est qu'à la porte de la troisième cellule qu'il me sembla entendre un bruit. Des pleurs d'enfant. Ceux de la petite Mary ?

– Jack ! Ellie ! appelai-je. Vous êtes là ? C'est moi, Tom !

L'enfant cessa de pleurer. Quelque chose bougea dans le cachot. Je perçus un froissement de jupe et le claquement de souliers sur les dalles. Puis un visage apparut derrière les barreaux du judas. D'abord, je ne le reconnus pas : des cheveux hirsutes, des joues hâves, des yeux rouges et cernés. Mais, pas de doute, c'était bien elle.

Ellie.

15
Comme des chats

— Tom ! C'est toi ? s'écria Ellie, des larmes roulant sur ses joues.

— Tu n'as plus rien à craindre, lui assurai-je. Je vais vous sortir d'ici, et vous serez bientôt de retour chez vous.

— Oh, Tom, je voudrais que ce soit aussi simple que tu le dis ! gémit-elle, secouée de sanglots.

J'avais déjà fait signe à Alice de me rejoindre. Elle escalada les marches en vitesse, poussant Mab devant elle. En un rien de temps, elle avait ouvert la porte avec mon passe-partout.

J'entrai, levant ma chandelle. Sa lumière vacillante éclaira le cachot. Mary courut vers sa mère qui la serra dans ses bras. Ellie me lança un regard empli d'attente et d'espoir, avant de reculer, indécise, à l'entrée d'Alice et de Mab.

C'est alors que je vis Jack. Il gisait sur un tas de paille sale, dans un coin. Les yeux grands ouverts, il fixait le plafond, sans un battement de paupières.

Je m'élançai vers lui :

— Jack ! Jack ! Ça va ?

Non, bien sûr que ça n'allait pas. Il n'eut aucune réaction. Son corps était là, mais son esprit errait dans quelque ailleurs inatteignable.

— Il ne parle plus, m'apprit Ellie. Il ne nous reconnaît pas, ni moi, ni Mary. Il a du mal à avaler, et je ne peux que lui humecter les lèvres. Il est dans cet état depuis notre enlèvement...

La voix lui manqua et elle se tut, brisée par le chagrin. Je la regardai, impuissant. J'aurais voulu trouver un geste de réconfort. Mais c'était la femme de mon frère, et je ne l'avais embrassée que deux fois : le jour de leur mariage, et quand j'avais quitté la maison après la visite de cette horrible sorcière, mère Malkin. Depuis lors, il y avait une gêne entre nous. Je me souvenais de ses paroles, au moment de mon départ : *Tu ne devras jamais rester chez nous après la tombée de la nuit, car tu pourrais attirer on ne sait quoi. Nous avons peur, Tom, tu comprends ? Nous craignons que tu amènes avec toi des êtres malfaisants...*

Et c'était arrivé ; leurs pires craintes s'étaient réalisées. Les sorcières de Pendle avaient ravagé leur ferme à cause des malles que maman y avait laissées pour moi.

Ce fut Alice qui trouva le bon geste. Sans lâcher Mab, elle s'approcha de Ellie et lui tapota gentiment l'épaule :

– Tout va s'arranger, à présent. Vous pouvez croire Tom. N'ayez plus peur, nous savons comment sortir d'ici.

Mais Ellie s'écarta vivement :

– Éloigne-toi de moi et de ma fille ! siffla-t-elle, le visage tordu de fureur. Tout est de ta faute. Fiche le camp, espèce de sale petite sorcière ! Crois-tu que je pourrais retourner chez moi ? Nous n'y serons plus jamais en sécurité. Comment pourrai-je protéger mon enfant ? Ces créatures savent où nous sommes, à présent ! Elles nous tomberont dessus chaque fois qu'elles le voudront !

Une ombre de tristesse passa sur le visage d'Alice. Elle recula d'un pas sans répondre, puis vint se placer près de moi :

– Descendre Jack par cet escalier ne va pas être facile, Tom. Allez ! Ne perdons pas de temps.

Je parcourus le cachot du regard. L'endroit était froid, humide ; un liquide gluant poissait les murs. Même si cela n'atteignait pas en horreur le tableau dépeint par Wurmalde, c'était un spectacle affligeant. Mais ce qui avait détruit l'esprit de mon frère était pire encore.

Était-ce parce qu'il était entré dans la chambre de maman ? Elle m'avait dit à quel point c'était dangereux. L'Épouvanteur en personne n'aurait pu y pénétrer impunément. De plus, Jack avait fait une copie de ma clé, sinon, il n'aurait pu ouvrir la porte à la demande des sorcières. En payait-il aussi le prix ? Pourtant, maman n'aurait jamais voulu infliger de telles souffrances à son fils.

Je m'adressai à Alice :

– Peux-tu quelque chose pour Jack ?

Elle s'y connaissait en potions, et avait toujours sur elle une bourse contenant des herbes.

Elle leva sur moi un regard incertain :

– J'ai des ingrédients. Seulement, sans eau chaude, leur efficacité sera diminuée de moitié. Et si c'est son intrusion dans la chambre de ta mère qui l'a mis dans cet état, je ne suis même pas sûre que ça lui fasse du bien.

Ellie considéra Alice avec dégoût :

– Je ne veux pas qu'elle touche Jack. Ne la laisse pas s'approcher de lui, Tom ! C'est le moins que tu puisses faire.

– Elle peut le soulager, Ellie ! Je sais qu'elle le peut. Maman lui faisait confiance...

Mab fit claquer sa langue, l'air de douter des talents d'Alice. Celle-ci lui jeta un bref coup d'œil, puis sortit de sa poche le petit sac de cuir.

– Vous avez de l'eau ? demanda-t-elle à Ellie.

Je crus qu'elle refuserait de répondre ; puis elle parut se ressaisir :

– Il y a un petit bol sur le sol, près de lui, mais il n'en reste que très peu.

Alice me désigna Mab :

– Surveille-la !

La jeune Mouldheel se contenta de hausser les épaules. Où serait-elle allée, de toute façon ? À l'étage, pour tomber entre les mains des Malkin, ou dans les souterrains, où veillait l'antrige ? Seule dans le noir, elle n'avait aucune chance, elle le savait.

Alice dénoua le cordon de sa bourse, y préleva un fragment de feuille qu'elle trempa dans l'eau. Dehors, le canon tonnait toujours, et un boulet s'écrasait de temps à autre contre la tour. Alice se pencha sur Jack, le força à ouvrir la bouche et y introduisit le bout de feuille.

– Il va s'étrangler ! protesta Ellie.

Alice secoua la tête :

– C'est très petit, et c'est mou. Ça va se dissoudre sur sa langue. Je doute de l'effet, mais c'est tout ce que je peux faire. Si la chandelle s'éteint, on sera dans de sales draps.

Je mesurai du regard le bout de cire noire : il durerait quelques minutes tout au plus.

— Essayons de transporter Jack, dis-je en le soulevant sous les bras. Prends-le par les jambes.

Or, j'avais été trop optimiste à propos de la chandelle. Au même instant, elle s'éteignit.

L'obscurité était totale, et, pendant quelques secondes, personne ne bougea, personne ne parla. Puis j'entendis la petite Mary pleurer et Ellie lui chuchoter quelque chose.

— Rien n'est perdu, dis-je. J'y vois assez bien dans le noir. Je vais ouvrir la marche et transporter Jack avec l'aide d'Alice. On y arrivera.

— C'est la seule chose à tenter, approuva Alice. Allons-y !

L'entreprise était hasardeuse. Les marches étaient raides ; un côté de l'escalier donnait directement sur le vide. Même si nous parvenions sains et saufs au tunnel, il faudrait encore affronter le gardien du lac, et porter mon frère le long de ce sentier glissant serait fort périlleux. Cela valait sans doute mieux que d'attendre de se faire trancher la gorge par les Malkin ; néanmoins, l'espoir de réussir était mince.

C'est alors que la voix de Mab s'éleva dans le noir. Celle-là, j'avais oublié sa présence !

— Non, dit-elle. Patientons plutôt ici. Le canon va bientôt ouvrir une brèche dans le mur de la tour.

Alors, les Malkin descendront pour fuir par les souterrains. Quand ils seront partis, nous monterons et
passerons par le trou.

Je ne répondis pas tout de suite. Puis les cheveux
de ma nuque se hérissèrent : Mab avait-elle *vu* ceci ?
Était-ce ainsi qu'elle prévoyait de sortir les malles ?
Par la brèche du mur ? Quoi qu'il en soit, cela paraissait sensé. La première partie de son plan fonction-
nerait sans doute. Mais comment espérait-elle s'en
aller avec les malles et échapper aux soldats ? Quant
à moi, je finirais au château de Caster, où je serais
pendu pour un crime que je n'avais pas commis.

— Et si on prenait le même chemin que les habitants de la tour après leur fuite ? suggérai-je.

— Fais-moi confiance, reprit Mab. Il est moins
dangereux de monter que de se retrouver piégés dans
le tunnel avec les Malkin. Ta famille sera sauvée, et
j'aurai mes malles. On sera satisfaits tous les deux.

Plus j'y réfléchissais, plus son plan m'apparaissait
réalisable. Jack, Ellie et Mary seraient sûrement plus
en sécurité avec les soldats qu'avec les sorcières. Le
juge Nowell avait décrété que toute personne prise
dans la tour serait envoyée à Caster pour y être
jugée. Mais il comprendrait tout de suite que mon
frère et les siens étaient les victimes. Les faits corro-
boreraient ma déposition. Si nécessaire, notre voisin,
M. Wilkinson, témoignerait. Il avait vu ce qui s'était
passé.

Pour Alice, c'était moins évident. Elle était originaire de Pendle, et le sang des Malkin coulait dans ses veines. La seule d'entre eux à être envoyée devant le tribunal, ce pouvait être elle ! J'y serais envoyé aussi, pour répondre du meurtre du pauvre père Stocks. Oui, voilà ce qui m'attendait. À cette idée, le cœur me manquait. Je n'avais pas de témoin pour me défendre, et Nowell croirait toutes les déclarations de Wurmalde.

Du moins les malles seraient-elles récupérées par les soldats, pas par les sorcières ; et ma famille retrouverait son foyer. Pour l'instant, je m'interdisais de voir plus loin.

Mary s'était remise à pleurer, et Ellie tentait de l'apaiser.

— Mab a raison, Ellie, m'écriai-je, affichant un optimisme que je n'éprouvais qu'à demi. Les soldats assiègent la tour pour vous délivrer, à la demande du juge local. Ce plan peut fonctionner. Il nous faut juste être patients.

Les boulets continuaient de frapper la muraille par intermittence. Nous restions silencieux. Seul Jack émettait parfois une faible plainte. La fillette ne pleurait plus et se contentait de gémir.

— Nous perdons du temps, lâcha enfin Alice d'un ton irrité. Descendons dans le tunnel, avant que les Malkin y soient !

– Ce serait stupide ! rétorqua Mab. Dans le noir ? En portant cet homme ? Avec une gamine à surveiller ? Bien sûr, toi, tu n'as rien à craindre de l'antrige ! Je te l'ai déjà dit, je suis bonne en scrutation ; j'ai *vu* tout cela. Vous, les Deane, vous ne voulez jamais rien entendre ! Nous sortirons tous d'ici sains et saufs, et j'aurai mes malles !

Alice renifla avec mépris, mais abandonna la querelle. Quant aux malles, nous savions l'un et l'autre que, quoi qu'il arrive, Mab ne les obtiendrait pas.

Les tirs de canons se prolongèrent encore au moins une heure. Lorsqu'ils se turent, Mab reprit la parole :

– Les soldats vont entrer par la brèche, maintenant. Tout se déroule comme je l'ai prévu. Les Malkin ne vont pas tarder à descendre. S'ils entrent ici, nous devrons nous battre, ou nos vies ne vaudront pas cher...

Quoique brutale, cette déclaration ne m'aurait pas inquiété, mais elle avait de quoi affoler Ellie, qui craignait pour son mari et sa fille. Certains Malkin auraient peut-être reçu l'ordre de liquider les prisonniers. Auquel cas, je me demandai à combien ils se présenteraient. Du moins aurions-nous l'avantage de la surprise : nous serions plus nombreux que ce à quoi ils s'attendaient.

Je serrai fermement mon bâton. Presque aussitôt, une porte grinça quelque part. Un murmure de voix monta au loin. Puis des pas résonnèrent sur les marches de pierre. On descendait. Je percevais le martèlement de lourdes bottes, le claquement de souliers pointus.

Dans le cachot, plus personne ne parlait. Venaient-ils pour les prisonniers ou cherchaient-ils seulement à s'échapper ? S'ils surgissaient en nombre, nous n'aurions guère de chances. Malgré tout, j'étais décidé à vendre chèrement ma peau.

Les pas se rapprochèrent ; à travers les barreaux du judas, je vis danser des flammes de chandelles et se dessiner des ombres de têtes : le clan des Malkin fuyait.

Ils devaient être au moins une vingtaine. Au bruit, je devinais qu'ils étaient arrivés en bas des marches et commençaient à passer par la trappe. Puis le silence retomba. J'osais à peine espérer qu'ils soient partis. Dans leur hâte, avaient-ils oublié les prisonniers ?

Mab chuchota :

– Deux d'entre eux vont revenir. Tenez-vous prêts !

J'entendis alors une voix lointaine. Une femme. Je ne compris pas ce qu'elle disait, mais le ton était coupant, vibrant de cruauté. Je tendis l'oreille, le cœur serré d'angoisse. On remontait.

De nouveau, des pas approchèrent. Dans l'obscurité du cachot, quelqu'un renifla.

— Ils ne sont que deux, dit Alice, confirmant les dires de Mab.

— Oui, deux, et un seul homme, ajouta celle-ci. Je saurai bientôt qui...

On introduisit une clé dans la serrure. Derrière la porte, une voix de femme s'éleva :

— Tu me laisses la gosse. Elle est à moi...

Je serrai mon bâton, décidé à défendre les miens jusqu'au bout. Et la porte s'ouvrit.

Dans sa main droite, l'homme élevait une lanterne ; sa main gauche tenait un poignard, dont je vis étinceler la lame effilée. À ses côtés apparut une sorcière à la mine féroce. Ses petits yeux noirs semblaient deux boutons cousus de travers au bas de son front.

Ils n'eurent pas le temps de respirer. Avant même que j'aie fait un pas, Mab et Alice avaient bondi, les ongles en avant, tels des chats furieux s'abattant sur des moineaux. Mais les arrivants n'étaient pas des oiseaux, et ils n'avaient pas d'ailes. Sous l'effet de la surprise, ils reculèrent, basculèrent du haut des marches avec un long hurlement. Le choc de leurs corps sur le sol, un étage en dessous, me fit tressaillir.

La lanterne avait roulé sur le seuil de la porte, sans s'éteindre. Mab s'en empara et regarda en bas de l'escalier. Lorsqu'elle se retourna vers nous, un sourire cruel lui étirait les lèvres :

– Ceux-là ne nous ennuieront plus. Un bon Malkin est un Malkin mort.

Elle posa sur Alice un regard ironique avant de conclure :

– Un peu de lumière, voilà qui va nous faciliter les choses. Allons voir ce qui se passe là-haut...

Alice, elle, frissonnait, les bras serrés contre son ventre comme pour réprimer un haut-le-cœur.

De l'étage nous parvinrent des grincements métalliques.

– Les soldats sont dans la tour, fit Mab. Vous entendez ? Ils sont en train d'abaisser le pont-levis. Montons, Tom !

Alice s'était reprise. D'une voix ferme, elle déclara :

– Je continue de penser que nous devrions suivre le même chemin que les Malkin.

– Non, dis-je. Nous montons. C'est la meilleure chose à faire, je le sens.

– Tu prends son parti, s'indigna-t-elle. Tu te laisses mener au doigt et à l'œil.

– Ça suffit, Alice ! Je ne prends le parti de personne. Je suis mon instinct, comme mon maître m'a appris à le faire. Aide-moi, plutôt ! Aide-moi à transporter Jack là-haut !

Je crus qu'elle allait refuser. Elle finit cependant par revenir vers moi. Lorsqu'elle se pencha sur Jack, je m'aperçus que ses mains tremblaient.

Je tendis mon bâton à Ellie :

– Tu peux le tenir, s'il te plaît ? J'aurai sans doute à l'utiliser plus tard.

Elle me lança un regard apeuré, encore sous le choc. Puis, portant sa fille, elle accepta mon bâton et le serra fortement dans sa main.

Je soulevai Jack sous les épaules, tandis qu'Alice le prenait par les jambes. C'était un poids mort, difficile à porter. Quant à grimper l'escalier avec lui... ! Nous titubâmes jusqu'à la porte, Ellie derrière nous, et entamâmes l'escalade. L'effort nous coupait le souffle ; nous devions faire halte toutes les vingt marches pour reprendre haleine. Mab montait loin devant, et la lumière de la lanterne ne nous éclairait plus qu'à peine.

– Mab ! appelai-je. Ralentis ! On n'arrive pas à suivre.

Elle ne daigna même pas se retourner. Je craignais qu'elle disparaisse à l'étage, nous abandonnant dans le noir. Mais les sorcières avaient verrouillé la trappe supérieure derrière elles, espérant sans doute ralentir leurs poursuivants. Nous trouvâmes Mab assise sur les dernières marches, attendant qu'Alice se serve de ma clé pour ouvrir.

Elle fut la première à prendre pied en haut ; nous hissâmes Jack à grand-peine. Ce n'est qu'après l'avoir doucement étendu sur le sol que je pris le temps de regarder autour de moi.

La salle était tout en longueur, basse de plafond ; dans un coin, des sacs de pommes de terre étaient empilés à côté d'une montagne de navets et de carottes. Des jambons salés pendaient aux poutres, suspendus à de gros crochets. Nous n'avions plus besoin de la lanterne ; la lumière du jour passait par une porte ouverte, au fond de la pièce. Mab s'en approcha. Reprenant mon bâton, je la rejoignis, accompagné d'Alice.

La jeune Mouldheel, debout sur le seuil, contemplait quelque chose avec fascination.

Là, dans la réserve, s'alignaient les malles que les sorcières m'avaient volées et qu'elles avaient abandonnées dans leur fuite. Mab les avait enfin sous la main. Il ne lui manquait plus que les clés.

16

Les malles de ma mère

Je m'approchai de la porte ouverte. L'endroit me paraissait étrangement silencieux. Des grains de poussière dansaient dans la lumière. Où étaient les soldats ?

– C'est trop calme, ici, murmurai-je.

Alice approuva de la tête.

– Allons voir, suggéra-t-elle.

Nous pénétrâmes dans une vaste salle en désordre, la pièce d'habitation des Malkin. Des paillasses étendues à même le sol, garnies de draps sales, servaient de lits. Des restes de repas, des os d'animaux à demi rongés, s'entassaient le long des murs. Des assiettes ébréchées, encore emplies, étaient éparpillées sur les dalles. Lorsque le mur avait enfin cédé, les Malkin devaient être en train de manger. Ils avaient fui, abandonnant tout derrière eux.

Le plafond était très haut, et d'autres marches conduisaient vers le sommet de la tour. L'odeur de cuisine masquait difficilement des relents de corps mal lavés et d'aliments putréfiés. Trop de gens vivaient ici, les uns sur les autres, et depuis trop longtemps. Une partie du mur s'était écroulée ; les pierres avaient écrasé une table, dispersant poêles, marmites et couteaux. Et, à travers la brèche, on apercevait les arbres du bois des Corbeaux.

La trouée était juste assez large pour qu'un homme s'y engage. Les soldats étaient certainement entrés, car la grande porte était ouverte et le pont-levis abaissé. Et l'on voyait, de l'autre côté des douves, les hommes en vestes rouges s'agiter telles des fourmis. Ils attelaient les chevaux de trait qui tiraient le canon, s'apprêtant, semblait-il, à lever le camp. Pourquoi n'avaient-ils pas poursuivi les Malkin ? Il leur aurait été facile de s'introduire par la brèche et de descendre dans les souterrains. Pourquoi, après s'être donné tant de mal, n'achevaient-ils pas le travail ? Et où était le juge Nowell ?

Un claquement de pieds nus sur le carrelage m'alerta. Je me retournai : Mab entrait dans la salle.

— Tout va pour le mieux ! croassa-t-elle avec un sourire de triomphe. On n'a pas drogué l'eau dans le seul but de te libérer. Il y avait une autre raison : on avait besoin qu'ils ouvrent cette brèche, pour pouvoir sortir les malles. À présent des ordres ont dû leur parvenir depuis leur caserne, les rappelant à Colne. Ces bons petits soldats peuvent courir se faire tuer à la guerre.

— La guerre ? répétai-je. Quelle guerre ? De quoi tu parles ?

— Une guerre qui va tout changer, ricana Mab. Des envahisseurs ont franchi la mer et pris pied sur la côte sud. Tous les Comtés sont tenus de fournir leur quota de combattants. Je sais tout ! J'ai vu les messages lumineux passer de colline en colline, ordonnant aux troupes de retourner à leurs cantonnements. J'ai le don de scrutation, tu le sais. Je suis même meilleure que Tibb.

— Oh, cesse de caqueter ! la rabroua Alice. Tu n'es pas aussi habile que tu le crois. Tu ne connaissais même pas l'entrée de la tour ; c'est pour ça que tu as torturé la pauvre vieille Maggie. Et ce qu'il y a dans les malles de Tom, tu le vois ? Et l'antrige, tu l'avais vu ?

— Je ne me suis pas si mal débrouillée, non ? Mais tu as raison. Je peux faire mieux. Tout dépend du rituel, de la nuit où il a lieu, et du sang que je bois.

D'un air sournois, Mab ajouta :

– La petite nièce de Tom ferait l'affaire. Qu'on me donne son sang, à Lammas, et je verrai tout ce que je veux ! Maintenant, Tom, donne-moi les clés de ces malles, et je vous laisse aller.

Écœuré par ce qu'elle venait de dire, je levai mon bâton, prêt à l'abattre sur sa tête. Elle se contenta de sourire avec impudence en pointant le doigt vers la porte grande ouverte. Mon regard suivit cette direction. Ce que je vis alors, au-delà du pont-levis, me glaça le sang.

Les soldats étaient partis. Plus de chevaux, plus d'attelages. À leur place, une troupe surgissait du bois et marchait vers nous, foulant l'herbe du terre-plein. Des femmes atteignaient déjà le pont, des sorcières en longues robes brunes, armées d'épées et de poignards. Mab avait tout organisé dans les moindres détails.

Les Malkin avaient fui par les souterrains ; les hommes de troupe avaient abandonné le terrain pour rejoindre l'armée. Et les Mouldheel venaient s'emparer des malles. Voilà ce que Mab avait imaginé. Elle en avait découvert assez pour gagner. Le plan que nous avions élaboré, Alice et moi, était à l'eau. Mab nous avait joués, et nous ne pouvions plus rien contre elle. Cette constatation me donna la nausée. Ellie et Jack étaient toujours prisonniers, et la menace qui pesait sur leur petite fille était bien réelle. L'expression impitoyable que je lisais sur le visage de Mab suffisait à m'en convaincre.

– Réfléchis, Tom, reprit-elle. J'aurais pu rester dans les bois avec les autres, non ? J'aurais pu patienter tranquillement jusqu'à ce que les soldats s'en aillent. Au lieu de ça, j'ai risqué ma vie en t'introduisant dans la tour pour que tu puisses secourir ta famille. J'ai *vu* ce qui allait arriver, aussi clair que le nez au milieu de la figure : les Malkin leur trancheraient la gorge avant de fuir. Je les ai *vus* entrer dans le cachot avec leur poignard. Je t'ai aidé à sauver les tiens parce qu'on a conclu un marché. Je tiens toujours parole ; à ton tour !

Alice agrippa soudain Mab par le bras :

– Tu es trop maligne, pour quelqu'un de ton espèce ! Mais les choses ne sont pas finies, loin de là. Viens, Tom ! Nous avons la lanterne ; nous pouvons fuir par les souterrains.

Tout en parlant, elle poussait Mab dans la réserve. Je la suivis, examinant hâtivement cette hypothèse dans ma tête. Les Malkin atteindraient sans doute bientôt la sortie du sépulcre, et, le temps qu'on y parvienne, ils seraient loin. Mieux valait tenter le coup plutôt que d'attendre ici, à la merci des Mouldheel.

Ellie était agenouillée près de son mari, qui respirait difficilement, les yeux clos. Mary s'accrochait aux jupes de sa mère, au bord des larmes.

– Viens, Ellie, dis-je doucement. C'est trop dangereux, par ici. Nous devons redescendre aussi vite que possible. Il faut que tu m'aides à porter Jack.

Ma pauvre belle-sœur me jeta un regard où l'ahurissement l'emportait sur l'angoisse :

– On ne va pas le transporter encore, Tom ! Ni le redescendre ! Il est trop mal, il ne le supportera pas.

– Il le faut, Ellie. Nous n'avons pas le choix.

Mab ricana ; Alice la fit taire en lui tirant violemment les cheveux.

Lorsque je voulus prendre Jack par les épaules, Ellie se coucha sur la poitrine de son époux pour m'empêcher de le soulever. Consterné, je me préparai à lui apprendre quelle menace pesait sur sa fille. Je ne voyais pas d'autre argument capable de la décider. Mais je me tus. Il était déjà trop tard. Les Mouldheel entraient dans la tour – une douzaine d'entre eux au moins –, parmi lesquels Beth et Jennet, les sœurs de Mab. Le groupe nous encercla, nous observant d'un regard froid, d'où toute pitié était absente.

Alice me lança un coup d'œil affolé. Je haussai les épaules avec résignation, et elle relâcha Mab.

– Je pourrais te tuer, cracha celle-ci. Mais un marché est un marché. Dès que les malles seront ouvertes, tu seras libre de partir avec les autres. Tom, à toi de jouer...

Je secouai la tête :

— Impossible, Mab. Les malles sont à moi.

La sorcière se pencha, attrapa la petite Mary par le bras et l'arracha à sa mère. Beth lui lança un couteau, qu'elle saisit au vol. Elle posa la lame sur la gorge de l'enfant. La fillette se mit à pleurer, le visage crispé de peur. Ellie voulut sauter sur Mab, mais elle n'avait pas fait trois pas qu'elle fut projetée à terre tandis qu'un genou s'enfonçait dans son dos.

— Donne-moi les clés, m'ordonna Mab, ou je tue la gosse !

Je serrai mon bâton, mesurant la distance qui nous séparait. Impossible de frapper assez vite. Et, en supposant que je réussisse, les autres me tomberaient dessus aussitôt.

— Donne-lui les clés, Tom ! me hurla Ellie. Pour l'amour du ciel, donne-lui ce qu'elle veut !

Mon devoir envers le Comté m'avait obligé à refuser jusqu'ici, mettant en péril la vie de ma propre famille. Là, c'en était trop. Mary poussait à présent des cris hystériques, plus effrayée par la brutalité dont on usait envers sa mère que par la lame posée sur son cou. La tête basse, je laissai tomber mon bâton.

— Ne lui fais pas de mal, Mab, suppliai-je. Je t'en prie, rends-leur la liberté, à tous, et tu auras les clés.

Alice, Ellie et Mary furent emmenées dehors, à l'orée du bois. Deux sorcières les escortaient, transportant Jack comme un sac de pommes de terre. Après que j'ai eu cédé, Alice n'avait plus dit un mot. Elle était partie, le visage sans expression. Je me demandai ce qu'elle avait dans la tête.

– Ils attendront là-bas sous bonne garde, m'informa Mab. Ils ne seront libérés qu'après l'ouverture des malles. Toi, Tom, tu n'iras nulle part, tu resteras ici. On sera bien tranquilles, sans cette Alice dans nos jambes, cette sang-mêlé de Deane-Malkin.

Elle ouvrit la main :

– Allons, ces clés, qu'on en finisse !

Je ne protestai pas ; j'avais perdu tout espoir. Je naviguais en plein cauchemar, sans trouver aucune issue. J'allais trahir le Comté, ma mère et l'Épouvanteur. Le cœur lourd, je retirai le cordon pendu à mon cou et le tendis à Mab. Elle marcha vers les malles et je la suivis, brisé. Seules Beth et Jennet étaient encore dans la pièce, mais d'autres Mouldheel armés se tenaient à l'extérieur, surveillant la porte.

Mab me gratifia d'un sourire en coin :

– Laquelle ouvrir en premier ?

Je fis un geste d'ignorance.

– Il y a trois malles, et on est trois, lança Beth dans mon dos. Une chacune ! Dépêche-toi de choisir,

Mab, qu'on puisse ouvrir les nôtres. Après, ce sera à moi.

– Et pourquoi je passerais la dernière ? protesta Jennet.

Mab vira sur ses talons et se planta devant ses sœurs.

– Non, siffla-t-elle. Elles sont à moi toutes les trois. Si vous êtes gentilles, je vous donnerai un cadeau. Maintenant, taisez-vous et ne me gâchez pas cet instant. Je me suis donné assez de mal !

Devant l'air furieux de leur aînée, les jeunes sorcières reculèrent. Mab observa les malles ; se décidant, elle s'agenouilla devant celle du milieu. Elle introduisit une des clés dans la serrure ; elle refusa de céder. Avec un froncement de sourcils contrarié, Mab fit une tentative sur une autre malle. Aucun succès.

Jennet gloussa :

– Ce n'est pas ton jour de chance, on dirait ! Il ne reste que la troisième.

Lorsque la troisième serrure résista, Mab sauta sur ses pieds et me foudroya du regard :

– Ce sont les bonnes clés ? Si c'est un tour que tu me joues, tu vas le payer !

– Essaie avec une autre clé, lui suggérai-je.

Ce qu'elle fit, sans résultat.

– Tu me prends pour une imbécile ? gronda-t-elle.

Elle se tourna vers Jennet, menaçante :

— Va me chercher la gamine !

— Non ! suppliai-je. S'il te plaît, Mab, ne fais pas ça ! La troisième clé marchera peut-être.

Une sueur d'angoisse me mouillait les paumes. Remettre les clés m'avait déjà été assez pénible. Si celles-ci ne fonctionnaient pas, je savais que la vengeance de Mab serait terrible, et qu'elle s'en prendrait d'abord à la petite Mary. Qu'est-ce qui n'allait pas ? Peut-être les malles ne s'ouvraient-elles que si c'était *moi* qui tenais les clés ?

Mab s'accroupit de nouveau. Les deux premières serrures résistèrent de nouveau, mais, à mon grand soulagement, la troisième émit un petit *clic*, et la clé tourna. Avec un sourire vainqueur, Mab souleva lentement le lourd couvercle de bois.

La malle était remplie ; de quoi exactement, je n'aurais su le dire. Un tissu blanc reposait sur le dessus. Quand Mab le déplia, je vis que c'était une robe de mariée. Celle de ma mère ? Sûrement, sinon, pourquoi l'aurait-elle rangée là ?

— Un peu grande pour moi, minauda Mab en se relevant et en plaquant la robe contre son corps.

L'ourlet traînait sur le plancher.

— Qu'en penses-tu, Tom ? Ravissant, non ?

Elle tenait la robe devant derrière, et je tressaillis : une ligne de boutons la fermait du haut en bas, et ils étaient en os. J'en avais vu de semblables sur la robe de Meg Skelton, la sorcière lamia qui vivait avec l'Épouvanteur à Anglezarke. La robe de mariée de maman se boutonnait-elle avec des os, comme le vêtement d'une lamia ?

Mab jeta la robe à Jennet :

– Tiens ! Cadeau ! Tu seras assez grande pour la mettre, un jour ! Il suffit d'être patiente.

Jennet l'attrapa en grimaçant de dégoût :

– Je ne veux pas de cette vieillerie ! Tu peux l'avoir, Beth.

Et elle la lança à sa jumelle.

Mab tirait un autre vêtement de la malle, une chemise d'homme.

Je le devinais aussitôt : c'était la chemise de papa, celle qu'il avait utilisée pour protéger maman du soleil qui la brûlait, quand il l'avait trouvée liée à un rocher avec une chaîne d'argent. Et cette chaîne, elle avait été en ma possession jusqu'à ce que Nowell me la prenne. Maman avait gardé la chemise en souvenir.

– Ça sent le moisi, fit Mab. Tiens, Beth, c'est pour toi !

Elle lui lança le vêtement avec un rire moqueur.

Certes, cela valait mieux que de voir la petite Mary égorgée ! Mais j'étais peiné que l'on traite les affaires de maman avec autant d'irrespect. Sa vie était là, dans cette malle, et j'aurais voulu en examiner chaque élément à mon gré, tranquillement. Cependant, selon Tibb, il y avait là une chose d'une extrême importance, une chose que Mab ne tarderait pas à découvrir.

D'ailleurs, elle avait reporté son attention sur la malle, qu'elle fixait avec une expression de convoitise. Elle en extirpa des flacons et des pots scellés, tous étiquetés. Des potions médicinales ? Pourrait-on s'en servir pour soigner Jack ?

Puis vinrent des livres de tailles diverses, reliés de cuir. Certains ouvrages ressemblaient à des journaux, et je me demandais si c'était maman qui les avait écrits. Un volume plus épais que les autres attira mon regard. Peut-être était-ce une chronique de sa vie à la ferme avec papa ? Ou même un récit d'*avant* leur rencontre ?

Il y avait aussi trois grands sacs de toile fermés par un cordon. Mab souleva le premier et, quand elle le posa sur le sol, j'entendis le tintement caractéristique de pièces de monnaie. Mab dénoua en hâte le cordon et plongea la main dans le sac. Quand elle l'en ressortit, elle tenait une poignée de guinées étincelantes.

— Il y a une fortune, là-dedans ! marmonna-t-elle avec une telle avidité que les yeux lui sortaient de la tête.

Elle ouvrit les deux autres sacs. Ils étaient remplis de pièces d'or. Cela représentait assez d'argent pour acheter plusieurs fermes comme celle de Jack. Je n'avais jamais soupçonné que maman puisse être aussi riche.

– Ça fait un sac chacune ! s'exclama Beth.

Cette fois, Mab ne la contredit pas.

– Avoir de l'argent, c'est bien, fit-elle. Mais il y a encore plus intéressant, là-dedans, j'en mettrais ma tête à couper.

S'adressant à moi, elle supposa :

– Ces livres ? Ils renferment sans doute des tas de connaissances, des sorts, tout ça. Wurmalde voulait ces malles plus que n'importe quoi, pour posséder le pouvoir de ta mère. Elle s'attendait à y trouver une chose de grande valeur.

Elle s'empara du plus grand livre, celui qui m'avait intrigué, et l'ouvrit au hasard. Elle parut décontenancée. Elle le feuilleta, l'air de plus en plus contrarié. Finalement, elle lâcha :

– C'est une langue étrangère ! Ça n'a ni queue ni tête. Tu saurais lire, Tom ?

Je savais déjà que le livre n'était pas en latin, car les sorcières le maîtrisaient parfaitement. Puisque ce livre appartenait à maman, il était écrit dans sa langue, le grec, qu'elle m'avait enseigné dès ma petite enfance. Je m'approchai.

– Non, fis-je, tâchant de paraître convaincant. Je n'y comprends rien...

Or, à cet instant, une enveloppe glissa d'entre les pages et tomba sur le sol. Mab la ramassa et me la montra :

Pour mon plus jeune fils, Thomas J. Ward

Elle l'ouvrit et la jeta après en avoir tiré une lettre, qu'elle déplia. Fronçant les sourcils, elle me la tendit avec un ricanement :

– Ce n'est pas bien, Tom. Tu ne joues pas franc-jeu. D'abord, tu refuses de tenir parole. Et maintenant, tu mens. J'avais meilleure opinion de toi. Cette lettre est rédigée dans la même langue que le livre. Pourquoi une mère écrirait-elle à son fils dans une langue qu'il ne connaît pas ? Tu ferais mieux de me dire ce que ça raconte, sinon, les autres iront droit dans leur tombe.

Je pris la lettre et commençai à lire pour moi-même :

Cher Tom,
Cette malle est conçue pour être la première à s'ouvrir. Les autres ne peuvent être déverrouillées qu'à la lumière lunaire, et par ta propre main. Mes sœurs dorment à l'intérieur, et seul le baiser de la lune les éveillera. N'aie pas peur d'elles. Elles sauront

que tu es de mon sang ; elles veilleront sur toi, et donneront leur vie, s'il le faut, pour sauver la tienne.

Bientôt, l'obscur fait chair parcourra de nouveau
la Terre. Mais toi, tu es mon espérance et, quel que
soit le prix à payer dans l'immédiat, tu trouveras
en toi la force et la volonté qui, à la fin, te feront
triompher.

Sois simplement fidèle à ta conscience et suis ton
instinct. J'espère qu'un jour, nous nous retrouverons.
Cependant, quoi qu'il arrive, souviens-toi que je serai
toujours fière de toi.

Maman

17

Clair de lune

— **E**h bien ? s'impatienta Mab. Qu'est-ce que ça dit ?

Je réfléchissais à toute vitesse. Les sœurs de maman ? Quel genre de sœurs pouvaient bien dormir dans une malle ? Depuis combien de temps y étaient-elles enfermées ? Depuis que maman avait quitté la Grèce ? Depuis qu'elle était venue dans le Comté pour épouser papa, il y avait tant et tant d'années ?

J'avais vu une chose semblable, l'hiver précédent, à Anglezarke. Des lamias. Il existait deux sortes de sorcières lamias, les domestiques et les sauvages. Meg Skelton, le seul amour de l'Épouvanteur, appartenait à la première. Celles-ci avaient tout d'une femme, à part une ligne d'écailles jaunes et vertes le long de la colonne vertébrale. Marcia, la sœur de Meg, était une lamia sauvage, marchant à quatre pattes, le corps couvert d'écailles, et se nourrissant de sang. Certaines avaient même des ailes leur permettant de voler sur de courtes distances. Se pouvait-il que ma mère fût une lamia domestique, bienveillante ? Après tout, Meg et Marcia étaient originaires de Grèce, elles aussi. Marcia, la sauvage, avait été ramenée dans son pays à l'intérieur d'un cercueil, pour éviter qu'elle n'effraie les passagers du bateau. L'Épouvanteur lui avait fait boire une potion, la même qu'il administrait à Meg afin qu'en son absence elle dorme deux saisons d'affilée[1].

Puis je me souvins que maman montait à sa chambre personnelle une fois par mois, toujours seule. Qu'allait-elle faire là-haut ? Allait-elle parler à ses sœurs, avant de les renvoyer dans leur sommeil d'une manière quelconque ? J'étais quasiment sûr qu'il s'agissait de lamias sauvages. Avec l'aide des deux, peut-être viendrais-je à bout de Mab et des Mouldheel ?

---

1. Lire *Le secret de l'Épouvanteur*.

– Alors ? aboya Mab. J'attends, et ma patience est à bout.

– La lettre précise que les deux autres malles ne peuvent être ouvertes qu'au clair de lune, et si c'est moi qui tourne la clé.

– Et qu'est-ce qu'il y a dedans ?

– Aucune idée, mentis-je. Mais ce doit être quelque chose d'encore plus précieux que le contenu de la première. Sinon, pourquoi seraient-elles aussi difficiles à ouvrir ?

Mab me dévisagea d'un air soupçonneux. Pour lui donner le change, j'enchaînai :

– Et les petites caisses qui étaient dans la chambre de maman ? Il y en avait beaucoup, et les sorcières qui ont dévasté la ferme les ont toutes emportées.

– Oh, celles-là... J'ai entendu dire qu'elles étaient pleines de colifichets, des broches, des bijoux sans valeur, ce genre de choses. Les Malkin se les sont partagés.

Je secouai tristement la tête :

– Ce n'est pas juste. Ces objets m'appartenaient.

– Estime-toi chanceux d'être encore en vie, rétorqua Mab.

– Libère Alice et ma famille, maintenant, la pressai-je.

– Je vais y réfléchir...

– Jack est très mal, il a besoin de soins. Il faut une charrette et un cheval pour l'emmener chez un médecin le plus vite possible. S'il meurt, je n'ouvrirai jamais les coffres. Tiens ta parole, Mab ! Tu as déjà une des malles, et j'ouvrirai les autres cette nuit, dès que la lune se lèvera. S'il te plaît !

Elle me fixa dans les yeux un long moment, avant de se tourner vers ses sœurs :

– Allez dire aux autres de les laisser partir !

Les jumelles hésitèrent.

– Il leur faut une charrette, Mab, insistai-je. Mon frère ne peut pas marcher.

Mab fit un signe de tête :

– Ils l'auront. Tâche seulement de tenir parole !

Elle houspilla Beth et Jennet :

– Faites ce que j'ai dit ! Filez ! Et demandez-leur d'amener les maçons en vitesse !

J'attendis que les jumelles aient disparu avant de répéter :

– Les maçons ?

– Oui, des maçons pour réparer le mur. Les Malkin sont vaincus ; la tour est à nous. Les temps ont changé. Désormais, les Mouldheel règnent sur Pendle.

Une heure plus tard, une équipe d'ouvriers était là et se mettait à l'ouvrage. Les hommes, visiblement pressés d'en avoir terminé, déployaient des trésors d'énergie et d'habileté pour remettre en place les énormes pierres éboulées.

Quelques membres du clan furent envoyés dans les étages souterrains pour les explorer. Ils remontèrent très vite pour livrer leur rapport : les Malkin avaient bien quitté les lieux. Mab ordonna à des gardes de redescendre et de rester vigilants : quand les Malkin s'apercevraient que les soldats avaient levé le camp, ils pourraient tenter de revenir.

Avant la tombée de la nuit, la brèche était rebouchée. Mais Mab avait une autre tâche à confier aux maçons. Elle leur fit transporter les deux lourdes malles encore fermées jusqu'aux créneaux par l'étroit escalier. Cela fait, les hommes s'éclipsèrent en hâte, et le pont-levis fut relevé, nous claquemurant dans la tour.

En plus de Mab et de ses sœurs, il y avait là dix autres sorcières – formant les treize membres du conventus. Le clan comprenait aussi quatre femmes plus âgées, chargées de la cuisine et autres tâches domestiques. Elles préparèrent une soupe de carottes et de pommes de terre. Bien qu'elle ait été cuisinée par des sorcières, j'en acceptai une écuelle. Craignant néanmoins un poison ou une drogue quelconque, je m'assurai que la louchée provenait de la marmite commune. Dès que tout le monde fut servi, je trempai une tranche de pain dedans et me mis à manger.

Le souper terminé, j'aurais bien voulu fouiller dans la malle de maman, mais Mab m'interdit de m'en approcher.

– Tu n'y auras accès que lorsque tu auras achevé la traduction de tous ces livres, me dit-elle. Ça va te prendre des mois...

Après le coucher du soleil, Mab alluma une lanterne et me fit monter jusqu'aux créneaux, Beth et Jennet sur mes talons. Nous passâmes par une pièce qui abritait le mécanisme du pont-levis : un système de levier, une grosse roue dentée, ainsi qu'une sorte de cabestan en bois. Lorsqu'on tournait la roue, deux chaînes s'enroulaient autour du cabestan, relevant ou abaissant le tablier du pont.

Enfin nous émergeâmes sur le chemin de ronde, d'où l'on découvrait la campagne environnante. La colline de Pendle dominait le bois des Corbeaux, et, grâce au terre-plein herbu qui s'étendait entre la tour et les premiers arbres, personne ne pouvait approcher sans être vu. Les Mouldheel se croyaient désormais invincibles. Ils ignoraient ce qui dormait à l'intérieur des deux malles, posées sur le sol de pierre...

À mesure que la nuit tombait, la lanterne semblait briller plus fort. À cette heure, la lune aurait dû apparaître à l'horizon, mais un aigre vent d'ouest poussait devant lui des nuages bas chargés de pluie. Il se passerait un certain temps avant qu'un rayon touche les malles, à supposer que le ciel se dégageât suffisamment.

– On dirait qu'il va pleuvoir, Mab, dis-je. On devra sans doute remettre ça à la nuit prochaine.

Elle renifla l'air humide et secoua la tête :

– La lune ne va pas tarder à nous montrer sa face. On reste ici et on patiente.

Je scrutai les ténèbres, écoutant la plainte du vent dans les arbres, me rappelant tout ce qui était advenu depuis notre arrivée à Pendle, quelques jours plus tôt. Où était l'Épouvanteur ? Avait-il trouvé ma lettre ? Comment envisageait-il de résister à la puissance des trois conventus ? Le pauvre père Stocks était mort ; mon maître ne pouvait espérer chasser les Mouldheel de la tour et encore moins affronter les autres clans – en particulier les Malkin – tout seul. Il avait même ignoré jusque-là l'existence de Wurmalde, et ce point me tourmentait. Quel rôle jouait-elle dans la société complexe des sorcières ? Elle avait parlé d'une vengeance contre ma mère, mais qu'essayait-elle d'accomplir ici, à Pendle ?

Mab examinait le ciel nocturne. Espérant en apprendre un peu plus, j'utilisai la flatterie :

– Tu es très forte, Mab. Tu as battu les Malkin. Et, même avec le soutien des Deane, ils seront incapables de vous reprendre cette tour. Elle vous appartient désormais.

Elle me jeta un coup d'œil méfiant, puis admit :

– J'attendais ça depuis longtemps. J'ai saisi ma chance et fait ce qu'il fallait. Avec ton aide, Tom. On forme une bonne équipe, toi et moi, tu ne trouves pas ?

Où voulait-elle en venir ? Avait-elle vraiment un faible pour moi, comme le prétendait Alice ? Moi, l'apprenti d'un épouvanteur ? Non, elle jouait de fascination et de séduction pour mieux me dominer. Je préférai changer de sujet.

– Qu'est-ce que tu sais sur Wurmalde ?

– Wurmalde ?

Mab cracha sur le sol.

– Une intruse, une fouille-merde ! Je vais lui régler son compte, à celle-là !

– Qu'est-elle venue faire ici, si elle n'appartient à aucun clan ?

– C'est une solitaire. Pour une raison quelconque, elle a jeté son dévolu sur le Comté et veut y établir les puissances de l'obscur. Son intention est de vous éliminer, toi et ta mère, à mon avis. Ta mère, elle la hait, je ne sais pas pourquoi.

– Elles se sont connues en Grèce, je crois.

– Ta mère est une sorcière ?

La question était directe !

– Bien sûr que non ! me récriai-je, sans réussir à me convaincre moi-même.

Maman avait des pouvoirs, les boutons de sa robe étaient en os, et voilà que ses sœurs étaient des lamias sauvages… Je commençais à me faire à l'idée qu'elle soit sorcière. Une lamia domestique, une bénévolente, certes ; néanmoins, une sorcière.

– Tu es sûr ? fit Mab. Il me semble, à moi, que Wurmalde s'intéresse beaucoup au contenu des malles. Et pourquoi ta mère a-t-elle tout fait pour empêcher quiconque de fouiller dedans, si elles ne contiennent pas des révélations sur son origine ?

Je ne répondis pas.

– Allez ! railla Mab. Il n'y a pas de honte à être fils d'une sorcière !

– Ma mère n'est pas sorcière, affirmai-je.

– Si tu le dis, chéri ! fit-elle.

Elle n'en croyait visiblement pas un mot.

– Quoi qu'il en soit, reprit-elle, elle est l'ennemie jurée de Wurmalde, qui veut absolument réunir les trois conventus le jour de Lammas pour invoquer ce bon vieux Satan et te détruire, ainsi que tous les espoirs que ta mère a placés en toi. Mais ne t'affole pas ! Les Mouldheel n'y participeront pas, en dépit de tous ses efforts pour nous convaincre. Non, on ne se joindra pas à eux. On les laisse à leur folie. Ce serait aller trop loin ; c'est bien trop dangereux.

Mab secoua la tête avec fureur et se tut. Qu'entendait-elle par « aller trop loin » ? Cette phrase avait éveillé ma curiosité.

— Si dangereux que ça ? risquai-je.

Ce fut Beth qui me donna la réponse :

— Une fois Satan apparu dans ce monde, il y resterait pour toujours. Impossible de le renvoyer, et difficile de le contrôler ! Le voilà, le danger. Ses méfaits n'auraient plus de fin. C'est un entêté, ce vieux Satan ! Qu'on lui laisse la bride sur le cou, et on aura tous à en souffrir.

— Les Malkin et les Deane ne le savent donc pas ?

— Bien sûr, ils le savent ! fit Mab. C'est pour ça qu'ils veulent qu'on se joigne à eux. Si trois clans travaillent ensemble, ils ont toutes les chances de faire surgir le Démon et de le tenir ensuite sous leur contrôle. Bien que ce ne soit pas garanti. Les autres sont stupides de prendre pour argent comptant les promesses de Wurmalde : plus d'obscur égale davantage de pouvoir ! Pourquoi m'allierais-je à eux ? Les Mouldheel sont les maîtres de Pendle, à présent ! Qu'ils aillent au Diable, c'est le cas de le dire !

Le silence retomba, et nous restâmes immobiles, à fixer l'obscurité, jusqu'à ce que, soudain, la lune surgisse de derrière un nuage. C'était un mince croissant, dont les deux cornes désignaient l'ouest. Sa pâle lumière coula sur les malles, étirant leur ombre sur la muraille.

Mab désigna la malle la plus proche et brandit les clés :

— Tiens ta promesse, Tom, dit-elle doucement. Tu ne le regretteras pas. Nous vivrons bien, ici, toi et moi.

Elle me sourit, et son regard s'emplit d'étoiles, ses cheveux s'allumèrent d'une lueur surnaturelle. L'espace d'un instant, elle rayonna. Ce n'était que l'effet du clair de lune, je le savais, comme je savais ce qu'elle tentait de faire : m'asservir à sa volonté. Je mesurais l'énergie qu'elle mettait en œuvre contre moi : séduction et fascination. Non seulement je devais lui ouvrir les malles, mais elle voulait que je le fasse de mon plein gré.

Je lui rendis son sourire et pris le trousseau. Elle se donnait du mal pour rien. J'allais vraiment agir de mon plein gré. Et elle allait avoir la plus grosse surprise de sa vie.

Les trois clés semblaient identiques. La seconde que j'utilisai débloqua la serrure. J'inspirai profondément et relevai le couvercle. J'aperçus une forme roulée sur elle-même, enveloppée dans de la toile à voile et attachée avec une ficelle. Je posai la main dessus, guettant un mouvement. Puis je me souvins que la créature ne s'éveillerait que sous la caresse d'un rayon de lune.

— C'est quelque chose de gros, Mab, dis-je. Il faudra que tu m'aides à l'extirper de là. Mais je vais d'abord ouvrir l'autre malle, pour voir ce qu'il y a dedans...

Sans attendre son autorisation, j'introduisis une clé dans la serrure. S'il y avait bien là une autre lamia sauvage, on serait sûrement de force face aux Mouldheel. C'est pourquoi je voulais qu'elles s'éveillent toutes les deux. Je soulevai le deuxième couvercle.

— C'est pareil, là-dedans, dis-je. Sortons ça...

Mab parut incertaine, mais Beth s'élança avidement. Nous soulevâmes le lourd paquet et le déposâmes sur les dalles. Une fois étendu, il avait une fois et demie la longueur de mon corps. Jennet, ne voulant pas être en reste, m'aida à vider la deuxième malle.

— Coupe la ficelle, Jennet ! dis-je.

Elle prit un couteau à sa ceinture et s'exécuta. Agenouillé sur le sol, je commençai à dérouler la toile. C'est alors qu'un nuage cacha la lune.

Mab approcha la lanterne et l'amena à la hauteur de mon épaule. Je crus que mon cœur allait s'arrêter de battre. Je suspendis mon geste, espérant que la lune réapparaisse. Les Mouldheel savaient-ils ce qu'était une lamia ? Ils en avaient peut-être entendu parler, mais cette sorte de sorcières n'étant pas native du Comté, ils n'en avaient sans doute jamais vu à l'état sauvage. Dans le cas contraire, les endormies seraient à la merci des trois sœurs. Une fois qu'elles auraient utilisé leurs couteaux, le baiser de la lune viendrait trop tard.

– Dépêche-toi, Tom ! s'impatienta Mab. Voyons ce que nous avons là...

Comme je ne bougeais pas, elle se pencha et se mit à écarter les derniers pans de tissu. Elle lâcha un petit cri :

– Qu'est-ce que c'est ? Je n'ai jamais rien vu de pareil !

Je m'étais trouvé face à Marcia, la sœur sauvage de Meg Skelton. Je me rappelai sa face cruelle, blême et bouffie, son corps écailleux, ses quatre pattes terminées par des griffes acérées. Cette créature était plus grande que Marcia. C'était bien une lamia, mais d'une autre espèce, que je ne connaissais pas, de celles qui peuvent voler. Deux ailes garnies de plumes noires étaient croisées sur son dos, et le haut de son corps était également garni de plumes. Les membres arrière, puissants, étaient munis de griffes redoutables. Bizarrement, les membres supérieurs ressemblaient à des bras humains, avec des mains délicates et des ongles à peine plus longs que ceux d'une femme.

La créature gisait à plat ventre ; sa tête étant tournée de côté, la moitié du visage était visible. Il me parut empreint d'une sorte de beauté sauvage, malgré le pli cruel de la bouche. Le bas du corps, recouvert d'écailles allongées terminées par une pointe aussi fine qu'un cheveu, évoquait celui d'un insecte. Sous les ailes croisées, on devinait une légère épaisseur. Je supposai que, à l'instar de certains insectes, la lamia était munie d'une double paire d'ailes, la plus fine protégée par celle du dessus.

Mab renifla trois fois avec bruit :

– Ça m'a l'air mort. Mort et desséché. Pourtant, l'odeur révèle une chose bizarre... Cette créature serait-elle seulement plongée dans un profond sommeil ?

– Je n'y comprends rien, moi non plus, dis-je, désireux de gagner du temps. Il doit pourtant y avoir une raison à cela. Les livres que contient la première malle nous donneront sans doute la réponse. L'autre, celle qu'on n'a pas encore déliée, doit être de la même espèce, j'en jurerais. Imagine ! Avoir de telles créatures à ta disposition pour exécuter tes ordres ! Même si tu dois leur accorder un peu de ton sang, l'enjeu en vaut la peine !

Mab me jeta un regard suspicieux :

– J'aime autant ne pas penser à la quantité de sang dont *ça* risque d'avoir besoin...

Elle s'écarta avec la lanterne, si bien que le visage de la lamia se trouva de nouveau dans l'ombre. S'adressant à ses sœurs, elle ordonna :

– Remettez-les dans les malles ! Dépêche-toi, Beth ! Aide-la, Jennet ! Ces choses sont horribles, je les ai assez vues. Je préfère les savoir enfermées à clé !

Obéissante, Beth se pencha et saisit un pan de drap, s'apprêtant à en envelopper la créature. Or, à cet instant, la lune sortit de derrière un nuage. La paupière visible de la lamia se souleva aussitôt.

Un long frisson la parcourut et, lentement, elle se mit à quatre pattes.

Les jumelles poussèrent un cri strident et bondirent en arrière. Mab tira son poignard de sa ceinture, prête à frapper.

La lamia tourna la tête vers moi, et je découvris ses yeux. Puis elle renifla à grand bruit en direction des jumelles. Beth rampait déjà vers la trappe, Jennet la suivant de près. La créature s'ébroua comme un chien qui sort de l'eau et observa Mab.

– Tu n'avais encore jamais rien vu de pareil, hein ! raillai-je.

– Tu le savais, gronda-t-elle. Tu savais ce qu'il y avait dans les malles, et tu ne me l'as pas dit. Comment as-tu pu faire ça, Tom ? Pourquoi m'as-tu trahie ?

– J'ai tenu parole, répliquai-je calmement, conte-nant ma colère. J'ai ouvert les malles, et j'espère que tu apprécies ce que tu y as trouvé !

Comment osait-elle m'accuser de trahison, alors qu'elle me tenait depuis le début sous la contrainte ? Je me remis à trembler en me rappelant la lame posée sur la gorge de la petite Mary, et, d'un coup, je déversai toute ma rage :

– Ces malles m'appartiennent ! Voilà la vérité, et tu le sais ! À présent, tu les as perdues, comme tu as perdu le contrôle de la tour Malkin ! Tu n'auras pas profité longtemps de ton pouvoir...

J'entendis alors ma propre voix, déformée, chargée de sarcasme, et je m'en voulus d'avoir versé du sel sur la plaie. Je n'avais pas besoin de lui parler ainsi. Papa ne m'aurait pas approuvé.

La lamia avança d'un pas vers Mab, qui recula de deux.

– Tu le regretteras, siffla-t-elle entre ses dents, d'un ton chargé de venin. Tu comptais pour moi, et tu m'as trompée. Tu ne me laisses pas le choix. Puisque c'est comme ça, nous nous allierons aux deux autres clans ; nous nous plierons aux volontés de Wurmalde. Elle veut ta mort, elle veut tourmenter ta mère et déjouer ses plans. Elle veut t'empêcher de devenir épouvanteur. Et maintenant, je vais l'y aider. Tu verras l'effet que ça fait, d'être pris en chasse par ce bon vieux Satan, quand on l'aura lancé à tes trousses !

La lamia avançait toujours, avec une lenteur calculée, et le visage de Mab se crispa. Un cri d'effroi lui échappa, elle lâcha sa lame et sa lanterne avant de se jeter par la trappe à la suite de ses sœurs.

Je ramassai le poignard et m'en servis pour couper la ficelle qui ligotait l'autre lamia. Je me hâtai d'ôter la toile à voile qui l'enveloppait, pour que la lumière de la lune tombe sur elle. Quelques secondes plus tard, elles étaient toutes les deux éveillées et alertes. Elles me dévisageaient sans que je puisse lire aucune expression dans leur regard. Nerveux, je déglutis difficilement. Et si maman s'était trompée ? Et si elles ne me reconnaissaient pas pour quelqu'un de son sang ?

Étaient-elles vraiment mes tantes ? Je me souvenais de Martha, ma tante du côté paternel, une gentille vieille dame au bon sourire et aux joues rouges. Elle était morte, à présent, mais je n'avais pas oublié sa tendresse. Ces créatures ne pouvaient être plus différentes ! De plus, je devais l'admettre, cela signifiait que maman était une lamia, elle aussi.

Que s'était-il passé ? Les sœurs de ma mère seraient restées sauvages, tandis qu'elle-même se transformait en lamia domestique, bénévolente et douce ? Elle avait déjà une apparence humaine, quand papa l'avait rencontrée. Il était marin, à cette époque. Son navire avait fait escale en Grèce. Quand il l'avait trouvée, elle était ligotée par une chaîne d'argent, et l'une de ses mains était clouée au rocher. Qui avait fait ça, et pourquoi ? Wurmalde y était-elle pour quelque chose ?

Après que papa l'eut délivrée, elle l'avait emmené chez elle, dans une maison au milieu d'un jardin clôturé par de hauts murs. Ils avaient vécu là un temps, heureux. Mais, certaines nuits, les sœurs de maman lui rendaient visite. Selon lui, c'est pour s'éloigner de ses sœurs que maman avait voulu qu'ils quittent la Grèce et viennent s'installer dans le Comté.

Quoi qu'il en soit, elles avaient dû être placées dans ces malles sans qu'il le sache, alors qu'elles étaient encore domestiques. Là, privées de tout contact humain, endormies pendant des années, elles avaient lentement repris leur aspect de lamias sauvages. Oui, ce devait être l'explication. Je me rappelai ce que maman m'avait dit un jour :

Aucun d'entre nous n'est parfaitement bon ni totalement mauvais. Les uns et les autres, nous nous situons quelque part entre les deux. Il survient cependant un moment, dans la vie, où nous faisons un pas décisif, soit vers la lumière, soit vers l'obscur... Parfois, une rencontre particulière en est la cause. Grâce à ce que ton père a fait pour moi, j'ai avancé dans la bonne direction ; voilà pourquoi je suis ici aujourd'hui.

Maman n'avait-elle pas toujours été la femme si tendre que j'aimais ? Était-ce d'avoir connu papa qui l'avait changée ? Tandis que je roulais ces pensées dans ma tête, les deux lamias s'étaient désintéressées de moi. Se dirigeant vers la trappe, elles s'y étaient introduites l'une après l'autre. Je les suivis d'un pas circonspect, ramassant au passage la lanterne abandonnée par Mab. Je redescendis dans la pièce contenant le mécanisme du pont-levis. Par la deuxième trappe, j'explorai du regard la vaste salle commune, à l'étage en dessous. Je n'y vis personne, mais l'air vibrait de hurlements. Cela venait de la réserve, où les Mouldheel s'étaient réfugiés. Sans doute tentaient-ils de s'échapper par les souterrains. J'entrepris la descente de l'escalier en spirale.

Le temps que j'atteigne le sol, les cris s'étaient éloignés ; ils s'éteignirent peu à peu. Une traînée de sang partait d'une des tables jusqu'à l'entrée de la réserve. Je me demandai qui était la victime. J'approchai de la porte, lentement, craignant quelque affreux spectacle.

La réserve était vide. Je la traversai et me penchai par la trappe. Dans l'obscurité, j'aperçus la lumière dansante de lanternes disparaissant au loin : les Mouldheel en fuite dévalaient l'étroit escalier, et les murs se renvoyaient l'écho de leurs glapissements. J'examinai le sol. La trace de sang suivait le même chemin. Les yeux d'une des lamias étincelèrent, reflétant la lumière. Elle traînait quelque chose. Un corps. Je ne distinguais pas le visage, rien que des jambes et des pieds nus rebondissant sur les degrés de pierre. Les Mouldheel appartenaient à l'obscur. Néanmoins, je ressentis de la compassion pour la malheureuse victime.`

Je n'étais pas fier d'avoir trahi Mab, même pour le bien du Comté. Et si Mab avait dit vrai ? Si, par rancune envers moi, elle s'alliait aux autres clans ? En ce cas, ne me serais-je pas fourré dans une situation pire encore, y entraînant ma famille et le pays tout entier ?

Je laissai retomber la trappe malade d'inquiétude. Je l'aurais bien fermée à clé, mais Alice détenait encore mon passe-partout. Et puis, si j'en croyais maman, je n'avais rien à craindre des lamias. Nous étions parents, leur sang coulait dans mes veines. Néanmoins, je n'étais pas encore prêt à supporter leur présence, ni surtout à regarder en face ce que j'étais réellement.

18
James, le forgeron

C e fut une longue nuit. Je tâchai de dormir, m'efforçant de faire le vide dans mon esprit ; en vain. Je finis par remonter sur le chemin de ronde pour attendre, accoudé aux créneaux, le lever du soleil.

Je me sentais en relative sécurité, dans la tour. Le pont-levis était relevé, la brèche du mur avait été rebouchée, et les deux lamias empêcheraient les Mouldheel ou les Malkin de revenir par les souterrains. Mais j'aurais voulu avoir des nouvelles de mon frère.

Si seulement je pouvais les ramener, lui, sa femme et sa fille, à l'abri de la tour ! J'aurais voulu aussi mettre l'Épouvanteur en garde contre Wurmalde, lui conter les derniers événements et, plus que tout, parler à Alice. Elle savait où j'étais ; si des informations lui parvenaient, elle me rejoindrait à la tour. En examinant les potions que contenait la première malle, elle en trouverait peut-être une qui conviendrait à Jack. Tenter de sortir était dangereux, et le courage me manquait. Cependant, si Alice ne s'était pas présentée avant la fin de la journée, je devrais aller la chercher.

Le soleil monta dans un ciel clair, sans l'ombre d'un nuage. La matinée s'écoulait, mais, à part quelques corbeaux et le passage occasionnel d'une biche ou d'un lapin, le terre-plein entre le bois et les douves demeurait désespérément vide. Comme le dit une chanson du Comté, j'étais « le roi en son château ». Pitoyable roi, seul, empli de peur, incapable d'imaginer que la vie puisse jamais redevenir normale ! Le juge Nowell finirait-il par revenir pour m'ordonner de me rendre ? Si je refusais, ferait-il encore assiéger la tour ?

Au milieu de l'après-midi, la faim se faisant sentir, je redescendis dans la salle commune. Les braises rougeoyaient encore dans l'âtre, et je mis quelques pommes de terre à cuire. Je les mangeai tout juste sorties du feu, si chaudes que je pouvais à peine les tenir entre mes doigts. Je me brûlai la langue, mais cela en valait la peine, car elles étaient délicieuses. Je n'avais presque rien avalé depuis mon arrivée à Pendle !

Je retrouvai mon bâton abandonné dans un coin et restai assis un moment en le tenant en travers de mes genoux. Ce simple contact me réconfortait. Je pensai à la chaîne d'argent que Nowell m'avait confisquée. Il me la fallait ; j'en avais besoin pour la tâche qui m'attendait. Du moins les malles de maman étaient-elles de nouveau en ma possession. Je me sentais encore incertain et troublé, mais je décidai que, dès la nuit tombée, je sortirais d'ici pour me mettre en quête d'Alice ou de l'Épouvanteur. À la faveur de l'obscurité, j'avais une chance d'échapper aussi bien aux sorcières qu'au prévôt et à ses sbires. Je n'utiliserais pas le pont-levis : une fois celui-ci abaissé, il n'y aurait personne pour le relever, et les sorcières pourraient s'introduire aisément dans la tour. Il me faudrait reprendre le tunnel, au risque d'une nouvelle rencontre avec l'antrige. Ma décision prise, je remis quelques pommes de terre au feu en prévision de mon souper et remontai aux créneaux pour surveiller les alentours.

J'attendis, vigilant, rassemblant mon courage qui menaçait de flancher à mesure que le soleil descendait à l'horizon. Au bout d'une bonne demi-heure, je perçus un mouvement parmi les arbres.

Trois personnes sortirent du bois et s'avancèrent vers la tour. Mon cœur bondit d'espoir.

La première était l'Épouvanteur, chargé de deux sacs — le sien et le mien —, aisément identifiable à son bâton, son capuchon et sa démarche décidée. À sa gauche marchait Alice. Je me demandai qui était leur compagnon, un homme de belle taille, qui portait quelque chose sur l'épaule. Lorsqu'il fut plus près, son allure, le balancement de son torse me semblèrent familiers. Et soudain, je le reconnus.

C'était mon frère James !

Je ne l'avais pas vu depuis près de trois ans, et il avait beaucoup changé. Tandis qu'il approchait, je notai à quel point le travail de la forge l'avait musclé, élargi. Son front se dégarnissait, mais son visage resplendissait de santé. Sur son épaule reposait un marteau de forgeron.

Je leur fis de grands signes. Ce fut Alice qui me repéra la première. Elle dit un mot à James, qui agita le bras à son tour avec un large sourire. L'Épouvanteur, lui, affichait une mine lugubre. Ils s'arrêtèrent tous les trois au bord des douves, face au pont-levis relevé.

Mon maître brandit son bâton d'un geste impatient :

— Dépêche-toi, petit ! Abaisse cette passerelle et laisse-nous entrer ! On n'a pas toute la nuit !

C'était plus facile à dire qu'à faire. Par chance, le mécanisme, conçu pour être actionné par deux personnes, était muni d'une roue dentée. Si bien que quand je la fis tourner, cran à cran, le poids du pont soutenu par les deux chaînes n'entraînait pas le cabestan trop rapidement. Sinon, la manivelle m'aurait échappé, risquant de me casser le bras ou pire.

Abaisser le tablier du pont n'était que la moitié de l'ouvrage. Il me fallait encore batailler avec l'énorme porte bardée de fer. Mais, dès que j'eus soulevé les lourds loquets, elle tourna d'elle-même sur ses gonds. L'instant d'après, James l'ouvrait en grand, déposait son marteau sur le sol et me serrait contre lui si fort que je crus qu'il allait me briser les côtes.

– Que je suis content de te revoir, Tom ! s'écriat-il, me portant à bout de bras et souriant d'une oreille à l'autre. Je croyais que ce jour n'arriverait jamais !

Lors d'un accident, à la ferme, James s'était cassé le nez, qu'il avait gardé de travers. Son visage avait « du caractère », comme aimait à le dire papa, et je ne m'étais jamais senti aussi heureux de l'avoir devant moi.

– On parlera plus tard, déclara l'Épouvanteur en entrant dans la tour, Alice sur ses talons. Avant toute chose, James, ferme cette porte aux verrous et relève ce pont. Après quoi, on pourra se détendre un peu. Tiens, tiens, qu'est-ce que nous avons ici... ?

Il observait la traînée de sang qui zigzaguait jusqu'à la réserve, les sourcils levés d'un air interrogateur.

– C'est du sang de Mouldheel, dis-je à voix basse. Deux des malles contenaient les sœurs de maman, des lamias sauvages...

L'Épouvanteur hocha la tête, pas plus étonné que ça. Savait-il tout depuis le début ? Je commençais à me le demander.

– Bien. Il nous est venu aux oreilles que les Mouldheel auraient fui par les souterrains, peu après les Malkin. Mais nous ignorions pourquoi. Ceci explique cela. Où sont les lamias, à présent ?

Je désignai le sol d'un geste du pouce :

– En bas.

James revenait vers nous après avoir verrouillé la grosse porte.

– Le système du pont-levis est à l'étage ? s'enquit-il.

– Oui, à gauche de la trappe.

Il m'adressa un bref sourire et escalada les marches deux par deux.

– Ça va, Tom ? s'enquit Alice. Je me suis occupée de ta famille et suis revenue dès que j'ai pu.

– J'ai eu de sales moments, c'est le moins qu'on puisse dire. Je suis soulagé de vous avoir là. Comment va Jack ?

– Sa vie ne paraît pas en danger. Il est entre de bonnes mains, ainsi que Ellie et Mary. Je l'ai soigné de mon mieux, je lui ai préparé un breuvage. Il est toujours inconscient, mais il respire plus facilement et a repris des couleurs. C'est un costaud, ton frère.

– Où est-il ? À Downham ?

– Non, c'était une trop longue route, et je voulais être vite de retour ici pour t'aider. Il est à Roughlee, chez l'une de mes tantes.

Je contemplai Alice avec ahurissement. Roughlee était le village des Deane.

– Une Deane ! Tu as confié ma famille à une Deane ?

Je cherchai du regard l'appui de l'Épouvanteur ; il se contenta de hausser les épaules.

– Ma tante Agnès n'est pas comme les autres, m'assura Alice. Elle n'est pas mauvaise. Toutes les deux, nous avons toujours été du côté du bien. Son deuxième nom est Sowerbutts, et elle a vécu à Whalley. Elle est revenue à Roughlee après la mort de son mari. Elle vit seule. Son cottage est en dehors du village, et personne ne sait que ta famille est chez elle. Ne t'inquiète pas, Tom. C'était la meilleure solution. Tout ira bien.

J'étais mécontent, mais, à ce moment, notre conversation fut interrompue par le bruit du pont qu'on relevait. Nous attendîmes en silence jusqu'à ce que James ait redescendu l'escalier.

– Nous avons beaucoup à nous dire, déclara l'Épouvanteur, alors, asseyons-nous ! Près de l'âtre, ça me paraît un endroit aussi confortable qu'un autre...

Il tira un siège près du feu. James l'imita. Alice et moi, nous nous assîmes à même le sol, de part et d'autre de la cheminée.

– Une de ces patates ne me déplairait pas, Tom, fit Alice. Je n'ai rien senti d'aussi appétissant depuis des jours !

– Celles-ci vont bientôt être prêtes, et je vais en mettre d'autres à cuire.

– J'ai déjà eu l'occasion de goûter ta cuisine, fit sèchement l'Épouvanteur. Je ne suis pas sûr que ce soit une bonne idée.

En dépit de ce ton sarcastique, je savais qu'il ne cracherait pas sur une pomme de terre, lui non plus. Je retournai donc à la réserve, en rapportai une provision que je glissai sous les braises à l'aide d'un bâton.

– Pendant que tu te fourrais dans le pétrin, je n'ai pas perdu mon temps, reprit mon maître. J'ai ma façon à moi d'enquêter, et on trouve toujours un individu ou deux qui n'ont pas peur de parler. Il semble que, depuis le dernier Halloween, des émissaires des Deane se sont introduits en douce dans Downham pour y répandre leur mauvaiseté et terrifier les braves gens. La plupart des villageois avaient trop peur pour avertir le père Stocks qui, hormis les profanations de sépultures, ignorait que les choses avaient pris une telle ampleur. La peur, c'est terrible. Qui pourrait blâmer des parents quand leurs enfants sont menacés, leurs troupeaux décimés sous leurs yeux et leurs champs ravagés ? À la fin de l'été, le pays entier aurait été sous la domination de ce clan de sorcières. J'aime travailler en toute indépendance – ou avec mon apprenti, bien sûr –, mais la situation ne le permettait pas. J'ai tenté de pousser les habitants à réagir. Ça n'a rien donné. Tu le sais, petit, notre seule présence engendre la crainte ; certains villageois n'osaient même pas m'ouvrir leur porte.

Par chance, ton frère James est arrivé ; il a pu parler franchement avec Matt Finley, le forgeron de Downham. Il lui a fait mesurer quel danger pesait sur leurs familles à tous. Au bout du compte, quelques hommes du village nous ont promis leur concours. Je t'épargne les détails, en tout cas nous allons extirper les Deane de ce coin de terre, les arracher des racines aux branches, et ils ne seront pas près de revenir !

Je jetai un coup d'œil à Alice ; elle ne réagit pas.

– Tout cela, continua l'Épouvanteur, a fait que je n'ai lu ta lettre que très tard. Trop tard pour intervenir. Nous sommes partis pour Read Hall et avons rencontré Alice, qui nous attendait au bord de la lande. Nous avons rejoint le bois des Corbeaux ensemble. Pauvre Robert ! Il s'est montré un bon apprenti et un ami fidèle. Il ne méritait pas un tel sort...

Mon maître secoua tristement la tête.

– Je suis navré, monsieur Gregory, dis-je. Je n'ai rien pu faire pour le sauver. Tibb s'est abreuvé de son sang, mais c'est Wurmalde qui l'a tué d'un coup de couteau.

Le souvenir du malheureux prêtre gisant, mort, sur son lit me revint avec tant de force que j'en bégayai presque :

– Elle profite de son rôle de maîtresse de maison pour tenir le juge Nowell sous sa coupe. Elle m'a accusé du meurtre ; il gobe tout ce qu'elle lui raconte. Il s'apprêtait à m'envoyer à Caster pour y être pendu aussitôt la brèche ouverte dans la tour. Il va continuer à me poursuivre. Et qui me croira, alors ?

La terreur d'être capturé et emmené à Caster me reprenait.

– Tranquillise-toi, petit ! La pendaison peut être désormais le cadet de tes soucis. J'ai appris que le juge Nowell et le prévôt Barnes avaient disparu. Je subodore que ni l'un ni l'autre n'est plus en état de te condamner.

Je me souvins alors des paroles de la gouvernante, quand elle m'avait enfermé dans la cellule de Read Hall.

– Wurmalde prétendait que Nowell serait bientôt mort, et que tout le territoire tomberait entre ses mains.

– La première affirmation est probablement vraie, acquiesça l'Épouvanteur. Quant à la deuxième... Ce pays est peut-être en guerre, mais nous avons encore une ou deux batailles à mener. Rien n'est terminé ni ne le sera tant qu'il me restera un souffle de vie. S'il est trop tard pour sauver le juge, du moins pouvons-nous encore affronter Wurmalde, qui qu'elle soit.

– C'est une vieille ennemie de ma mère, comme je vous l'ai dit dans ma lettre. C'est elle qui est derrière l'alliance des clans. Elle veut détruire la paix pour laquelle maman a combattu. Elle veut me tuer, m'empêcher de devenir épouvanteur, et plonger le Comté dans les ténèbres. Voilà pourquoi il lui fallait s'emparer des malles. Elles contenaient, supposait-elle, le secret du pouvoir de maman. Et c'est son idée d'évoquer le Diable. Mab avait refusé de s'allier aux deux autres clans ; mais, après avoir découvert les lamias et compris que je l'avais trompée, elle a piqué une colère ; elle a déclaré qu'elle le ferait, et qu'elle soutiendrait Wurmalde.

L'Épouvanteur fourragea dans sa barbe, l'air pensif :

– L'expulsion des sorcières de cette tour nous coûte cher. Obliger les clans à rester séparés, tel est notre principal objectif, et, eux, ce sont ces malles qui leur ont coûté cher. Wurmalde me paraît être la clé de tout ceci. Si on lui règle son compte, on a de fortes chances que les choses se résolvent d'elles-mêmes. Les clans se sont toujours battus comme des chiens enragés. Wurmalde éliminée, la situation reviendra à la normale. Plus que trois jours avant Lammas, nous n'avons pas de temps à perdre. Nous allons frapper à l'endroit et au moment où elle s'y attendra le moins. Après quoi, qu'on ait réussi ou pas, on s'occupera de ce sabbat de sorcières, et on fera en sorte d'empêcher la cérémonie. James a convaincu les villageois de Downham que l'avenir de leurs familles était en jeu ; ils ont promis de nous donner un coup de main. Ils se sentaient braves, à ce moment-là ; ils étaient remontés contre les Deane. Quelques jours ont passé depuis ; ils auront eu le loisir de mesurer le danger. Cela peut avoir affaibli leur engagement. Néanmoins, je suis sûr que quelques-uns tiendront parole.

Fixant les braises, l'Épouvanteur se frotta les mains :

– Eh bien, ces pommes de terre ? J'ai une faim

de loup ; je vais prendre le risque d'en goûter une, finalement.

Avec un bâton, je tirai du feu une de celles que j'avais mises à cuire pour moi, les autres n'étant pas encore prêtes. Il l'attrapa habilement. En le voyant la passer d'une main à l'autre pour ne pas se brûler les doigts, je ne pus dissimuler un sourire.

Malgré le tragique des récents événements, les dernières nouvelles m'avaient ragaillardi : Ellie et la petite Mary étaient saines et sauves, mon frère Jack allait un peu mieux. Et je ne serais sans doute pas envoyé à Caster, après tout.

J'avais cependant une grosse inquiétude dont je n'avais pas parlé à mon maître, car il ne croyait pas aux prophéties, et je craignais de l'ennuyer. Ma mère avait écrit dans sa lettre que, bientôt, l'obscur fait chair – autrement dit le Diable – parcourrait de nouveau la Terre. Jusqu'alors, ses prédictions s'étaient révélées exactes. Si cette fois encore elle avait raison, cela signifiait que nous n'empêcherions pas le sabbat de Lammas, et que Satan serait lâché en liberté dans notre monde.

Néanmoins, tandis que le soir tombait et que nous mangions, baignés par la lumière et la chaleur du feu, cela faisait des jours que je ne m'étais pas senti aussi bien. Maman avait jeté ces mots sombres sur le papier, concluant toutefois sa lettre avec optimisme. Elle croyait en moi. J'ignorais d'où me viendrait le courage d'affronter le Démon, mais je devais lui faire confiance.

Au bout d'une heure, nous décidâmes de nous accorder un peu de repos. Dans l'état d'excitation où j'étais après l'arrivée de l'Épouvanteur, d'Alice et de mon frère James, je doutais de trouver le sommeil. Je proposai donc de prendre le premier tour de garde. Mieux valait que je reste éveillé au cas où les deux lamias aient envie de rôder par ici. Ni James ni moi ne leur servirions de pâture, mais il n'en était pas de même pour nos compagnons. J'avais d'abord eu l'intention de révéler à James qu'elles étaient nos tantes, les sœurs de notre mère. À la réflexion, cela ne me parut pas judicieux. Moi-même, après un an d'apprentissage auprès de l'Épouvanteur, j'avais encore du mal à m'y faire ; James ne le supporterait pas. Je pris le parti d'attendre que la chose fût vraiment nécessaire.

Alice et mon maître s'assoupirent très vite. James, lui, se releva bientôt, et, posant un doigt sur ses lèvres, désigna le fond de la salle, où était rangée la malle de maman. Je l'accompagnai là-bas.

— Je n'arrive pas à dormir, me dit-il. Tu veux bien qu'on bavarde un peu ?

— Bien sûr, James ! Je suis si content que tu sois là ! Je regrette seulement que tout aille si mal.

Je continue de penser que c'est de ma faute. Avoir dans la famille l'apprenti d'un épouvanteur ne peut qu'attirer le malheur. Depuis le début, Jack et Ellie craignaient quelque chose de ce genre.

James secoua la tête :

— C'est plus grave que ça, Tom. Bien plus grave. Maman voulait que tu fasses ce métier. Elle le voulait plus que n'importe quoi. À l'enterrement de papa, elle m'a pris à part pour me confier que les forces de l'obscur grandissaient, que nous aurions à les combattre. Elle m'a demandé, lorsque ces temps seraient venus, de m'installer à la ferme pour apporter mon aide à Jack et sa famille. J'ai accepté.

— Alors..., tu vas vivre là-bas ?

Il acquiesça :

— Pourquoi pas ? Rien ne me retient à Ormskirk. Il y a bien eu une fille qui me plaisait. Ça n'a pas abouti. Elle a épousé un fermier du coin, l'an dernier, et j'en ai été très malheureux. Enfin, je m'en remets... Je pourrai aider Jack aux périodes où les travaux de la ferme requièrent davantage de bras. Et j'envisage de bâtir une forge derrière la grange.

— Je crains que tu n'aies pas assez de travail pour en vivre, dis-je. Il y a deux forgerons dans les environs, maintenant.

— J'ai pensé relancer aussi la brasserie de bière. C'est de là que vient le nom de notre ferme, tu te souviens ?

C'était vrai. Autrefois, la maison s'appelait « la Brasserie », et elle fournissait en bière les villages voisins.

– Tu n'y connais rien ! objectai-je.

– Non, mais je sais reconnaître une bonne bière quand j'en bois une ! s'exclama James en souriant. J'apprendrai. On peut tout réussir, quand on décide de s'y mettre, tu ne crois pas ? Qu'est-ce qui ne va pas, Tom ? C'est l'idée que je vienne vivre à la maison qui te déplaît ?

– Ce n'est pas ça, James. Ça m'inquiète, c'est tout. Les sorcières de Pendle ont repéré la ferme. Quoi que nous fassions, nous n'en aurons jamais fini. Je ne voudrais pas voir un autre de mes frères blessé ou en danger.

– C'est ce que maman désirait, et je le ferai. Ces temps obscurs dont elle parlait sont venus, je le sens. Si nous sommes menacés, je veux être là pour prêter main-forte à Jack. D'ailleurs, il lui faudra sans doute un moment avant d'être complètement remis. C'est mon devoir, et je le ferai.

J'approuvai de la tête. Le devoir, je connaissais ; je comprenais la position de James.

Il désigna la malle de maman :

– Qu'as-tu trouvé là-dedans ? Est-ce que ça valait tant de peine ?

– Je le crois. Maman me l'avait laissé entendre : l'histoire de sa vie est dans cette malle. On y trouvera peut-être quelque chose de très puissant ; quelque chose qui nous aidera à combattre l'obscur. Ça prendra du temps : il y a des quantités de livres. Certains ressemblent à des journaux. Il y a aussi de l'argent. Tu veux y jeter un œil ?

– Oh, oui, Tom ! J'aimerais beaucoup !

Je soulevai donc le couvercle.

Tandis qu'il examinait avec curiosité le contenu de la malle, j'en sortis un des sacs de pièces d'or et défis le cordon. Je fis couler dans ma main une poignée de guinées.

– C'est une véritable fortune, Tom ! s'écria mon frère. Cet argent est-il resté dans la maison toutes ces années ?

– Probablement. Et il y a deux autres sacs pleins. Nous devrons faire sept parts. Cela appartient à tous les fils de notre mère, à présent, pas seulement à moi. Ta part paiera la construction de la forge et éloignera la faim de ta porte jusqu'à ce que tu sois établi.

– C'est très généreux à toi, Tom, murmura James d'un air dubitatif. Mais si telle était la volonté de maman, elle aurait fait le partage elle-même. Non, puisque c'était dans la malle, cela signifie que tu en auras besoin pour autre chose. Quelque chose de plus important...

Je n'avais pas pensé à ça. Maman ne décidait jamais rien sans raison. Cela méritait réflexion.

James prit le plus grand volume recouvert de cuir, celui qui avait attiré mon attention dès que j'avais ouvert le coffre. Il l'ouvrit à l'une des premières pages.

– Qu'est-ce que c'est ? fit-il, perplexe. C'est l'écriture de maman, mais je ne saisis pas un traître mot. On dirait une langue étrangère.

– C'est du grec, la langue que parlait maman.

– Ah ! J'aurais dû m'en douter. Elle te l'avait enseigné, n'est-ce pas ? Pourquoi à toi et pas à tous ses fils ?

Il parut attristé, puis son visage s'éclaira :

– À cause de la voie qu'elle souhaitait te voir suivre, bien sûr ! Elle agissait toujours pour le mieux. Tu m'en lirais un petit passage, Tom ? Hein ? Juste quelques mots... ?

Il me tendait le livre, toujours ouvert à la page qu'il avait choisie au hasard. Je la parcourus rapidement :

– C'est le journal de maman, James.

Puis je traduisis à haute voix :

Hier, j'ai mis au monde notre deuxième fils, un beau bébé vigoureux. Selon le souhait de son père, il s'appellera James, un vrai nom du Comté. Mais moi, en secret, je le nomme Héphaïstos, comme le dieu des forgerons. Car je vois la lumière du feu dans ses yeux et le marteau dans sa main. Je n'ai jamais été plus heureuse. Comme je voudrais être pour toujours une mère entourée de jeunes enfants ! Qu'il est triste de penser qu'ils devront grandir et accomplir ce qui doit être accompli !

J'arrêtai ma lecture. Mon frère me regardait, stupéfait.

— Et je suis devenu forgeron ! s'exclama-t-il. Comme si elle avait choisi pour moi à ma naissance !

— Peut-être a-t-elle choisi, James. C'est papa qui t'a trouvé une place d'apprenti, mais peut-être maman avait-elle décidé de ton futur métier. C'est ce qu'elle a fait pour moi, en tout cas.

Il y avait autre chose, que je ne lui fis pas remarquer. James s'en rendrait sans doute compte par lui-même, quand il y repenserait : en ouvrant le journal, il était tombé sur le récit de sa naissance. Comme si maman, de là où elle était, avait guidé sa main. Moi aussi, ce livre avait tout de suite capté mon regard ; c'est d'entre ses pages qu'était tombée la lettre m'apprenant ce que j'avais besoin de savoir.

Je mesurais soudain à quel point maman était puissante. Elle avait empêché les sorcières d'ouvrir les malles, qui maintenant étaient à nous, protégées par les sœurs lamias. Ces pensées me rendirent mon optimisme. Les dangers que nous allions affronter étaient grands, mais, avec une mère comme la mienne et mon maître à mes côtés, tout finirait par s'arranger.

19

Agnès Sowerbutts

A u matin, Alice nous prépara un bon petit déjeuner, tirant le meilleur parti des ingrédients qu'elle avait à sa disposition. Je l'aidai en lavant les pots et les poêles, en épluchant pommes de terre, carottes et navets. Nous fîmes cuire aussi un des jambons, après qu'Alice l'eut soigneusement flairé pour s'assurer qu'il n'était pas empoisonné.

– Profite bien de ce repas, me conseilla l'Épouvanteur, tandis que je plongeais ma cuillère dans la soupe fumante. Ce sera le dernier avant longtemps. Après, nous jeûnerons, en prévision de notre lutte contre l'obscur.

Mon maître ne nous avait pas encore exposé le programme de la journée, mais une pensée m'occupait l'esprit, celle qui m'avait tenu éveillé presque toute la nuit.

– Je me fais du souci pour ma famille, dis-je. Ne pourrions-nous aller à Roughlee et les ramener ici ? Il y a sûrement des herbes, dans la malle de ma mère, qui soigneraient Jack...

L'Épouvanteur approuva d'un air songeur :

– Oui, c'est une bonne idée. Mieux vaut les éloigner du territoire des Deane. C'est risqué, mais, avec la fille pour te guider, je suppose que tu réussiras.

– Tout ira bien, Tom, enchérit Alice. Ne t'inquiète pas, ils seront ici, sains et saufs, dans moins de deux heures. Et nous trouverons de quoi soulager ton frère.

– De notre côté, reprit l'Épouvanteur, James et moi, nous retournerons à Downham. Le temps se fait court ; il me paraît sage de rassembler quelques hommes du village et de les conduire à l'abri de la tour. Ce sera le meilleur endroit d'où combattre, le moment venu. En chemin, nous nous renseignerons sur Wurmalde et la jeune Mab. La première doit être mise hors d'état de nuire. La deuxième aura eu le loisir de se calmer et saura peut-être entendre raison.

Le petit déjeuner avalé, je tirai une chemise propre de mon sac et ôtai celle que je portais depuis plusieurs jours, sale, tachée de sang, imprégnée de l'affreux souvenir de la mort du père Stocks. J'étais soulagé de m'en débarrasser. Nous fûmes bientôt en route. Personne ne pouvant relever le pont-levis après notre départ, il nous fallait passer par le tunnel. L'Épouvanteur allait en tête, une lanterne à la main, éclairant l'escalier. Alice fermait la marche avec une autre lanterne. À mesure que nous descendions, nous traversions des espaces déserts et silencieux. Je remarquai que les cadavres de l'homme et de la sorcière avaient été enlevés.

Cependant, après avoir franchi la dernière trappe, je devinai une présence. La lumière de nos lampes ne révélait rien, et je n'entendais que l'écho de nos pas. Mais la salle circulaire, en dessous, était vaste ; les piliers ménageaient de nombreux coins d'ombre. Arrivé au bas des marches, je sentis les cheveux de ma nuque se hérisser.

– Qu'est-ce que nous avons là ? fit l'Épouvanteur en désignant le pilier le plus éloigné.

Il s'approcha, le bâton prêt à frapper, la lanterne levée. J'avançai à ses côtés, serrant mon propre bâton, Alice et James sur mes talons.

Au pied du pilier, il y avait un seau en bois, et quelque chose tombait dedans, goutte à goutte, avec régularité. Un pas de plus m'apprit qu'il contenait du sang, et qu'il était presque plein.

Je levai les yeux. Des chaînes pendaient juste au-dessus, dans la pénombre de la voûte. Ces chaînes avaient dû servir à attacher des prisonniers. À présent, des petits animaux y étaient accrochés par la queue, d'autres par les pattes : des rats, des belettes, des lapins, des hermines et quelques écureuils. Tous pendaient la tête en bas. Ils avaient été égorgés, et leur sang dégouttait dans le seau. Cela m'évoquait l'enseigne d'un garde-chasse : des animaux morts cloués à une clôture, servant à la fois d'avertissement et d'exposition.

L'Épouvanteur grimaça :

– Vilain spectacle ! Enfin, ce ne sont pas des êtres humains...

– Pourquoi les lamias ont-elles fait ça ? m'exclamai-je.

– Quand j'aurai l'explication, petit, grommela mon maître, je la noterai dans mes cahiers. Tout cela est nouveau pour moi. Je n'ai jamais eu affaire, jusqu'alors, à des lamias ailées. Est-ce une façon de collecter différentes sortes de sangs en vue d'un repas plus succulent ? À moins que ce rituel n'ait de signification que pour une lamia sauvage. Nos connaissances ne cessent de s'enrichir, même s'il faut parfois du temps pour trouver les bonnes réponses à nos interrogations. Un jour, tu auras la chance de lire les notes de ta mère et tu trouveras peut-être une indication. Repartons ! Nous n'avons pas de temps à perdre.

Il avait à peine fini de parler qu'un grattement retentit, quelque part au-dessus de nos têtes. Nerveux, je levai les yeux. Je perçus au même instant un *clic* caractéristique : l'Épouvanteur avait libéré la lame rétractable cachée dans son bâton. Une forme noire déboula le long d'un pilier et surgit dans le rond de lumière des lanternes. C'était une des lamias.

La créature était descendue la tête la première ; ses ailes repliées dans son dos et son corps demeuraient dans l'ombre, seule sa face était éclairée. L'Épouvanteur pointa son arme vers elle ; James brandit son marteau, prêt à frapper. La lamia ouvrit largement la bouche et siffla, révélant une rangée de dents aussi tranchantes que des rasoirs.

Posant mon bâton, je retins mon maître et mon frère par l'épaule :

– Ne craignez rien. Elle ne s'attaquera pas à moi.

Passant entre eux, je m'avançai.

Maman avait écrit que ces créatures me protégeraient, quitte à y laisser la vie. C'était pour Alice et mon maître que je m'inquiétais. Et je ne voulais pas que la créature soit tuée, même par légitime défense !

– Sois prudent, Tom, me supplia Alice. Je n'aime pas son allure. Elle est laide et dangereuse. Méfie-toi...

– La fille a raison, enchérit l'Épouvanteur. Reste sur tes gardes, petit ! Ne t'approche pas trop !

En dépit de leurs avertissements, je fis un autre pas. Des griffes acérées avaient creusé des sillons dans la pierre du pilier. Deux yeux luisants plongeaient droit dans les miens.

D'une voix calme, je m'adressai à la lamia :

– Tout va bien. Ces gens sont mes amis. Je t'en prie, ne leur fais pas de mal. Protège-les comme tu me protégerais ; laisse-les aller librement.

Et je me forçai à sourire.

Pendant un instant, la créature se tint immobile. Puis une brève lueur s'alluma dans ses petits yeux cruels, tandis que ses lèvres s'étiraient imperceptiblement en une grimace qui devait être un sourire. Une des pattes avant se tendit vers moi ; les longs ongles n'étaient qu'à une largeur de main de mon visage. Je crus qu'ils allaient me toucher. Mais la lamia hocha seulement la tête en signe d'assentiment. Ses yeux toujours fixés sur les miens, elle escalada de nouveau le pilier et disparut dans les ténèbres.

– Pour rien au monde je ne voudrais faire ce boulot ! s'exclama mon frère avec un long soupir de soulagement.

– Je ne saurais te le reprocher, James, dit l'Épouvanteur. Mais il faut bien que quelqu'un le fasse. Allons, dépêchons-nous... !

Nous suivîmes le long corridor où donnaient les portes des cachots. Ils étaient encore hantés par des morts qui n'avaient pas trouvé le repos. Je percevais leur angoisse, j'entendais leurs voix plaintives. James, n'étant pas le septième fils d'un septième fils, échappait à ça, mais moi, j'avais hâte de laisser toute cette souffrance derrière moi. Or, avant que nous ayons atteint la porte de bois menant au tunnel, l'Épouvanteur me saisit par l'épaule, me forçant à m'arrêter.

– C'est terrible, petit, dit-il doucement. Il y a des âmes tourmentées, ici. Bien plus que je n'en ai jamais rencontré enfermées dans un même lieu. Je ne peux les abandonner ainsi...

– Des âmes ? Quelles âmes ? demanda James en jetant autour de lui des regards effrayés.

– Ce ne sont que les esprits de ceux qui sont morts dans ces cachots, dis-je. Rien qui puisse nous faire du mal. Mais ils sont en grande détresse et attendent leur délivrance.

– Mon devoir est de m'occuper d'eux dès maintenant, confirma l'Épouvanteur. Ça risque de prendre un peu de temps. Écoute, James, rends-toi à Downham. Tu n'as pas besoin de moi. Tu auras même plus de chances de rallier les villageois si je ne suis pas là. Passe la nuit là-bas, et rassemble autant d'hommes que tu pourras demain. N'essaie pas d'emprunter le tunnel ; la vue des cachots, c'en serait trop pour ces braves gens. Va directement à la tour, nous abaisserons le pont-levis. Ah, autre chose ! Ne mentionne pas la mort du pauvre père Stocks pour le moment. Tout le village serait sous le choc, leur moral en prendrait un coup.

S'adressant à Alice et à moi, il ajouta :

– Quant à vous deux, allez à Roughlee et ramenez Jack, Ellie et la petite ici, où ils seront en sécurité. Je vous rejoindrai dans quelques heures.

Nous laissâmes donc mon maître seul avec une lanterne. Une longue tâche l'attendait : envoyer vers la lumière les âmes des morts de la tour Malkin. Nous nous engageâmes dans le tunnel, Alice en tête et James sur mes talons.

Le lac fut bientôt en vue. Alice avança avec précaution, levant haut la lanterne. Une soudaine puanteur envahit mes narines. Néanmoins, ce n'était pas cela qui me troublait. Lors de notre précédent passage, le lac était ridé de vaguelettes. À présent, sa surface était parfaitement lisse, reflétant tel un miroir la silhouette d'Alice et la lumière de la lanterne. Puis je compris pourquoi.

L'antrige ne gardait plus le passage. Des morceaux de la créature étaient dispersés ici et là. La tête était contre la paroi du fond. Un bras énorme flottait près de la rive, les doigts épais, exsangues, enfoncés dans la boue comme dans une ultime tentative pour sortir du lac.

Alice désigna quelque chose sur le sentier, des

traces de pas. Elles n'étaient pas humaines, c'était celles d'une lamia.

– Elle nous a dégagé la voie, Tom, dit Alice. Et je ne crois pas me tromper en affirmant que nous n'avons plus rien à craindre d'aucune sorcière...

Elle avait certainement raison. Pourtant, tandis que nous longions le lac, mon malaise s'accentua. Bien que l'antrige soit détruit, j'avais l'impression que des yeux me surveillaient.

Nous continuâmes jusqu'à atteindre la chambre souterraine. Après avoir patienté là un instant, à l'affût du danger, nous parcourûmes la dernière section du tunnel, où le plafond bas nous obligeait à ramper sur les coudes et les genoux. Nous émergeâmes enfin, par le trou du mur, à l'intérieur du sépulcre. Alice se releva et s'épousseta. Puis elle éclaira les lieux. Les chaînes, dans le coin, ne retenaient plus personne. La vieille Maggie était partie, sans doute libérée par sa famille au moment de leur fuite.

Nous soufflâmes la flamme de la lanterne et Alice la posa derrière la porte ; elle pourrait servir plus tard. Dehors, nous saluâmes James, qui remonta aussitôt vers le nord pour se rendre à Downham. Alice et moi prîmes la direction de Roughlee. Un vent violent secouait les arbres, l'odeur de la pluie flottait dans l'air. L'orage menaçait.

Nous marchâmes quelque temps en silence. Le ciel s'assombrissait et les premières gouttes de pluie se mirent à tomber. Une sourde inquiétude me taraudait. Habituellement, j'avais confiance dans le jugement d'Alice. Or, plus j'y pensais, plus cela me semblait de la folie d'avoir laissé les miens à la garde d'une Deane.

– Ta tante, dis-je, tu es sûre qu'on peut compter sur elle ? Ça fait des années que tu ne l'as pas vue. Le fait de vivre à Pendle a pu la transformer. Et si elle était sous l'influence du reste de la famille ?

– Tu n'as aucun souci à te faire, Tom, je te le promets. Agnès Sowerbutts n'a jamais exercé ses talents de sorcière jusqu'à la mort de son mari. Depuis, elle vient en aide aux gens et garde ses distances avec les autres membres du clan Deane.

Ces paroles me rasséréraient un peu. Cette Agnès était probablement ce que l'Épouvanteur appelait une bénévolente. Je fus tout à fait rassuré en découvrant la maison. C'était un cottage isolé, bâti au bas d'une colline, au bord d'un étroit sentier. À un bon mille de là, les fumées montant des cheminées du village s'effilochaient au-dessus des arbres.

– Attends-moi ici, dit Alice. Je m'assure que tout va bien.

Je la regardai descendre la pente. La pluie tombait plus fort, et je relevai mon capuchon. La porte du cottage s'ouvrit avant qu'Alice ait frappé. Je devinai qu'elle parlait à quelqu'un qui restait dans l'ombre du porche. Puis elle se retourna et me fit signe de la rejoindre. Lorsque j'arrivai, elle avait déjà disparu à l'intérieur de la maison. Une voix féminine, bourrue mais bienveillante, me lança :

— Rentre vite à l'abri, et ferme la porte !

J'obtempérai. Quelques pas m'amenèrent au centre d'une petite pièce. Un bon feu brûlait dans l'âtre, et une bouilloire chantonnait sur un fourneau. Il y avait aussi un rocking-chair et une table où était posé un chandelier. Avec un certain soulagement, je notai que la bougie n'était pas noire comme celles qu'utilisent de préférence les sorcières, mais en bonne cire d'abeille.

L'endroit était accueillant, mieux éclairé que l'étroitesse de la fenêtre le laissait supposer. Les murs étaient couverts d'étagères où s'alignaient des flacons et des pots de toutes sortes. Chacun portait une étiquette écrite en latin. Pas de doute, la propriétaire des lieux faisait office de guérisseuse.

Alice se frottait les cheveux avec une serviette. Agnès Sowerbutts, qui se tenait près d'elle, lui arrivait à peine à l'épaule. La petite femme, aussi large que haute, m'accueillit avec un bon sourire :

— Sèche-toi vite, Tommy, me dit-elle en me tendant une autre serviette. Inutile d'attraper un rhume ! Je suis contente de te connaître, Alice m'a beaucoup parlé de toi.

Je la remerciai d'un sourire poli. Je n'aime guère qu'on m'appelle Tommy, mais j'aurais eu mauvaise grâce de protester. Je m'essuyai le visage, inquiet de constater que la pièce ne révélait la présence de personne d'autre.

– Où sont Jack, Ellie et Mary ? demandai-je. Est-ce qu'ils vont bien ?

Agnès me tapota le bras :

– Ils sont dans la pièce à côté, Tommy. Ils dorment tranquillement. Tu veux les voir ?

Comme j'acquiesçai, elle m'introduisit dans une chambre meublée d'un grand lit. Jack et Ellie y reposaient, la petite allongée entre eux. Tous trois avaient les yeux clos, et, l'espace d'un instant, je craignis le pire : je n'entendais aucun bruit de respiration.

– Ne t'inquiète pas, Tom, me dit Alice en entrant derrière moi. Agnès leur a donné une potion qui les a plongés dans un sommeil profond et réparateur.

– Je n'ai pas réussi à soigner l'état mental de ton frère, je regrette de le dire, fit la petite femme en secouant tristement la tête. Il a repris des forces ; il sera capable de marcher quand il se réveillera. Mais son esprit continuera de battre la campagne, pauvre garçon !

Alice me pressa la main d'un geste rassurant :

— Dès que nous serons dans la tour, je fouillerai dans la malle de ta mère ; je trouverai un remède.

Elle semblait sûre d'elle ; je ne me sentis pas mieux pour autant. Je commençais à douter que mon frère se rétablisse jamais pleinement. De retour dans la première pièce, Agnès nous prépara une boisson d'herbes fortifiantes au goût amer, censée soutenir notre énergie dans la dure tâche qui nous attendait encore. Elle m'assura que les dormeurs s'éveilleraient d'eux-mêmes dans quelques heures, et qu'ils seraient alors en état de rejoindre la tour Malkin à pied.

— Sinon, rien de nouveau, ma tante ? s'enquit Alice.

— Les gens de la famille ne me confient pas grand-chose, répondit Agnès. Ils ne s'occupent pas plus de moi que je ne m'occupe d'eux. Heureusement, je n'ai pas les yeux dans ma poche. On s'agite beaucoup, ces derniers temps ; on s'apprête pour Lammas. Il est venu hier plus de Malkin au village que je n'en ai vu en un mois. Quelques Mouldheel aussi, et c'est bien la première fois !

Alice eut un rire taquin :

— Ils ne sont pas tous passés devant chez toi, je suppose ! Comment as-tu appris tout ça, tante Agnès ?

La petite femme s'empourpra. Je crus qu'elle était fâchée. Elle était seulement embarrassée.

– Une vieille solitaire comme moi a besoin d'un peu de distraction, tu sais. De ma fenêtre, il n'y a pas grand-chose à regarder, à part des champs pleins de troupeaux bêlants et des arbres agités par le vent. Il faut bien rompre la monotonie des jours.

Alice me lança un clin d'œil :

– Ma petite tante se sert volontiers d'un miroir, pour se tenir au courant des événements.

Souriant à la vieille dame, elle demanda :

– Tu pourrais le faire pour nous, tante Agnès ? On voudrait bien découvrir ce que trafiquent les Mouldheel et surtout Mab Mouldheel. Tu saurais la trouver ?

Agnès resta un instant interdite. Enfin, elle fit un bref signe d'assentiment et alla fourrager dans le tiroir d'un buffet. Elle en tira un miroir, d'environ trente centimètres sur vingt, cerclé de cuivre et muni d'un socle. Elle le posa sur la table, en approcha le chandelier et s'assit en face.

– Ferme les rideaux, Alice ! ordonna-t-elle.

Lorsque les épais rideaux eurent plongé la pièce dans l'obscurité, Agnès passa la main au-dessus de la chandelle, dont la mèche s'enflamma. Je soupçonnai soudain que cette femme était bien plus que ce qu'elle prétendait être. Une simple guérisseuse n'utilise pas de miroirs et n'allume pas les chandelles d'un claquement de doigts ! L'Épouvanteur n'aurait pas aimé ça. Je n'avais plus qu'à espérer que, comme mon amie, Agnès mettait ses pouvoirs au service du bien plutôt qu'à celui de l'obscur...

Dans le silence qui tomba sur la pièce, on n'entendit plus que le tapotement de la pluie contre la vitre. Debout derrière Agnès, nous regardions par-dessus ses épaules. Elle commença à marmonner entre ses dents ; presque aussitôt, la surface de verre s'embruma.

La main d'Alice se referma sur mon bras.

— Tante Agnès est très douée, me glissa-t-elle à l'oreille. Les Mouldheel n'ont qu'à bien se tenir !

Des images se succédèrent alors : l'intérieur d'un cottage ; une vieille prostrée sur une chaise, un chat noir sur les genoux ; l'autel d'une chapelle en ruine. Puis le miroir s'obscurcit. Agnès se mit à se balancer d'avant en arrière ; son front se couvrit de sueur. Des mots tombaient de ses lèvres en une litanie ininterrompue.

À présent, nous ne distinguions plus que des nuages filant dans le ciel et des branches sauvagement agitées par le vent, comme si nous étions couchés sur le sol. C'était bizarre. Comment faisait-elle apparaître ça ? Où était l'autre miroir ? Puis deux silhouettes entrèrent dans notre champ de vision, immenses, distordues. J'eus l'impression d'être une fourmi observant des géants. L'une de ces personnes était pieds nus ; l'autre portait une longue robe. Avant même que l'image se précise et que je reconnaisse les visages, je sus de qui il s'agissait.

Mab discutait avec animation avec Wurmalde, qui posait familièrement une main sur son épaule. En souriant, elles échangèrent un signe d'assentiment. Soudain, un pan de tissu noir balaya le sol ; j'eus un bref aperçu de souliers pointus et, entre eux, d'un pied nu à trois orteils terminés par des ongles aussi durs et pointus que des griffes. Tibb était caché sous les jupes de sa maîtresse !

L'image s'effaça, mais nous en avions vu assez. Ainsi, les Mouldheel s'apprêtaient à rejoindre les deux autres clans ! Agnès souffla la chandelle et alla ouvrir les rideaux. Se tournant vers nous, elle secoua la tête d'un air inquiet :

– Cette saleté me flanque la chair de poule. La Terre se porterait mieux sans lui.

– Et sans Wurmalde, ajouta Alice.

– Comment vous y prenez-vous ? voulus-je savoir. Je croyais qu'il fallait deux miroirs...

Alice répondit à la place de sa tante :

– Pour une sorcière vraiment douée, une bassine d'eau suffit, ou une mare, si sa surface est tranquille. Tante Agnès a toujours été très habile. Wurmalde et Mab se tenaient près d'une grosse flaque, elle s'en est servie.

À ces mots, un frisson me courut le long du dos. Je revis le lac souterrain, les lambeaux de l'antrige flottant à sa surface, aussi lisse qu'une plaque de verre. Je me rappelai mon curieux malaise.

– Quand nous avons longé le lac, dis-je, j'ai eu l'impression d'être surveillé. Quelqu'un l'aurait-il utilisé comme un miroir, au moment où nous passions ?

– C'est possible, Tommy, fit Agnès, soucieuse. En ce cas, ils savent que tu as quitté l'abri de la tour. Ils pourraient bien te guetter au retour.

– Alors, nous prendrons par le bois des Corbeaux. Ils ne s'attendent pas à ça. L'Épouvanteur est dans la tour ; il abaissera le pont-levis à notre arrivée.

Alice me lança un regard dubitatif :

– Ils peuvent aussi bien être embusqués dans le bois et, si nous devons crier pour appeler le vieux Gregory, ils nous entendront. C'est tout de même un coup à tenter, surtout si on fait un détour et qu'on approche par le nord...

– Sauf que l'Épouvanteur va en avoir pour des heures à délivrer les âmes en peine retenues dans les cachots. Il risque de ne pas nous entendre. Autant ne partir qu'à la nuit tombée.

– Restez ici aussi longtemps que vous voudrez ! dit Agnès. Vous êtes les bienvenus. Que diriez-vous d'une bonne soupe ? Les dormeurs seront affamés, à leur réveil. Je vais en préparer pour tout le monde.

Tandis qu'Agnès s'affairait devant son fourneau, un faible cri s'éleva dans la chambre à côté. La petite Mary venait de se réveiller. Presque aussitôt j'entendis Ellie la réconforter. Je frappai trois petits coups à la porte et entrai. Ellie tenait sa fille dans ses bras ; Jack était assis au bord du lit, la tête dans les mains. Il ne leva même pas les yeux.

– Te sens-tu mieux, Ellie ? demandai-je. Et comment va Jack ?

Elle m'adressa un sourire :

– Je vais beaucoup mieux, merci ! Et Jack semble retrouver ses forces. Il n'a pas encore prononcé un mot, mais, regarde-le : il a réussi à s'asseoir. C'est un gros progrès.

Mon frère n'avait pas bougé et ne m'avait pas reconnu. Je fis cependant mine de me réjouir, pour ne pas alarmer Ellie :

– Magnifique ! Nous allons vous ramener à la tour Malkin, vous y serez plus en sûreté qu'ici.

Je vis une lueur d'effroi passer dans son regard.

– N'aie aucune crainte ! repris-je. Les lieux sont à nous, maintenant ; il n'y a plus de danger.

– J'espérais ne jamais revoir cet horrible endroit, murmura-t-elle.

– Cela vaudra mieux, Ellie. Bientôt, vous retournerez à la ferme, et tout redeviendra comme avant.

– Je le voudrais bien, Tom. Mais, en vérité, je n'y crois plus. J'ai toujours désiré être une bonne épouse pour Jack et avoir une famille à aimer. À présent, tous mes espoirs sont anéantis ; je ne vois pas comment les choses pourraient redevenir comme avant. Je devrais seulement m'efforcer de faire bonne figure, pour le bien de notre petite Mary.

À cet instant, mon frère se leva et s'avança vers moi, une expression bizarre sur le visage.

– Content de te voir sur pied, Jack, m'écriai-je en lui tendant les bras.

L'ancien Jack m'aurait gratifié d'une embrassade digne d'un ours, m'écrasant à moitié les côtes dans son enthousiasme. Au lieu de ça, il s'arrêta au bout de trois pas. Sa bouche s'ouvrit et se referma à plusieurs reprises. Puis il secoua la tête, l'air décontenancé. Bien que ferme sur ses jambes, il avait l'esprit vide. Je souhaitai de tout cœur qu'Alice trouve, dans la malle de maman, un remède qui le sorte de ce triste état.

Peu après le coucher du soleil, nous remerciâmes Agnès Sowerbutts et reprîmes la route sous une légère bruine.

Alice et moi allions en tête, à une allure modérée. De lourds nuages obscurcissaient le ciel, et il faisait très noir. Du moins cela nous rendait-il plus difficiles à repérer si quelqu'un nous guettait quelque part. La petite Mary, fébrile, s'accrochait à sa mère, qui devait s'arrêter fréquemment pour l'encourager. Jack marchait à pas lents et ne cessait de trébucher. Il buta soudain dans une bûche et s'étala de tout son long, assez bruyamment pour alerter toutes les sorcières de Pendle.

Notre plan consistait à contourner largement le bois des Corbeaux par l'est. Au début, tout alla bien. Puis, alors que nous décrivions une courbe pour gagner la tour par le nord, je devinai une présence dans le noir. Je crus d'abord que c'était un effet de mon imagination. Mais le vent malmenait les nuées qui se déchiraient en lambeaux, et le ciel s'éclaircissait peu à peu. La lune apparut dans une trouée, répandant alentour sa lumière d'argent. En regardant par-dessus mon épaule, j'eus le temps d'apercevoir des silhouettes, au loin, avant qu'un gros nuage ne nous replonge dans l'obscurité.

— On est suivis, Alice, dis-je à voix basse pour ne pas effrayer les autres.

Elle approuva de la tête :

— Des sorcières, nombreuses, et leurs hommes les accompagnent.

Nous étions entrés dans le bois des Corbeaux et approchions d'un ruisseau au cours rapide. J'entendais l'eau bouillonner et clapoter sur les rochers.

– Si on passe de l'autre côté, on sera en sécurité, lançai-je.

Par chance, la rive n'était pas abrupte. J'aidai Ellie, qui portait sa fille, à traverser. L'eau nous couvrait à peine les chevilles, mais les pierres étaient glissantes. Jack avait du mal à tenir debout ; il tomba deux fois avant de se hisser sur la berge boueuse sans un mot de protestation.

Je soupirai de soulagement : le plus gros du danger était derrière nous. Les sorcières seraient incapables de traverser. Mais la lune apparut, et ce qu'elle me révéla me remplit de consternation. À une vingtaine de pas sur notre droite, il y avait une écluse de sorcières, une épaisse planche de bois suspendue par des cordes au-dessus de l'eau. Un système de poulies permettait de l'abaisser entre deux poteaux munis d'une encoche formant glissière, placés de chaque côté du ruisseau. Nos poursuivants auraient vite fait d'actionner le mécanisme et d'arrêter le flot. Nous n'avions pas beaucoup d'avance sur eux. Ils nous rattraperaient bien avant qu'on ait atteint la tour.

– Rien n'est perdu, me cria Alice. On a peut-être un moyen de les arrêter. Suis-moi !

Elle courut vers l'écluse. La lune apparaissait et disparaissait, éclairant les bois par intermittence. Alice montra l'eau, sous la planche. Je distinguai une épaisse ligne sombre qui reliait une rive à l'autre.

— Les hommes du clan ont ôté les pierres et creusé une tranchée dans le lit du ruisseau, m'expliqua Alice. Ils l'ont bordée d'une planche de part et d'autre pour que celle formant l'écluse s'encastre entre les deux. Si on jette des pierres dedans, le barrage ne sera plus étanche.

Cela valait le coup d'essayer. En théorie, la chose était facile. Dans la pratique... Il faisait noir et, lorsque je plongeai les bras dans l'eau froide jusqu'au coude, je ne pus rien saisir. La première pierre, profondément enfoncée, refusait de bouger. La deuxième était plus petite mais encore trop lourde, et mes doigts ne trouvaient aucune prise.

À ma troisième tentative, je remontai une pierre à peine grosse comme mon poing. Alice, elle, en avait déjà placé deux dans la rainure.

— Approche, Tom ! me lança-t-elle. Mets ta pierre à côté des miennes. Quelques-unes suffiront...

J'entendais de plus en plus près le clappement de pieds nus sur le sol humide. Je soulevai une autre pierre, un peu plus grosse, et la jetai dans la tranchée. Lorsque la lune se montra de nouveau, elle éclaira une silhouette trapue qui levait la main pour s'emparer du levier. La poulie grinça ; la planche entama sa descente.

J'allais me pencher pour chercher une dernière pierre quand Alice me tira par la manche :

– Ça ira, Tom ! Viens ! Ils n'arriveront pas à fermer, et l'eau continuera de courir.

Est-ce que ça marcherait ?

Je suivis Alice sur l'autre rive, et nous rejoignîmes les autres en hâte pour les entraîner sous les arbres. Ellie était épuisée ; elle titubait, serrant toujours sa fille contre elle. À cette vitesse d'escargot, nous n'en sortirions jamais.

– Donnez-moi la petite, insista Alice en tendant les bras.

Je crus que Ellie allait refuser. Mais elle accepta d'un hochement de tête et lui confia l'enfant. Le grincement de la poulie résonnait toujours derrière nous.

Enfin nous atteignîmes l'orée du bois. La tour s'élevait là, droit devant. Nous y étions presque.

Un cliquetis de chaînes m'emplit alors d'espoir : on abaissait le pont-levis ! Inquiet de ne pas nous voir revenir, l'Épouvanteur nous avait certainement guettés du haut des créneaux.

Or, comme nous arrivions au bord des douves, un cri guttural retentit dans notre dos. Je jetai un regard en arrière, et mon espoir sombra aussi lourdement que les pierres dans le ruisseau : des formes sombres se précipitaient vers nous. Les sorcières avaient traversé, en fin de compte.

– On aurait dû mieux boucher la tranchée, lâchai-je amèrement.

— Non, Tom, on a fait ce qu'il fallait, dit Alice en rendant la petite Mary à sa mère. Ce ne sont pas des sorcières, mais ça ne vaut pas mieux : on a les hommes du clan aux trousses.

Ils étaient bien une demi-douzaine, des types aux yeux fous, brandissant de longs couteaux dont les lames étincelaient au clair de lune. Le pont était en place, à présent. Nous poussâmes Jack, Ellie et Mary vers la porte bardée de fer et fîmes face. J'imaginais mon maître dévalant l'escalier pour venir nous ouvrir. « Vite ! » le suppliai-je intérieurement. Nos poursuivants étaient sur nous.

À l'intérieur de la tour, on manœuvra le lourd loquet. La porte grinça sur ses gonds. Ellie hurla. Je détournai d'un coup de bâton une lame visant ma tête. À cet instant, quelqu'un se plaça à mon côté. C'était l'Épouvanteur. Il projeta son bâton telle une lance dans la poitrine de mon adversaire. L'homme poussa un cri et bascula dans les douves en soulevant une gerbe d'eau noire.

— À l'intérieur, tous ! ordonna John Gregory.

Il soutint l'assaut de deux autres attaquants qui se jetaient sur lui, épaule contre épaule. Je ne voulais pas le laisser seul, mais il me repoussa si violemment que je faillis tomber. Un nuage passa devant la lune, nous plongeant dans l'obscurité. Sans réfléchir davantage, je gagnai la porte derrière Alice.

Un nouveau cri de douleur retentit. Je me retournai juste à temps pour voir quelqu'un basculer. Il y eut un bruit d'éclaboussures. Était-ce l'Épouvanteur ? L'avaient-ils jeté dans les douves ? Une silhouette sombre fonça sur moi. Au moment où je levai mon bâton pour me défendre, je reconnus mon maître.

Il franchit le seuil d'un pas chancelant, jura et s'appuya de l'épaule contre la porte. Alice et moi l'aidâmes à refermer le lourd battant. Quelque chose de pesant s'écrasa contre le bois. L'Épouvanteur rabattit l'énorme loquet. Nos ennemis restèrent dehors.

– Grimpez là-haut, vous deux, et remontez le pont-levis ! aboya l'Épouvanteur.

Je m'élançai, Alice sur mes talons. Ensemble, nous mîmes les poulies en branle. Des cris furieux montaient d'en bas, des chocs métalliques. Les alliés des sorcières tambourinaient en vain contre la porte. Nous continuâmes de tourner le cabestan, nous arc-boutant de toutes nos forces. Dent après dent, l'engrenage faisait son travail. Au-dehors, le *plouf* de corps tombant dans l'eau nous apprit que les assaillants sautaient l'un après l'autre dans le fossé pour ne pas être écrasés entre la porte et le tablier du pont.

Enfin, nous étions en sécurité. Du moins, provisoirement. Tandis qu'Ellie installait Mary et Jack aussi confortablement que possible, l'Épouvanteur, Alice et moi fîmes le point sur les derniers événements. Nous étions tous épuisés et, une heure plus tard, nous étions allongés sur le plancher, roulés dans des couvertures sales. Je sombrai aussitôt dans un sommeil sans rêves.

Au milieu de la nuit, je fus réveillé par des sanglots. Ellie ? À voix basse, j'appelai dans le noir :

– Ellie ? Ça va ?

Elle ne répondit pas, mais les pleurs se turent. Il me fallut un long moment pour me rendormir. Je ne cessai de songer au lendemain, à ce qui nous attendait encore. Nous n'avions plus beaucoup de temps. Dans deux jours, ce serait Lammas. Nous avions perdu une journée à ramener Jack à la tour. Je supposai donc que, le lendemain, l'Épouvanteur s'occuperait en priorité de Wurmalde. Si nous ne mettions pas un terme à ses agissements, si nous n'empêchions pas la réunion de toutes les sorcières, le Diable marcherait parmi nous, et Ellie ne serait plus la seule à pleurer la nuit dans son sommeil...

20
La fin d'un ennemi

Au matin, l'Épouvanteur ne m'accorda qu'une gorgée d'eau et une bouchée de fromage. Nous allions affronter Wurmalde et nous en débarrasser une fois pour toutes. Elle ne nous sentirait pas approcher, mais Tibb, lui, en serait peut-être capable. Auquel cas, il nous tendrait un piège. De toute façon, nous serions en danger avant même d'avoir atteint Read Hall. Les sorcières observaient certainement la tour depuis les bois et, au premier grincement de poulie annonçant que le pont-levis s'abaissait, elles attaqueraient. Une fois de plus, mieux valait emprunter les souterrains. Certes, comme elles utilisaient sans doute un miroir pour surveiller le tunnel grâce au lac, elles sauraient que nous quittions notre refuge. Elles pouvaient aussi bien se tenir aux aguets dans les broussailles du vieux cimetière, prêtes à nous sauter dessus. Quoi qu'il en soit, l'Épouvanteur était déterminé. Wurmalde était le cœur de la noire menace pesant sur le Comté, et il voulait en finir.

Tirant une pierre à aiguiser de son sac, il fit sortir la lame de son bâton et se mit à l'affûter.

– Une rude tâche nous attend, petit, me dit-il d'un ton bourru. Et si jamais quelqu'un se met en travers de notre route...

Une flamme dure brillait dans son regard. Il testa du bout du doigt le fil de son arme et me fixa au fond des yeux. Puis il se tourna vers Alice :

– Toi, jeune fille, tu restes ici et tu veilles sur la famille. Seras-tu assez forte pour abaisser le pont-levis quand James reviendra avec une troupe de villageois ?

– Si Tom l'a fait, je le peux aussi, lança-t-elle avec un sourire intrépide. Et je chercherai dans la malle de quoi soigner Jack.

Dans les sous-sols de la tour, l'atmosphère avait changé. En mieux. L'Épouvanteur avait fait du bon travail : les morts, abandonnant leurs ossements dans les cachots, avaient trouvé la paix.

Je ne vis pas trace des deux lamias. La lumière de ma chandelle me révéla que les petits cadavres d'animaux étaient toujours accrochés aux chaînes, mais ils étaient desséchés, vidés de leur sang. Nous nous engageâmes prudemment dans le tunnel, longeâmes le lac où flottaient encore les restes de l'antrige. Il était aussi lisse qu'un miroir, et j'éprouvai la désagréable impression d'être observé. La puanteur était plus forte que jamais. L'Épouvanteur et moi nous couvrîmes la bouche et le nez de nos mains, retenant notre souffle, jusqu'à ce que l'eau fétide soit derrière nous.

Enfin, il fallut ramper. Mon maître allait devant, grommelant dans sa barbe. Au bout de pénibles efforts, nous émergeâmes dans le sépulcre.

L'Épouvanteur secoua la poussière et la boue de son manteau.

– Ma vieille carcasse n'apprécie guère ce genre de traitement, grogna-t-il. Un peu d'air frais nous fera le plus grand bien.

Je désignai les anneaux de fer, qui pendaient dans un coin :

– Il y avait une sorcière morte enchaînée ici. Elle s'appelait Maggie et avait été autrefois chef de clan des Malkin. Les Mouldheel l'ont torturée pour qu'elle leur montre l'entrée du tunnel. Maintenant, elle est de nouveau libre...

— Est-elle forte ?

— Pas autant que la vieille mère Malkin, mais assez. Elle chassait à plusieurs milles de la Combe aux Sorcières.

Mon maître hocha la tête d'un air las :

— Quoi qu'il arrive dans les deux prochains jours, des années de travail nous attendent encore avant que Pendle soit nettoyé de toute cette engeance.

Je soufflai la chandelle et la déposai près de la lanterne qu'Alice avait laissée lors de notre dernier passage.

— Emporte cette lanterne, petit, m'ordonna l'Épouvanteur. Nous aurons peut-être à visiter les caves de Read Hall.

Tandis que nous nous frayions un chemin entre les broussailles du cimetière abandonné, les nuages s'épaississaient au-dessus de nos têtes. Un vent violent soufflait de l'ouest. Nous n'avions pas fait vingt pas que nous découvrions les sorcières embusquées. Elles étaient trois. Toutes mortes. L'herbe alentour était poissée de sang, les cadavres couverts de mouches. Mon maître passa à côté, mais je préférais faire un détour. Une fois de plus, les lamias nous avaient débarrassé la voie...

Une heure plus tard, Read Hall était en vue. Je répugnais à pénétrer pour la troisième fois dans cette maison où Tibb m'avait terrorisé et où Wurmalde m'avait accusé de meurtre – et où, probablement, le pauvre père Stocks gisait encore sur le lit, un couteau dans la poitrine. Seulement, il le fallait bien.

Nous allions au-devant du danger, c'était clair. Tibb et sa redoutable maîtresse devaient nous guetter, sans compter les domestiques et peut-être d'autres sorcières des différents clans. Or, comme nous approchions, il apparut que quelque chose n'allait pas. La porte de l'entrée principale battait au vent.

– Ma foi, petit, fit l'Épouvanteur, puisqu'on nous a ouvert cette porte, autant entrer par là.

Nous pénétrâmes dans le vestibule. Je m'apprêtais à refermer le battant derrière moi quand mon maître m'en dissuada d'un geste. Nous nous figeâmes, attentifs au moindre bruit. À part le grincement des gonds et la plainte du vent, au-dehors, la maison était silencieuse. L'Épouvanteur observa la cage d'escalier, puis me souffla à l'oreille :

– On va laisser la porte battre. Le plus petit changement pourrait alerter quelqu'un. L'endroit est trop calme, je suppose que les domestiques ont fui. Commençons par le rez-de-chaussée.

Le salon et la salle à manger étaient vides. La cuisine semblait à l'abandon depuis des jours. De la vaisselle sale s'empilait dans l'évier, et il y flottait des relents de pourriture. Bien qu'il fît jour, Read Hall était sombre, et n'importe quoi pouvait se terrer dans les recoins obscurs. Je ne cessais de penser à Tibb. La créature était-elle tapie quelque part ?

Nous explorâmes le bureau en dernier. Dès le seuil, je sentis l'odeur de la mort. Un corps était étendu, face contre terre, devant la bibliothèque.

– Allume la lanterne, m'ordonna l'Épouvanteur. Voyons ça de plus près...

Le cadavre était celui de Nowell. Sa chemise en lambeaux était maculée de sang séché. Des traces sanglantes allaient du corps jusqu'à la porte du fond, entrouverte. Des livres dégringolés des étagères étaient éparpillés sur le sol. L'Épouvanteur s'agenouilla pour retourner le corps sur le dos. Deux yeux sans regard nous fixèrent, agrandis par une expression de terreur.

– C'est l'œuvre de Tibb, pas de doute, dit mon maître. Il a dû lui sauter dessus depuis le haut de la bibliothèque.

Désignant la traînée de sang, il ajouta :

– La créature pourrait bien être encore dans la maison...

Il marcha vers la porte et la poussa, révélant un escalier aux marches de pierre. Les traces descendaient dans l'ombre. Mon maître les suivit, le bâton prêt à frapper, et je lui emboîtai le pas en levant la lanterne. Nous atteignîmes l'entrée d'une petite cave à vin. Le long d'une paroi s'alignaient des casiers à bouteilles. La trace sanglante traversait le sol dallé et s'arrêtait au fond. Là, dans un coin, gisait Tibb, recroquevillé sur lui-même.

Il me parut plus petit que dans mon souvenir, quand il m'avait parlé accroché au plafond. Avec ses membres repliés sous son corps velu, tout poissé de sang, il avait l'air d'un gros chien. Malgré sa taille courtaude, je savais qu'il était d'une force surhumaine. Il avait tenu le père Stocks à sa merci et avait tué Nowell, deux hommes dans la force de l'âge.

L'Épouvanteur s'approcha avec précaution. J'entendis le *clic* de la lame jaillissant de son bâton. À ce bruit, Tibb allongea les bras, sortit ses griffes et tourna la tête de côté pour nous regarder. La vision de ce crâne chauve, de ce regard de poisson mort, de cette bouche garnie de dents pointues me fit frissonner d'horreur. Je crus qu'il allait bondir sur mon maître ; il se contenta d'émettre un grognement plaintif :

— *Vous arrivez trop tard. Ma maîtresse m'a abandonné, elle me laisse crever. J'ai vu tant de choses, tant de choses ! Mais pas ma propre mort. C'est la dernière chose qu'on voit...*

– Oui, dit l'Épouvanteur, pointant sa lame vers lui. Je tiens ta mort entre mes mains.

Tibb lâcha un rire amer :

– Non. Je suis déjà en train de mourir. Ma maîtresse ne m'avait pas dit que ma vie serait si brève. Neuf courtes semaines, c'est tout. Est-ce que c'est juste ? Neuf semaines de la naissance à la mort ? Je n'ai même plus la force de me lever de ces pavés froids. Alors, ne gaspille pas la tienne, vieil homme ! Tu vas en avoir besoin. Il ne te reste qu'un peu de ton précieux temps. Le garçon qui se tient à côté de toi poursuivra ton travail, c'est son destin.

– Où est Wurmalde ? l'interrogea l'Épouvanteur.

– Partie ! Partie ! Là où vous ne la trouverez pas ! Pas avant qu'il soit trop tard ! Bientôt, ma maîtresse va évoquer le Diable. Il franchira le portail noir pour entrer dans ce monde. Pendant deux jours, il se pliera à ses exigences. Après, il sera libre. Savez-vous ce qu'elle attend de lui ? Ce que le Démon devra payer pour sa liberté ?

L'Épouvanteur poussa un soupir angoissé mais n'osa répondre à la question. Je vis ses mains se crisper sur son bâton. Il s'apprêtait à achever la créature.

– La mort de ce garçon, voilà ce qu'elle lui demande. Il doit mourir parce qu'il est le fils de sa mère. Le fils de son ennemie. Autrefois, dans un lointain pays, celle-ci *fut une immortelle, comme ma maîtresse, et usait de magie noire. Or, elle y renonça. En dépit de nombreux avertissements, elle se tourna vers le bien. Elle fut liée à un rocher et condamnée à être détruite par les rayons du soleil, symbole de cette lumière qu'elle désirait servir. Par malchance, un humain la sauva. Un fou la libéra de ses chaînes...*

– Mon père n'était pas un fou ! protestai-je. C'était un homme bon, qui n'a pu supporter de la voir souffrir. Il n'aurait laissé personne dans de tels tourments !

– *Il eût mieux valu pour toi, petit, qu'il passât son chemin ! Car tu ne serais pas né. Tu n'aurais pas vécu une courte et inutile vie ! Tu t'imagines peut-être que, pour avoir été sauvée, elle a été changée pour toujours ? Loin de là ! Un temps, elle fut en grand tourment, ne sachant quel parti choisir, oscillant entre la lumière et les ténèbres. Les vieilles habitudes sont longues à mourir ; peu à peu, l'obscur l'a reprise. Il lui a été accordé une seconde chance, à condition qu'elle tue son sauveur. Elle a refusé et s'est tournée de nouveau vers la lumière. Ceux qui servent la lumière sont durs envers eux-mêmes. Elle s'est imposé une cruelle pénitence, elle a renoncé à l'immortalité. Mais ce n'est pas tout. Elle a choisi d'offrir sa jeunesse, la meilleure part de sa triste vie, à son sauveur. Elle s'est liée à un mortel, un simple marin, et lui a donné sept fils.*

– Sept fils qui l'ont aimée ! m'écriai-je. Elle était heureuse.

– *Heureuse ? Heureuse ? Crois-tu qu'il soit si facile d'être heureux ? Imagine ce qu'a pu être la vie d'une femme qui avait eu tant de pouvoirs, contrainte de servir un humain, de partager son lit, d'élever sa descendance, ayant sans cesse dans les narines la puanteur de la ferme ! Et l'ennui des tâches quotidiennes ! Elle a regretté son choix. La mort de cet homme l'a délivrée, mettant fin à cette pénitence qu'elle s'était infligée. À présent elle est repartie dans son pays.*

– Non, dis-je. Ça ne s'est pas passé ainsi. Elle aimait mon père...

– *L'amour !* railla Tibb. *L'amour est une illusion bonne à aveugler les mortels pour qu'ils acceptent leur destin. Et maintenant, ta mère a tout misé pour détruire ce que ma maîtresse a de plus cher. Elle veut anéantir l'obscur, et elle t'a façonné pour que tu sois son arme. C'est pourquoi tu ne dois pas devenir un homme. Nous mettrons un terme à ta vie.*

– Nous mettrons d'abord un terme à la tienne ! rugit l'Épouvanteur en levant son bâton.

– *Pitié !* supplia Tibb. *Accordez-moi un répit ! Laissez-moi mourir en paix !*

– As-tu montré de la pitié envers maître Nowell ? demanda l'Épouvanteur. Ce que tu lui as donné, je te le donne...

Je détournai la tête quand il frappa. Tibb poussa un cri aigu, qui se transforma en couinement de cochon. Il y eut un bref reniflement, puis le silence retomba. Sans un regard en arrière, je suivis mon maître dans l'escalier.

De retour dans le bureau, il déclara :

– Le corps de Nowell restera quelques jours sans sépulture, ainsi que celui du malheureux père Stocks, qui doit encore être en haut. Et on ne saura peut-être jamais ce qu'il est advenu du prévôt Barnes. Quant à Wurmalde, si on en croit les dires de la créature, elle peut se trouver n'importe où, et nous n'avons pas le temps de chercher au hasard. James reviendra bientôt à la tour avec les hommes de Downham. Rejoignons-le. Il nous faut nous occuper en priorité des clans de sorcières. Pour ça, notre petite armée doit être organisée.

L'Épouvanteur s'approcha du bureau de Nowell. Les tiroirs n'étaient pas fermés à clé, et il se mit à fouiller dedans. Un instant plus tard, il en sortait ma chaîne d'argent.

– Tiens, petit ! fit-il en me la lançant. Elle te servira sûrement avant longtemps.

Nous quittâmes Read Hall sous des trombes d'eau pour reprendre la route de la tour. Les paroles de Tibb résonnaient indéfiniment dans ma tête.

Nous atteignîmes l'entrée du sépulcre trempés comme des soupes. La traversée du tunnel se passa sans encombre. Au moment d'emprunter les marches montant à l'intérieur de la tour, je retins l'Épouvanteur. J'avais besoin de vider mon sac.

— Pensez-vous que Tibb disait vrai ? demandai-je.

— À quoi fais-tu allusion, petit ? me lança-t-il d'un ton bourru. Cette créature appartenait à l'obscur, cela rend chacune de ses paroles pour le moins suspecte. Tu le sais, l'obscur tente toujours de tourner la situation à son avantage. Il prétendait agoniser, mais était-ce vrai ? Voilà pourquoi je l'ai tué ; tel était mon devoir, même si cela t'a paru cruel.

— Je veux parler de ce qui concerne maman, qu'elle aurait été une immortelle, comme Wurmalde. Ses sœurs étant des lamias, je pensais qu'elle en était une aussi. Et les lamias ne sont pas immortelles.

— Qu'est-ce que l'immortalité ? Ce monde aura une fin, et les étoiles elles-mêmes s'éteindront un jour. Non, je ne crois pas qu'aucune créature puisse vivre à jamais, et personne possédant un grain de bon sens ne peut le désirer. Cependant, les lamias ont une vie très longue. Lorsqu'elles prennent une apparence humaine, elles semblent vieillir, mais une fois redevenues sauvages, elles retrouvent leur jeunesse. Elles peuvent connaître ainsi plusieurs existences sous forme humaine, réapparaissant chaque fois sous les traits d'une jeune femme. Un jour, nous comprendrons ce que Tibb avait en tête. Peut-être a-t-il menti, peut-être pas. Comme le disait ta mère, la réponse est dans ces malles. Un jour, si tout va bien, tu trouveras le temps d'en examiner tranquillement le contenu.

– Mais cette histoire de Démon sortant par un portail ? Quel portail ?

– Il s'agit d'une porte invisible, d'une faille entre notre monde et le lieu où réside ce genre de créatures. En usant de magie noire, les sorcières vont tenter de l'ouvrir. Nous mettrons toutes nos forces à les en empêcher.

Sa voix résonna longuement entre les parois de pierre.

– Nous devrons interrompre le sabbat de Lammas, reprit-il. C'est plus facile à dire qu'à faire, j'en conviens. Mais, si nous échouons, ta mère a prévu une solution de repli. Elle t'a laissé cette chambre en héritage...

– Aurai-je le temps de m'y réfugier si le Démon me donne la chasse pour me tuer ? La ferme est loin d'ici...

– Il faut un moment aux créatures de l'obscur, lorsqu'elles surgissent dans notre monde, pour rassembler leurs esprits et reprendre des forces. Souviens-toi comment le Fléau de Priestown s'est montré désorienté ! Il était affaibli, et n'a regagné ses pouvoirs que progressivement. Je soupçonne ce soi-disant Démon d'avoir le même problème. Tu auras du temps devant toi – combien, je ne saurais l'estimer. En tout cas, si je t'en donne l'ordre, tu fileras chez toi aussi vite que tu pourras et tu t'enfermeras dans cette pièce.

– Il y a une autre parole de Tibb qui m'inquiète, avouai-je. Quand je l'ai vu la première fois, il a dit que maman chantait « le chant du bouc » et me plaçait au milieu. Qu'est-ce que ça signifie ?

– Tu aurais pu comprendre tout seul, petit ! En grec, bouc se dit *tragos*. Le chant du bouc, c'est une tragédie. Et si tu es au centre, cela veut dire que ta vie sera tragique, ton destin fatal. Mais ne prends pas ses déclarations au pied de la lettre. Nos décisions personnelles modifient jour après jour le cours de notre vie. Je n'accepte pas l'idée que tout soit déterminé d'avance. Aussi puissant que soit l'obscur, nous devons continuer à croire que nous le vaincrons. Lève les yeux, petit ! Que vois-tu ?

– Des marches menant en haut de la tour...

– Oui, mon garçon, des marches ! Beaucoup de marches ! Et nous allons en venir à bout, n'est-ce pas ? Malgré mes vieilles articulations, je vais grimper, degré après degré, jusqu'à atteindre l'étage supérieur et retrouver l'éclat du jour. Voilà une belle image de la vie. Viens ! On y va !

Cela dit, l'Épouvanteur me devança dans l'étroit escalier et je le suivis, montant vers la lumière.

21

Retour à Downham

Dans la tour, de bonnes nouvelles nous attendaient. Alice avait trouvé de quoi soigner
Jack.

– Je lui ai concocté une potion qui l'a replongé
dans un profond sommeil, m'expliqua-t-elle. Elle agit
sur l'esprit plus que sur le corps. La recette était notée
dans un des cahiers de ta mère : comment mélanger
les herbes, dans quelle proportion. Et la malle contenait tous les ingrédients, soigneusement étiquetés.

Ellie lui adressa un sourire chaleureux :

– Je ne te remercierai jamais assez, Alice !

– C'est la mère de Tom qu'il faut remercier.
Cela a dû lui prendre des années de rassembler tous

ces secrets. À côté, Lizzie l'Osseuse n'était qu'une ignare.

Mon frère dormit jusque tard dans l'après-midi, et nous espérions retrouver avant peu le bon vieux Jack que nous connaissions.

C'est alors que tombèrent les mauvaises nouvelles. James revint. Mais il revint seul. Les villageois de Downham avaient trop peur. Ils s'étaient désistés les uns après les autres.

– Rien à faire, raconta mon frère d'un ton las. Ils ont perdu tout courage. Même Matt Finley, le forgeron, refuse de mettre un pied hors du village !

L'Épouvanteur secoua la tête, dépité :

– Eh bien, s'ils ne viennent pas à nous, c'est nous qui irons les chercher ! Certes, je ne suis guère optimiste. Tu as réussi à les convaincre la dernière fois, James, et j'étais sûr que tu y réussirais de nouveau. Il faut essayer encore. Le sabbat de Lammas commencera demain soir, et nous devons à tout prix l'empêcher. Wurmalde sera là avec les autres sorcières, sans aucun doute. Je n'aurai pas de meilleure occasion de la capturer.

Dès la nuit tombée, nous nous préparâmes donc à retourner à Downham. Nous laissions Ellie, Jack et Mary dans la tour, où ils étaient en sécurité.

L'Épouvanteur nous dévisagea l'un après l'autre, James, Alice et moi :

– Ce sera plus difficile que je ne le pensais, mais il nous faut achever ce travail. J'espère simplement que nous en sortirons tous vivants. Quoi qu'il en soit, un élément joue en notre faveur : la tour est à nous, les malles et leur contenu sont à l'abri. Nous avons au moins réussi cela.

Nous quittâmes la tour en empruntant le tunnel. Nous marchâmes vers le nord, un fort vent d'ouest nous sifflant aux oreilles. À Downham, nous passâmes le reste de la nuit dans le cottage du père Stocks, nous octroyant quelques heures de sommeil tant que la chose nous était encore permise.

Nous fûmes debout dès l'aube pour intercepter les hommes avant leur départ pour les champs, décidés à frapper à chaque porte dans l'espoir de lever une petite troupe. Alice et moi devions visiter les habitations de la périphérie et les fermes environnantes, tandis que James et l'Épouvanteur se concentreraient sur le centre du village.

Nous arrivâmes devant le premier cottage au moment où le maître de maison apparaissait sur le seuil, se frottant les yeux de ses poings, dans la lumière grise du petit matin. C'était un paysan noueux et bougon, qui s'apprêtait à entamer une dure journée de travail. Avant même de lui adresser la parole, je savais qu'il allait nous envoyer promener.

– Il y aura une assemblée à l'église, ce soir, lui dis-je. Tous les hommes du village y sont conviés.

On y discutera d'un plan pour contrer les agissements des sorcières. Il faut régler ça cette nuit...

Il m'écouta d'un air soupçonneux, son regard passant des souliers pointus d'Alice à mon capuchon et mon bâton. Visiblement, notre apparence ne lui plaisait guère.

– Qui a décidé de cette réunion ? demanda-t-il.

Que répondre ? J'aurais pu citer le nom de James. Il était connu dans le coin, à présent. Mais personne n'avait répondu à son dernier appel. Si je mentionnais l'Épouvanteur, je risquais d'effrayer mon interlocuteur – il semblait déjà suffisamment nerveux ! Le mensonge me sortit de la bouche avant que je puisse le retenir :

– Le père Stocks.

À ce nom, l'homme hocha la tête :

– Je ferai mon possible. Je ne peux rien vous promettre, j'ai du pain sur la planche, aujourd'hui...

Sur ce, il claqua sa porte, pivota sur ses talons et se dirigea vers la colline.

Je jetai à Alice un regard contrit :

– Je ne suis pas fier de moi...

– Pourquoi ? Tu as choisi le meilleur moyen. Si le prêtre était encore en vie, c'est lui qui aurait organisé cette réunion. Tu l'as fait en son nom, voilà tout.

J'acquiesçai sans conviction. Cependant, j'usai encore de ce subterfuge chaque fois que la nécessité l'imposait. Malgré cela, je n'étais guère optimiste sur le nombre de personnes qui se rendraient au rendez-vous. La plupart des gens ne se donnaient même pas la peine d'ouvrir leur porte, d'autres marmonnaient de vagues excuses. Un vieil homme piqua même une colère :

– Qu'est-ce que vous trafiquez dans notre village ? Je voudrais bien le savoir !

Il cracha vers les souliers pointus d'Alice :

– On a été assez tourmentés par les créatures dans ton genre, autrefois, mais ça ne se produira plus ! Ôte-toi de ma vue, sale petite sorcière !

Alice ne répliqua rien. Nous lui tournâmes simplement le dos pour reprendre notre route.

James et l'Épouvanteur avaient eu un peu plus de succès que nous. D'après mon frère, tout reposait sur l'attitude du forgeron. Il se montrait partagé, mais s'il optait pour l'action, il en entraînerait beaucoup d'autres. Quand j'avouai le mensonge dont je m'étais servi à mon maître, il se contenta de hocher la tête sans faire de commentaire.

Nous passâmes les dernières heures de la journée dans une attente anxieuse. Le moment décisif approchait. Les villageois se rassembleraient-ils en nombre suffisant ? Si oui, saurions-nous les persuader d'agir ? Et, dans ce cas, aurions-nous encore le temps de courir jusqu'à la colline de Pendle avant que les rituels soient entamés ?

Tandis que je tournais ces questions dans ma tête, une chose me frappa soudain : le 3 août, deux jours après Lammas, ce serait mon anniversaire. Je me rappelai comment nous le fêtions à la ferme. À ces occasions, maman préparait un gâteau. Que ces temps bénis me paraissaient loin ! Je n'arrivais même pas à m'imaginer un avenir au-delà de la tombée de la nuit. De tels bonheurs appartenaient aux courtes années de mon enfance ; tout cela était bien fini.

Au coucher du soleil, nous patientions dans l'étroite nef de la petite église. Ayant trouvé des cierges dans la sacristie, nous en avions garni l'autel ainsi que les porte-bougies de métal placés de chaque côté du portail.

Le ciel était aussi noir que le charbon de Horshaw lorsqu'un premier arrivant entra d'un pas hésitant et s'assit sur le banc du fond. C'était un vieil homme boiteux, qu'on aurait mieux vu réchauffant sa carcasse fatiguée près d'un bon feu que s'aventurant sur la colline de Pendle pour une bataille sans merci. D'autres suivirent, seuls ou par petits groupes. Cependant, au bout d'une demi-heure, ils n'étaient encore qu'une douzaine. Chacun avait ôté sa casquette en entrant. Les deux plus courageux adressèrent un signe de tête à James. Tous gardaient les yeux fixés sur l'Épouvanteur. Je percevais leur extrême nervosité. Ces hommes avaient des visages tendus ; certains tremblaient, malgré la douceur de l'air, et semblaient davantage prêts à fuir qu'à combattre. Il suffirait qu'apparaisse l'ombre d'une sorcière pour qu'ils se dispersent en courant.

Or, au moment où tout me paraissait perdu, un murmure de voix monta de l'extérieur. Un grand type vêtu d'une veste de cuir pénétra dans l'église, à la tête d'une douzaine d'autres hommes. Je supposai que c'était Matt Finley, le forgeron. Sans respect pour la sainteté du lieu, il garda son chapeau et vint s'asseoir sur le premier banc, saluant tour à tour James et l'Épouvanteur. Nous étions restés debout, sur le côté de l'autel, près du mur. Mais quand les nouveaux arrivants se furent assis, l'Épouvanteur fit signe à mon frère, qui s'avança au milieu du chœur.

– Merci à tous d'avoir pris le temps de venir nous écouter, commença James, car votre aide nous est cruellement nécessaire ; nous ne vous la demanderions pas si nous pouvions accomplir seuls la tâche qui nous attend. Un terrible danger pèse sur nous. Avant minuit, les sorcières vont se réunir sur la colline de Pendle. Elles s'apprêtent à lancer sur notre monde le pire des maléfices. Il faut les en empêcher.

– Si je ne me trompe, intervint le forgeron, certaines y sont déjà. Elles ont allumé un feu qu'on peut voir à des milles à la ronde.

À ces mots, l'inquiétude altéra le visage de l'Épouvanteur. Il vint se placer près de James :

– On a un rude travail à accomplir cette nuit, les gars. Ce feu signifie qu'elles ont entamé leur sinistre besogne. La menace pèse sur vous, sur vos familles, sur tout ce qui vous est cher. Les sorcières s'imaginent que le pays leur appartient, désormais. N'acceptant plus de se réfugier dans leurs repaires cachés, voilà qu'elles affichent leur malignité au sommet de la colline ! Si nous ne les arrêtons pas, l'obscurité recouvrira le pays. Aucun de nous ne sera plus en sécurité, ni les forts ni les faibles, ni les adultes ni les enfants. Nous ne dormirons plus en paix dans nos lits. Le monde deviendra un lieu de malheur, de peste et de famine, et le Démon en personne marchera dans nos rues, sur nos sentiers. Nous et nos enfants, nous vivrons sous la loi des sorcières. Nous devons sauver ce pays !

– *Notre* village est sûr, aboya le forgeron. Nous avons assez combattu pour qu'il le soit. Et nous sommes prêts à combattre encore s'il le faut. Mais pourquoi risquerions-nous nos vies à la place des autres ? Où sont les hommes de Roughlee, ceux de Bareleigh et de Goldshaw Booth ? Pourquoi ne se débarrassent-ils pas eux-mêmes du chancre qui ronge leur chair ? Pourquoi serait-ce à nous de le faire ?

– Parce que l'obscur s'est installé en force dans ces villages et contamine ses habitants, répondit l'Épouvanteur. Les clans de sorcières dirigent tout ; les braves gens ont fui ou sont morts dans les cachots de la tour Malkin. Aujourd'hui, vous tenez votre chance – peut-être la dernière – de combattre l'obscur.

L'Épouvanteur se tut, et le silence tomba sur l'assemblée. Visiblement, tous méditaient ces paroles. Puis une voix agressive monta du fond :

– Où est le père Stocks ? Je croyais que c'était lui qui nous avait convoqués. C'est pour lui que je suis venu.

Je reconnus le fermier que j'avais rencontré avec Alice. Le premier à qui j'avais menti. Une rumeur de mécontentement s'éleva. Beaucoup semblaient partager cet avis.

– Nous ne voulions pas vous le dire, de peur que cela vous ôte tout courage, déclara l'Épouvanteur. Mais il le faut, maintenant. Le meilleur homme de ce village est mort aux mains d'une sorcière, celle-là même qui est l'instigatrice de cette folie. Un ami qui a consacré ses forces à vous protéger, vous et vos familles, le père Stocks, le curé de votre paroisse. Et, ce soir, c'est en son nom que je vous demande votre aide.

Lorsque le nom du père Stocks fut prononcé, les flammes des cierges vacillèrent et faillirent s'éteindre.

Pourtant, la porte fermée ne laissait passer aucun courant d'air. Le phénomène avait quelque chose de surnaturel. Il y eut des exclamations étouffées, et Finley, le forgeron, enfouit sa tête dans ses mains comme s'il priait. Puis les cierges se remirent à briller normalement.

L'Épouvanteur marqua une pause, attendant que le choc de la nouvelle s'atténue avant de continuer :

– À présent, je vous en conjure. Si vous ne le faites pas pour vous, faites-le pour le pauvre père Stocks. Payez votre dette à un homme qui a donné sa vie en combattant l'obscur. Celle qui l'a poignardé de sang-froid alors qu'il gisait sans défense s'appelle Wurmalde, une sorcière qui convoite même les ossements de vos chers défunts, une sorcière qui – si on la laisse faire – s'abreuvera du sang de vos enfants. Alors, battez-vous ! Pour vous ! Pour vos enfants et les enfants de vos enfants ! Battez-vous tant qu'il en est encore temps ! Après, il sera trop tard. C'est cela ou finir comme les malheureux des villages du sud...

Matt Finley releva la tête et posa sur l'Épouvanteur un regard dur :

– Qu'attendez-vous de nous ?

– Les sorcières sentent venir le danger, et elles sauront que vous approchez, répondit mon maître, fixant le forgeron dans les yeux. Aussi, inutile de vous dissimuler. Lorsque vous vous mettrez en route, faites autant de bruit que vous pourrez. Plus vous en ferez, mieux ce sera ! Il leur sera difficile d'apprécier votre nombre, mais la menace leur paraîtra sérieuse. À vous de leur laisser croire à l'arrivée d'une troupe importante et déterminée. Nous utiliserons leur incertitude à notre avantage. Ensuite, il nous faut des armes, et aussi des torches.

– À quoi devrons-nous faire face ? Combien seront-elles ? demanda Finley. La plupart des hommes qui sont ici ont charge de famille. Quelles sont nos chances d'en sortir en un seul morceau ?

– Je ne connais pas leur nombre exact, admit l'Épouvanteur, mais nous serons probablement à un contre trois. Cependant il y a de fortes chances que vous n'ayez même pas besoin de vous battre. J'ai l'intention de perturber leur cérémonie et de les chasser de la colline par l'ouest. Dans la confusion, je réglerai son compte à Wurmalde, et leur entreprise maléfique n'aboutira pas. Je vous suggère de vous organiser en groupes de quatre ou cinq ; les groupes se déploieront sur la pente est. James se placera un peu plus haut et allumera une torche. À ce signal, vous allumerez les vôtres. Ensuite, vous monterez d'un seul mouvement et encerclerez le sommet où brûle leur feu. Surtout, occupez le plus d'espace possible, qu'elles imaginent d'autres hommes sans torches marchant avec vous. Elles sont capables de sentir la menace, pas d'en estimer les détails. Tel est mon plan. Si vous avez quoi que ce soit à demander, faites-le maintenant. N'ayez pas peur de poser vos questions !

Une voix tremblante s'éleva aussitôt du fond de l'église, celle du vieil homme qui était arrivé le premier :

– Monsieur Gregory, risquons-nous d'être attaqués par... ?

Il laissa sa phrase en suspens, remua une main en l'air et marmonna enfin :

– ... des balais ?

En d'autres circonstances, l'Épouvanteur aurait hurlé de rire. Là, il répondit avec le plus grand sérieux :

– Non. Voilà des années que je traque cette engeance, et je puis vous assurer, en toute honnêteté, que je n'ai jamais vu une sorcière chevaucher un balai. C'est une légende fort répandue, mais elle est sans fondement.

Puis il ajouta :

– Il est toutefois de mon devoir de vous informer du danger, si le pire advenait. Méfiez-vous de leurs couteaux. Ces créatures sont plus fortes que la plupart des hommes et vous arracheraient le cœur d'un seul geste. Ne les laissez pas approcher, repoussez-les avec des gourdins et des bâtons. Et, surtout, ne les fixez jamais dans les yeux ! Une sorcière peut vous tenir en son pouvoir au premier regard. N'écoutez pas un seul mot non plus. Et rappelez-vous que vous devrez sans doute affronter aussi certains hommes du clan. Si c'est le cas, restez sur vos gardes. Les femmes à qui ils sont liés leur ont appris beaucoup de tours, et ils risquent fort de vous prendre en traître. Toutefois, comme je viens de vous le dire, nous n'aurons sans doute pas besoin de nous battre.

Personne ne dit mot, mais Matt Finley acquiesça au nom de tous d'un hochement de tête. Comme les autres, il affichait une mine lugubre. Aucun d'eux n'avait envie de se retrouver face aux sorcières, mais ils s'y résignaient, comprenant qu'ils n'avaient pas d'autre choix s'ils voulaient assurer la sécurité de leurs familles.

– Bien, conclut l'Épouvanteur. Il nous reste peu de temps. Elles se sont rassemblées sur la colline plus tôt que je ne m'y attendais. Ce qui est fait est fait. Assurons-nous du moins que rien de pire ne se produise ! Que Dieu soit avec vous !

Certains se signèrent, d'autres inclinèrent la tête. L'Épouvanteur ne m'avait jamais dit clairement s'il croyait en Dieu ou pas. Néanmoins, c'était la bonne parole à prononcer. L'instant d'après, les villageois quittaient l'église pour s'organiser en petits groupes et se munir de torches ainsi que d'armes improvisées.

22

La bataille de Pendle

Dehors, l'air sentait la pluie. Le tonnerre roula au loin. Un orage s'annonçait.

Nous contournâmes la colline par le sud. Le temps passait ; minuit ne tarderait pas à sonner. Je jetai un regard inquiet vers le sommet où un grand feu illuminait la nuit. Des lueurs rougeoyantes se reflétaient sur les nuées courant bas dans le ciel.

Les hommes du village nous avaient rejoints, équipés de bric et de broc. Nous traversâmes un ruisseau pour atteindre l'endroit choisi par l'Épouvanteur pour notre ultime rassemblement avant l'attaque. De là, le groupe s'étira sur près d'un mille, ce qui nous coûta encore de précieuses minutes. Du

moins les lumières des torches, habilement dissémi-
nées, pourraient-elles berner les sorcières, leur laissant imaginer la présence d'une vraie petite armée.

Malgré le retard où nous avaient mis ces préparatifs, j'avais retrouvé un peu d'optimisme. Deux
douzaines d'hommes nous prêtaient leur secours.
Mon frère James et Matt Finley portaient leur lourd
marteau de forgeron ; quelques-uns étaient armés de
gourdins, d'autres de longs bâtons, et tous avaient
une torche en main. C'était mieux que ce que nous
avions espéré.

Enfin vint l'heure de l'attaque. Les villageois,
alignés sur toute la longueur de la pente est, étaient
prêts à entamer l'ascension. L'Épouvanteur se
tourna vers mon frère :

— James, tu sais ce que tu as à faire. Tiens-toi loin
de nous trois : les créatures ne nous sentiront pas
venir, Tom et moi parce que nous sommes les sep-
tièmes fils d'un septième fils, et Alice parce que
du sang de sorcière coule dans ses veines. Elles ne
devineront notre présence qu'au dernier moment,
quand il sera trop tard. Nous allons monter directement jusqu'au feu. Avec un peu de chance, et en
profitant de la confusion, je capturerai Wurmalde
et la ramènerai en bas, laissant les autres s'enfuir.

James fit signe qu'il avait compris :

— Je suivrai vos conseils, monsieur Gregory. Prenez

soin de Tom ! Bonne chance à tous les trois ! Mes pensées vous accompagnent...

Avec un dernier salut de la main, il entama la montée à grands pas, son lourd marteau sur son épaule. Je frissonnai, nerveux. Notre plan était téméraire. L'Épouvanteur avait assuré aux villageois que les sorcières s'enfuiraient dès le début de l'attaque, et rien n'était moins sûr. Mais, s'il leur avait exposé les risques encourus, ils auraient eu trop peur et nous auraient lâchés.

De fait, les sorcières se défendraient peut-être. Il n'y avait pas seulement, là-haut, trois conventus de treize membres ; la totalité des clans étaient réunis, soit au moins une centaine de personnes. S'il fallait se battre, nous serions submergés sous le nombre. Je craignais pour mon maître et pour Alice. Et j'avais peur pour James. L'aîné de mes frères avait déjà été sérieusement blessé. Je ne voulais pas qu'il arrive quoi que ce soit au deuxième.

– À présent, dit l'Épouvanteur, avançons le plus près possible de ce feu. Bien que je compte sur les autres pour détourner l'attention, soyons aussi discrets que des souris d'église. L'élément de surprise sera primordial.

Cela dit, il se mit en route. Je marchai derrière lui, content de sentir mon bâton dans ma main, Alice sur mes talons. La pente était abrupte, le sol inégal. Il était facile de se tordre une cheville, dans l'obscurité. L'Épouvanteur m'avait prévenu que le plateau, au sommet, était tout aussi traître. Il avait beaucoup plu sur Pendle, rendant le terrain spongieux. Du moins une chose était-elle à notre avantage : la bruyère.

Elle poussait à profusion, en buissons épais, offrant une bonne protection. L'Épouvanteur se retourna et, d'une pression sur l'épaule, m'ordonna de me mettre à genoux.

Nous continuâmes en rampant ; mon pantalon fut bientôt trempé. Devant nous, le ciel rougeoyait. Je voyais déjà les étincelles monter du brasier qui ronflait, attisé par le vent d'ouest.

L'Épouvanteur s'arrêta et me fit signe de me rapprocher. Alice vint s'allonger près de moi. Le feu était devant nous, et ce que je découvris balaya tous mes espoirs. Jamais nous ne détruirions les clans de Pendle : ils étaient trop nombreux !

À notre droite, j'estimai au moins à deux cents les sorcières et leurs hommes, disposés en arc de cercle, fixant le feu. Tous étaient armés jusqu'aux dents. Des femmes portaient leurs couteaux à la ceinture, d'autres les brandissaient sauvagement, et ils étincelaient à la lueur des flammes. Les hommes tenaient de longs bâtons terminés par une lame ou par un crochet d'aspect redoutable.

De l'autre côté du feu, la haute et menaçante silhouette de Wurmalde faisait face à l'assemblée. Elle était entourée de quatre sorcières ; l'une d'elles était Mab. Wurmalde s'adressait aux clans avec des gestes théâtraux. Le vent m'apportait le son de sa voix, mais j'étais encore trop loin pour saisir ses paroles.

Apparemment, le rituel n'était pas entamé. Des moutons rôtissaient, enfilés sur des broches, et je remarquai des tonneaux de bière, à croire qu'un festin était prévu.

En chuchotant – bien qu'il fût fort improbable qu'on puisse m'entendre dans le brouhaha –, je demandai :

– Je vois Mab, mais qui sont les trois autres sorcières ?

Ce fut Alice qui répondit :

– À sa droite, il y a Anne Malkin, la chef du clan. Près d'elle se tient la vieille Florence, qui dirige les Deane. Elle est fort avancée en âge, on n'a pas grand-chose à craindre d'elle. On a sûrement dû la porter jusqu'ici. La troisième est Grimalkin, la tortionnaire.

Ce nom me donna la chair de poule. C'était elle la tueuse à qui Wurmalde avait menacé d'abandonner Jack et sa famille, celle qui gravait sur les arbres son signe cruel : les ciseaux !

Enfin, Wurmalde se tut. Presque aussitôt, l'assemblée se rua sur les tonneaux de bière et les bêtes rôties. Si les ripailles commençaient, cela signifiait-il que le rituel était déjà accompli ?

– Je n'aime pas ça..., grommela l'Épouvanteur, comme s'il avait lu dans mon esprit. J'ai bien peur que nous arrivions trop tard...

Ce fut bientôt une véritable débauche de boisson et de viandes. Je contemplais ce spectacle, aussi dégoûté que consterné. Le Démon avait-il franchi le portail ? Auquel cas, il rassemblait ses forces ; dans peu de temps, il serait à mes trousses.

Soudain, une vieille, sans doute chargée de surveiller les alentours, surgit en courant. Ce qu'elle annonça apaisa aussitôt le tumulte. Des sorcières allèrent se poster dos au feu, scrutant la nuit vers le nord et l'est ; certaines semblèrent même regarder dans notre direction. J'avais beau les savoir incapables de nous flairer à cette distance, je me recroquevillai sur moi-même, les nerfs à vif.

Alors, en dessous de nous, j'aperçus les torches montant vers le sommet. L'Épouvanteur avait vu juste : les villageois dispersés à travers la colline donnaient l'illusion d'une armée en marche. Les sorcières s'y laisseraient-elles prendre ? Les clans étaient en alerte, à présent. D'autres sentinelles revenaient faire leur rapport.

Quelques instants plus tard, l'assemblée esquissa un mouvement de repli. Hommes et femmes se serraient les uns contre les autres, certains s'enfuyaient déjà vers la pente ouest, comme pour mieux se fondre dans l'obscurité. C'est alors que tout bascula...

Lorsque les villageois atteignirent le plateau, leur pitoyable petit nombre apparut avec évidence. Découvrant la horde armée qui leur faisait face, ils ralentissaient à chaque pas. Les sorcières se mirent à les conspuer, brandissant leurs armes et avançant d'un air menaçant. Tout était perdu.

Je me demandais comment l'Épouvanteur allait réagir. Je ne l'imaginais pas restant caché dans l'ombre pendant que les hommes du village se feraient massacrer. Même si c'était une lutte sans espoir, il allait nous entraîner d'une seconde à l'autre, Alice et moi, dans la bataille.

Les villageois s'étaient arrêtés, formant une ligne incertaine. Je m'attendais à les voir tourner les talons et dévaler la pente. Une voix virile rugit alors un ordre. Stupéfait, je vis un grand type bondir hors du rang et s'élancer vers les sorcières en brandissant un marteau. Je crus d'abord que c'était Matt Finley. Puis je le reconnus : c'était mon frère James. Il courait droit devant lui, la boue jaillissant du sol gorgé d'eau sous ses lourdes bottes. Les éclaboussures se teintaient de rouge et d'orange comme s'il foulait le feu, ou comme si ses bottes elles-mêmes jetaient des flammes dans les ténèbres.

Les villageois se rassemblèrent derrière lui et le suivirent d'un seul élan. Par un heureux hasard, ou par quelque instinct de guerrier soudain éveillé, ils s'étaient disposés en forme de fer de lance, qui s'enfonça dans la masse de leurs adversaires, coupant leur groupe en deux. James était la pointe de cette lance. Je voyais son marteau s'abattre sur les crânes, j'entendais les cris perçants des sorcières se lançant dans la bataille.

Je craignis pour James. Combien de temps tiendrait-il, environné par autant d'assaillants ? Mais, avant que la peur ne m'eût submergé, l'Épouvanteur me toucha l'épaule.

– Viens, petit ! C'est le moment ou jamais.

S'adressant à Alice, il ordonna :

– Toi, jeune fille, tu restes ici. Si les choses tournent mal, tu es la dernière qui doive tomber entre leurs mains.

Sur ces mots, il s'élança. Je fis de même, et Alice, ignorant sa recommandation, resta à ma droite. La chance, alors, fut avec nous. Grimalkin, la meurtrière, rejoignit le combat. Il n'y avait plus, derrière le feu, que quatre sorcières : Wurmalde, Mab, la vieille Florence et Anne Malkin.

Nous étions presque sur elles quand elles perçurent le danger. Nous étions tout près, si près... Dans une seconde, l'Épouvanteur allait jeter sa chaîne d'argent sur Wurmalde et la traîner au bas de la colline, tandis que je couvrirais ses arrières.

Hélas, ce ne fut pas le cas. Wurmalde cria un ordre d'une voix aiguë ; les combattants les plus proches du feu se ruèrent entre nous et les quatre autres.

L'Épouvanteur ne ralentit pas pour autant. Il flanqua une sorcière à terre d'un vif mouvement de bâton. L'assaillant suivant était un homme de la taille d'un ours qui brandissait un énorme coutelas. Cette fois, mon maître utilisa la pointe de son arme. La lame rétractable en jaillit, et la brute s'écroula. Mais nous étions encerclés. Je balançais désespérément mon bâton, l'espoir m'abandonnant peu à peu. Nos adversaires étaient trop nombreux.

Deux sorcières se plantèrent devant moi. L'une agrippa le bout de mon bâton, grimaçant de douleur au contact du bois de sorbier ; la deuxième, une flamme cruelle dans le regard, visa ma poitrine de la lame acérée de son couteau. Du bras droit, je tentai de dévier le coup, sachant qu'il était trop tard.

Or, la lame n'atteignit pas sa cible. Une masse sombre passa au-dessus de ma tête, une rafale de vent me gifla le visage, et la sorcière, hurlante, fut soulevée de terre et propulsée loin de moi. Elle tomba sur le bord du brasier, projetant autour d'elle une pluie d'étincelles.

Je levai les yeux et découvris la deuxième lamia qui planait vers moi. Je lus la mort dans la lueur féroce de ses yeux. Au même moment, un éclair illumina le ciel, et je vis par transparence le fin réseau de veines irriguant ses ailes. Ses serres acérées se refermèrent sur le bras de l'autre sorcière, l'obligeant à lâcher mon bâton. Puis les deux ailes se mirent à battre si vite qu'elles en devinrent floues. Les terribles griffes saisirent l'assaillante et l'emportèrent.

Dans les clans affolés, ce fut la débandade. Tous fuyaient, les bras au-dessus de la tête dans un geste dérisoire pour se protéger. L'air résonnait de hurlements de douleur et de terreur.

Je cherchai l'Épouvanteur du regard ; il poursuivait Wurmalde. Alice était invisible.

Wurmalde était la clé de tout ; c'était elle qui avait réuni les clans. Je m'élançai donc derrière mon maître. Il pouvait avoir besoin d'aide. J'avais toujours mon bâton et ma chaîne. Si nécessaire, je serais peut-être capable de capturer moi-même la sorcière.

Les vannes du ciel s'ouvrirent alors, et des trombes d'eau se déversèrent, poussées par le vent d'ouest. Nous fûmes obligés de ralentir ; la pente était abrupte et rendue glissante par la pluie. Je manquais sans cesse de perdre l'équilibre et me dirigeais à l'aveuglette dans les ténèbres. Enfin, j'aperçus au loin deux points de lumière. Mais, quand un éclair illumina la colline, je ne vis aucune trace de Wurmalde. L'Épouvanteur m'avait distancé. Au bout d'une course désespérée, la déclivité se fit moins raide. Un nouvel éclair me montra la sorcière, qui avait encore une bonne avance sur l'Épouvanteur.

Un peu plus bas, le long d'un étroit sentier, son carrosse noir l'attendait. Les petites lumières, c'était les lanternes, allumées de chaque côté du cocher. L'homme, penché sur son siège, guettait l'arrivante.

À présent que le sol était à peu près uni, la poursuite prit un rythme accéléré. L'Épouvanteur me précédait toujours, son long manteau flottant derrière lui. Ses jambes semblaient voler au-dessus de l'herbe, et j'avais beaucoup de mal à tenir la distance. Il gagnait peu à peu du terrain, malgré les efforts désespérés de la sorcière pour rejoindre son carrosse.

Je reconnus Cobden, sur le siège du cocher. Il jetait de temps à autre un regard en arrière. Il observa les nuages bas qui couraient dans le ciel, son fouet levé, prêt à lâcher la bride à l'attelage.

Au moment où Wurmalde agrippait la poignée pour ouvrir la porte du véhicule, elle dérapa et perdit l'équilibre. Mais, une seconde plus tard, elle était à l'intérieur. L'Épouvanteur avait atteint le carrosse. Il refermait la main sur la poignée en brandissant son bâton quand Cobden fit claquer son fouet. Avec un hennissement de douleur, les chevaux s'élancèrent au grand galop, tandis que mon maître s'arrêtait, hors d'haleine.

– Elle est partie ! lâcha-t-il quand je le rejoignis, secouant la tête de frustration. Je la tenais presque ! La voilà libre de recommencer ses maléfices !

Or, il se trompait. À la lueur d'un éclair, une masse noire surgit de la nuit. Elle décrivit un cercle autour du carrosse et attaqua Cobden d'un coup de patte. Il perdit l'équilibre, bascula en avant, tomba entre les chevaux. Les lourds sabots le martelèrent avant que les roues passent sur lui. Son dernier cri se perdit dans le grondement du tonnerre.

La bride sur le cou, les bêtes affolées s'emballèrent. La forme sombre plongea de nouveau et atterrit lourdement sur le toit du véhicule. J'entendis dans le noir les griffes puissantes lacérer le bois jusqu'à ce qu'un nouveau coup de tonnerre retentisse. J'avais observé ce carrosse à la lumière de la lune, et je savais qu'il était solidement construit.

À présent, dans la lueur des éclairs successifs, je le voyais se fendre et se briser telle une coquille d'œuf. Puis la lamia reprit les airs, d'un vol étrangement pesant. Décrivant de lentes spirales, elle s'éleva peu à peu, tandis que les chevaux, fous de terreur, emportaient les débris du carrosse ballottant d'un côté et de l'autre, près de se renverser.

Je m'étais tenu tout près du canon qui avait tiré sur la tour Malkin ; son grondement formidable m'avait rendu sourd de longues minutes. Mais ce n'était rien à côté de ce que les éléments déchaînés nous firent alors subir. Des éclairs fourchus sillonnèrent le ciel, la foudre s'abattit avec fracas, comme si les canons de Dieu vomissaient leur colère sur les sorcières de Pendle.

Levant les yeux, je vis que la lamia transportait Wurmalde, ses ailes d'insecte luttant désespérément, jusqu'à ce qu'un souffle de vent l'aide à prendre de la hauteur. Elle se dirigeait vers le sud de la colline.

– Gore Roc ! me cria l'Épouvanteur, sa voix à peine audible dans le tumulte.

D'abord, je ne compris pas ce qu'il voulait dire. Mais, à cet instant, la lamia lâcha Wurmalde. Elle tomba, et son hurlement me parvint à travers les tourbillons du vent. Lorsque son corps heurta le rocher, un coup de tonnerre éclata, et je sus que tout était terminé. Je suivis mon maître jusqu'à ce lieu de sacrifice.

– Reste ici, petit, me commanda l'Épouvanteur avant de s'approcher.

Il n'eut pas besoin de me le dire deux fois ; ce ne devait pas être beau à voir. Je l'attendis donc, frissonnant.

– Pour l'immortalité, c'est raté, fit-il d'un ton lugubre lorsqu'il revint. C'est fini. Elle ne fera plus de mal.

Hélas, non, ce n'était pas fini. Ce que je craignais le plus me fut confirmé lorsque nous rejoignîmes les villageois descendant de la colline. Alice marchait parmi eux, boitant fortement.

– Ça va ? m'inquiétai-je.

– Ce n'est rien, Tom. Je me suis tordu la cheville en courant dans la pente...

Je m'aperçus soudain que mon frère n'était pas là. Avant qu'Alice ait pu ajouter quoi que ce soit, je devinai, à l'expression de son visage, qu'une chose terrible était survenue.

– James ? fis-je, horrifié à l'idée de ce que j'allais apprendre.

– Non, Tom, me rassura-t-elle. James va bien. Il ne souffre que de quelques coupures et hématomes. Il aide à transporter les blessés au village. C'est toi, Tom. Tu es en grand danger. Je n'ai pas réussi à attraper Mab ; elle s'est échappée. Mais pas avant de m'avoir crié qu'ils avaient gagné, qu'ils avaient accompli le rituel à Gore Roc, au coucher du soleil. Je la crois, Tom. Quand nous avons escaladé la colline, c'était fait.

Elle eut une grimace angoissée :

– Le Diable a franchi le portail. Il est entré dans notre monde, et c'est pour toi qu'il est venu. Cours,

Tom ! Cours, je t'en supplie ! Retourne à la ferme ! Va te réfugier dans la chambre de ta mère, avant qu'il soit trop tard !

– La fille a raison, déclara l'Épouvanteur. Aucun abri n'est sûr pour toi, ici. Et les deux lamias ne sont pas de force contre ce qui va surgir. J'ignore de quel délai tu disposes. Il faudra un peu de temps au Démon pour s'adapter et rassembler ses forces. Après quoi, il se lancera à tes trousses. Tiens, prends mon bâton ! N'hésite pas à faire usage de la lame contre quiconque se mettrait en travers de ton chemin ! Nous te suivrons aussitôt après avoir mis les choses en ordre ici. Tu t'enfermeras dans cette pièce jusqu'à ce que tout danger soit écarté.

– Et comment saurai-je que je peux sortir ?

– Suis ton intuition, petit ! Tu sauras si le moment est venu ou non. Tu te souviens des paroles de la créature ? Ces suppôts de l'obscur mentent souvent. Cependant je subodore que Tibb disait la vérité quand il soulignait les limites du pouvoir des sorcières : le Démon ne sera soumis à leur volonté que pendant deux jours. Dès le troisième jour, il s'adonnera à ses propres maléfices et te laissera tranquille. Il faut que tu survives deux jours ! Allez, file !

Nous échangeâmes donc nos bâtons et, sans un regard en arrière, je m'élançai. Ainsi, maman avait vu juste. Le Diable allait arpenter la Terre. J'étais terrifié, désespéré, mais j'avançais à grands pas, m'efforçant de garder un rythme soutenu, car la route était longue jusqu'à la ferme de mon frère.

23
Lune de sang

Je m'éloignai le plus possible de la colline. Les sorcières avaient abandonné le sommet ; les unes ou les autres pouvaient se mettre en travers de mon chemin, et j'avais hâte de quitter le district de Pendle.

L'orage s'apaisait. Les éclairs étaient moins nombreux, le roulement du tonnerre s'éloignait. L'obscurité m'était autant une alliée qu'une ennemie. Elle servait ma traversée secrète du territoire des sorcières, mais le Diable en personne pouvait s'y dissimuler.

Le sentier s'engageait dans un bois noir. Je m'arrêtai pour écouter. Le vent s'était tu, tout était calme et silencieux, pas une feuille ne bougeait. Cependant mon instinct m'alertait : un danger était là, tapi sous les arbres. Par prudence, je décidai de contourner l'endroit. Inutilement. Ce qui me guettait là n'avait pas l'intention de me laisser échapper.

Une silhouette sombre surgit de derrière un vieux chêne et me barra le passage. Tremblant, je levai le bâton de l'Épouvanteur et fis jaillir la lame.

La pâle figure qui me fixait dans l'obscurité me parut soudain familière. Avant même qu'elle ait prononcé un mot, j'avais reconnu Mab Mouldheel.

– Je suis venue te dire au revoir, dit-elle doucement. Tu aurais pu être à moi, Tom, et rien de tout ça ne serait arrivé. Tu aurais été en sécurité ; tu n'aurais pas eu besoin de fuir comme tu le fais pour protéger ta vie. À nous deux, on se serait débarrassés des Malkin une fois pour toutes. C'est trop tard, maintenant. Tu seras bientôt mort. Il te reste quelques heures, pas plus.

– Tu ne sais pas tout, répliquai-je avec colère. Ôte-toi de mon chemin, sinon...

Je la menaçai de mon bâton, mais elle se contenta de rire :

– Je sais où tu vas ; ce n'est pas difficile à deviner. Tu crois que la chambre de ta mère te protégera ? N'en sois pas si certain ! Rien n'arrête ce bon Satan !

Sa volonté sera faite, sur la Terre comme aux Enfers ! Le monde lui appartenait dans les temps anciens, il lui revient à présent. Il en fera ce qu'il voudra. Il est notre roi, et personne ne lui résistera.

– Comment peux-tu faire ça ? grondai-je. Le Démon est impossible à contrôler, c'est toi qui me l'as dit. Il te tiendra entre ses griffes, comme il tiendra la Terre entière. Je ne comprends pas pourquoi tu t'es mêlée à pareille folie !

– Pourquoi ? explosa Mab. Tu me demandes pourquoi ? Parce que tu comptes pour moi, Tom ! Parce que je t'aime !

Je restai abasourdi. Dans sa bouche, le verbe *aimer* était le dernier auquel je m'attendais. Il y eut un bref instant de silence, puis Mab déversa un torrent de mots :

– Je t'ai fait confiance, et tu m'as trahie. Maintenant, nous sommes condamnés l'un et l'autre, et je me fiche de ce qui va t'arriver. Même si tu échappes au Démon, tu ne retourneras jamais chez toi. Tu seras tué avant. Les Malkin y veilleront. Elles veulent ta mort. Pour être sûres de leur coup, elles ont jeté la vieille Grimalkin à tes trousses. Elle te suit à la trace ; elle ne doit plus être bien loin. Avec un peu de chance, elle te tuera vite, sans t'infliger trop de souffrances. Retourne donc sur tes pas, car mieux vaut en avoir fini tout de suite. Si tu lui rends la

poursuite difficile, elle te le fera payer. Tu connaîtras une longue et douloureuse agonie.

J'inspirai profondément avant de répliquer :

— Tâche de t'en persuader, Mab ! Car, si j'en
réchappe, tu le regretteras. Un jour, je reviendrai à
Pendle. Pour toi. Et tu passeras le reste de ton existence au fond d'une fosse, à te nourrir de vers !

Je m'élançai dans le noir, courant pour sauver ma
vie, croyant à chaque foulée sentir dans mon dos le
souffle de Grimalkin.

De temps en temps, j'étais forcé de me reposer.
Cette course folle me desséchait la gorge, et je m'ar-
rêtais parfois pour boire à un ruisseau. Je ne pouvais
me permettre de m'attarder, car, à ce qu'on disait,
Grimalkin était forte et infatigable. Ma connaissance
du Comté aurait pu être un avantage, mais prendre
des raccourcis ne me servirait à rien. Grimalkin était
d'ici, elle aussi. C'était une tueuse, capable de
flairer ma trace sur le plus écarté des sentiers.

Bientôt, ma situation me parut empirer. J'avais
eu plus d'une fois d'excellentes raisons de trembler,
depuis que j'étais l'apprenti de l'Épouvanteur. Présen-
tement, j'en avais deux : Grimalkin à mes trousses
et la menace perpétrée par Wurmalde et les trois
clans de sorcières. Or, il y avait pire. Je ressentais
une terrible anxiété, une peur mortelle, un affreux

pressentiment, de ceux que l'on éprouve dans certains cauchemars. Il avait fallu si peu de jours pour que le monde que j'avais toujours connu basculât !

Tandis que je fuyais vers la ferme, un danger invisible me poursuivait. Et je savais que rien ne serait plus comme avant.

Tel était le premier signe de l'horreur qui approchait. Le second concernait mon sens de la durée. De jour comme de nuit, j'avais toujours estimé l'heure à quelques minutes près, en observant la position du soleil et des étoiles. Même si les astres étaient cachés, je la devinais d'instinct. Or, ce que me disait mon esprit ne correspondait pas à ce que je voyais. L'aube aurait dû se lever, mais le soleil n'apparaissait pas. Alors qu'à l'est l'horizon ne s'éclairait d'aucune lueur, pas une étoile ne brillait. Pas une ! Pourtant, le ciel était sans nuages – le vent les avait dispersés. C'était impossible. Du moins, dans le monde tel qu'il avait toujours été...

En revanche, bas dans le ciel, voguait un astre qui n'aurait pas dû être là. La lune sur son déclin pointe ses deux cornes vers la droite ; c'était ainsi qu'elle m'était apparue la veille, avant que l'orage ne s'abatte sur Pendle. Aujourd'hui, elle aurait dû être tout à fait invisible. Pourquoi une lune parfaitement ronde montait-elle lentement à l'est ? Une pleine lune couleur de sang ?

Il n'y avait pas un souffle de vent, pas un bruissement de feuille. À croire que la terre retenait son souffle, et que j'étais le dernier être vivant à bouger et respirer à sa surface. Il se mit à faire affreusement froid. Une vapeur sortait de ma bouche dans l'air glacé ; l'herbe se couvrait de gelée blanche. De la gelée blanche en août !

Fonçant à perdre haleine vers la ferme, je n'entendais que le choc sourd de mes bottes qui martelaient le sol durci.

Il me semblait avoir couru pendant une éternité quand j'aperçus enfin, devant moi, la colline du Pendu. Au-delà, c'étaient nos terres. J'étais si près, maintenant, si près du refuge que maman m'avait préparé ! Mais la lune sanglante baignait toutes choses de sa lumière funeste. Et les pendus m'attendaient. Elles étaient là, les ombres d'hommes exécutés des années auparavant, pendant la guerre civile qui avait déchiré le pays, divisant les familles, dressant le frère contre le frère, le fils contre le père.

Ces ombres, l'Épouvanteur m'avait confronté à elles dès les premiers instants de mon apprentissage, le matin où nous quittions la ferme ensemble. Enfant, j'entendais leurs plaintes depuis ma chambre. Je les avais toujours connues là. Or, même quand je les avais affrontées en compagnie de mon maître, jamais elles ne m'avaient paru si présentes, si réelles. Les pendus tournaient lentement, hoquetant, s'étranglant. Leurs yeux brillaient de lueurs accusatrices, ils me criaient que c'était ma faute s'ils étaient accrochés à ces branches, une corde au cou.

Je me rappelai la première leçon de l'Épouvanteur : il ne s'agissait pas de fantômes mais d'ombres, simples traces d'âmes parties dans un monde meilleur. Pourtant, elles me fixaient, et leur regard me glaçait jusqu'aux os.

Soudain, un bruit me fit tressaillir, celui de pieds frappant la terre gelée. Quelqu'un escaladait la pente de la colline.

Grimalkin était derrière moi, et elle venait pour me tuer.

24

Désespoir

L a sorcière était à mes trousses, et elle gagnait du terrain.

Je courais à perdre haleine, cherchant désespérément à lui échapper. Des branches me fouettaient le visage, des doigts morts me caressaient le front. Les doigts des ombres, les doigts des pendus...

Les ombres ne sont que des fantasmes, des images sans substance. Mais elles puisent dans la peur des vivants force et consistance ; et j'étais terrifié. La sorcière tueuse me terrifiait, la mort qui me poursuivait sous ces arbres me terrifiait. Et ma terreur nourrissait l'obscur.

Je n'en pouvais plus. J'obligeai pourtant mes jambes à me porter jusqu'au sommet de la colline.

Si j'y parvenais, j'avais un faible espoir de m'échapper. La descente serait plus facile. À la sortie du bois se dressait la clôture qui bordait nos pâturages. Une fois cette limite franchie, je ne serais plus qu'à un demi-mille à peine de notre cour et de la porte de la cuisine. Grimper deux étages, tourner la clé dans la serrure, entrer dans la chambre de maman, refermer la porte, et j'étais sauvé. En aurais-je le temps ?

Grimalkin pouvait me tirer en arrière au moment où je sautais la barrière. Elle pouvait me rattraper au milieu de la pâture, ou dans la cour. En supposant que je grimpe jusqu'au grenier, il me faudrait le temps d'ouvrir la porte. J'imaginais mes doigts tremblants essayant d'introduire la clé dans la serrure, tandis que les pas de la sorcière résonnaient dans l'escalier.

Atteindrais-je seulement la barrière ? Je la voyais se rapprocher ; j'y étais presque. La sorcière dévalait la pente derrière moi. *Fais demi-tour et bats-toi !* me dit une voix dans ma tête. *Mieux vaut affronter l'adversaire de face que d'être poignardé dans le dos !* Mais avais-je la moindre chance contre une meurtrière exercée, une sorcière qui avait mis tous ses talents dans l'art de tuer ?

Ma main droite crispée sur le bâton de l'Épouvanteur, ma main gauche serrée sur ma chaîne d'argent, enroulée autour de mon poignet et prête à l'usage, je continuai de courir. La lune déversait sa lumière sanglante à travers le feuillage. J'avais presque atteint l'orée du bois, quand j'entendis la créature haleter dans mon dos.

Comme je sortais du couvert des arbres, la sorcière bifurqua soudain et m'attaqua de flanc, un poignard dans chaque main. Les lames nues jetèrent un éclair rouge. Je reculai vivement et lançai ma chaîne. Hélas, mes heures d'entraînement ne me servirent à rien. J'étais trop épuisé, trop affolé. La chaîne tomba dans l'herbe, inutile. Dans un sursaut désespéré, je fis face.

J'étais perdu, et je le savais. À peine avais-je encore la force de brandir le bâton de l'Épouvanteur. Mon cœur tambourinait contre mes côtes ; chaque inspiration me déchirait la poitrine, la tête me tournait.

Je vis alors Grimalkin pour la première fois. Elle était vêtue d'un sarrau noir noué à la taille ; sa jupe ouverte en deux était attachée autour de ses jambes pour lui permettre de courir aisément. Des lanières de cuir se croisaient autour de sa poitrine. Des fourreaux y pendaient, contenant des lames de toutes les tailles, des crochets, des outils divers...

Je me souvenais des ciseaux gravés sur le tronc du chêne, un instrument conçu pour tailler la chair et les os ! Or, la sorcière portait au cou un collier d'ossements – des phalanges humaines. D'autres pendaient à ses oreilles. Les trophées pris sur les malheureux qu'elle avait massacrés.

Étrangement, je lui trouvai une sorte de beauté cruelle, sauvage. J'en avais des picotements dans les gencives. Lorsque ses lèvres peintes en noir s'entrouvrirent en un simulacre de sourire, je découvris ses dents aiguisées en pointes. Et les paroles de Tibb me revinrent en mémoire.

Je regardais dans la bouche de la mort.

– Tu me déçois, dit Grimalkin en s'adossant au tronc d'un arbre.

Elle tenait ses couteaux devant elle, les longues lames croisées à la hauteur de ses genoux.

– J'ai tellement entendu parler de toi que, en dépit de ta jeunesse, j'espérais mieux. Mais tu n'es qu'un gamin, je le vois, peu digne de mes talents. Quel dommage que je ne puisse attendre que tu deviennes un homme.

Puisant dans cette réflexion une faible lueur d'espoir, je suppliai :

– En ce cas, laissez-moi aller ! On m'a dit que vous aimiez tuer des victimes qui vous résistent. Pourquoi ne patientez-vous pas ? Quand j'aurai grandi, quand j'aurai appris à me battre, nous nous retrouverons. Laissez-moi vivre !

Elle secoua la tête, une vraie tristesse au fond des yeux :

– Je fais ce qui doit être fait. J'aurais préféré que ce soit différent, mais...

Elle lâcha l'arme qu'elle avait dans sa main gauche, et la lame se ficha dans le sol. Puis elle tendit le bras, comme pour m'attirer contre elle :

– Approche, mon enfant. Pose ton front contre ma poitrine et ferme les yeux. Ce sera rapide. Tu ressentiras une brève douleur à ton cou, aussi douce que le baiser d'une mère, et ta lutte contre cette vie si dure sera terminée. Fais-moi confiance. Je vais te donner la paix...

J'inclinai la tête en signe d'assentiment et m'avançai d'un pas, le cœur battant. Au deuxième pas, un flot de larmes me coula sur les joues, et je l'entendis soupirer. Je fis alors passer le bâton de l'Épouvanteur de ma main droite à ma main gauche. Et, rassemblant mes ultimes forces, je lui enfonçai la lame dans l'épaule, la clouant au tronc de l'arbre.

Elle n'émit pas le moindre son. La douleur devait être terrible ; pourtant, sa seule réaction fut un léger pincement des lèvres. Je lâchai la hampe de mon arme, qui se mit à osciller, et m'enfuis en courant. La lame s'était profondément enfoncée dans le bois, et le bâton était en sorbier. La sorcière ne se libérerait qu'au prix de pénibles efforts. J'avais une chance de me réfugier à temps dans la chambre de maman.

Je n'avais pas fait trois pas que mon instinct me força à me retourner. Grimalkin levait sa main droite, celle qui tenait encore un couteau. Avec une force et une rapidité stupéfiantes, elle me le lança à la tête. Je le vis filer vers moi comme au ralenti, rougeoyant dans la lumière de la lune. Rien ne pouvait le dévier de sa cible.

Ce que je fis fut totalement inconscient. Je me concentrai, toute mon énergie focalisée sur le projectile. Et je le saisis au vol. Ma main se referma sur le manche de bois, puis je laissai l'arme tomber dans l'herbe. L'instant d'après, je franchissais la barrière et traversais la pâture en hâte.

La cour de la ferme était déserte, silencieuse. Notre voisin, M. Wilkinson, s'étant chargé des troupeaux et des chiens de mon frère, la chose n'avait rien d'étonnant. Néanmoins, je ressentais un pénible malaise. Une pensée angoissante me vint à l'esprit : et si le Démon était déjà là ? S'il se tenait tapi dans un coin, s'apprêtant à me sauter dessus dès que je monterais l'escalier ?

Repoussant de mon mieux cette idée, je longeai la grange brûlée et marchai vers la porte de la cuisine. Le mur aurait dû être couvert à profusion de roses rouges. Les roses de maman. Mais les fleurs, desséchées, noircies, pendaient au bout de leurs tiges. Maman n'était pas là pour m'accueillir, ni papa. Ce qui avait été mon foyer ressemblait à une maison de cauchemar.

Je m'arrêtai pour écouter. Aucun bruit. Je pénétrai dans la cuisine et escaladai les marches quatre à quatre jusqu'à la chambre de maman. Ôtant de mon cou le lacet qui retenait les clés, j'introduisis la plus grande dans la serrure, les mains tremblantes. Une fois entré, je verrouillai la porte derrière moi et m'adossai contre le battant pour reprendre mon souffle. J'examinai la pièce vide, le plancher nu. Il faisait plus chaud ici que dehors. Je retrouvai la tiédeur habituelle d'une nuit d'été. J'étais en sécurité. En sécurité ?

Cette chambre avait-elle vraiment le pouvoir de me protéger contre Satan en personne ? Je commençai à en douter quand une phrase de maman me revint en mémoire : *Si tu fais preuve de courage, si ton cœur reste pur, ce lieu sera une forteresse contre l'obscur...*

Je me montrais aussi courageux que possible, dans ces sinistres circonstances. Je n'étais pas sans peur, mais qui l'aurait été ? Seule l'allusion à mon cœur pur me troublait. Ces derniers temps, j'avais beaucoup changé. Insensiblement, la volonté de survivre m'avait poussé à trahir les principes dans lesquels j'avais été élevé. Mon père m'avait enseigné à n'avoir qu'une parole ; or, je n'avais jamais eu l'intention de respecter le marché passé avec Mab. Pour de bonnes raisons, certes. Cependant, je l'avais trompée. Et le plus étrange, c'était qu'elle, Mab, qui appartenait à l'obscur, tenait ses engagements.

Et puis, il y avait Grimalkin. Elle avait son propre code d'honneur, et pour la vaincre, j'avais usé de fourberie. Était-ce l'explication de mes larmes soudaines, quand j'avais fait mine de consentir à sa mortelle étreinte ? Une émotion incontrôlable m'avait submergé. Et Grimalkin avait baissé sa garde, croyant sans doute que je pleurais de peur.

Et si j'avais versé des larmes de honte ? Parce que je m'éloignais encore de ce que mon père attendait de moi ? Si mon âme avait perdu sa pureté, la chambre ne me protégerait pas, et mes mensonges n'auraient qu'un peu retardé le moment de mon anéantissement.

J'allai à la fenêtre. Elle donnait sur la cour, et, sous la lumière rouge de la lune, je voyais les ruines noircies de la grange, les enclos vides et la pâture qui s'étendait jusqu'au pied de la colline du Pendu. Rien ne bougeait.

Je revins au centre de la pièce. Ma nervosité grandissait. Verrais-je le Démon approcher ? Et, si oui, sous quelle apparence ? À moins qu'il ne se matérialise brusquement sous mes yeux ? À peine cette idée m'avait-elle traversé que montèrent du dehors des bruits effroyables – des coups violents frappés contre les murs –, et la maison trembla. Le Démon ? Tentait-il d'entrer ? De creuser une brèche entre les pierres ?

Puis un martèlement sourd retentit au-dessus de ma tête : on marchait sur le toit. Des tuiles s'écrasèrent dans la cour. Je perçus des grognements, des mugissements, semblables à ceux d'un taureau en colère. Je me précipitai de nouveau à la fenêtre, mais ne vis rien, rien du tout.

Le vacarme cessa aussi soudainement qu'il avait commencé. Dans le profond silence qui suivit, la maison me parut retenir son souffle. Les bruits reprirent, à l'intérieur, cette fois.

En bas, dans la cuisine, on fracassait de la vaisselle, on renversait le contenu des tiroirs ; des couteaux rebondissaient sur le carrelage. Cela cessa aussi. Alors monta le grincement rythmique et familier du rocking-chair de maman. Je l'avais tant de fois entendu lorsque j'étais enfant ! Mon cœur bondit : elle était revenue ! Maman accourait à mon secours, et tout irait bien, à présent !

J'aurais dû avoir confiance. Jamais elle ne m'aurait laissé affronter seul de telles horreurs. Je saisis ma clé, prêt à déverrouiller la serrure et à m'élancer dans l'escalier. À la dernière seconde, je me souvins que le fauteuil de maman avait été mis en pièces par les sorcières quand elles avaient dévasté la maison. La vaisselle avait déjà été brisée, les couverts dispersés sur le carrelage.

Ce n'étaient que des bruits trompeurs, créés pour m'attirer hors de mon refuge.

Les grincements se turent à leur tour, et un autre bruit s'éleva, plus proche, dans l'escalier. Un claquement de pattes sur les marches, accompagné d'un grondement rauque et plein de rage.

Des griffes se mirent à gratter derrière le battant, timidement, d'abord, comme un chien attiré par une odeur alléchante cherche à se faire admettre dans la cuisine. Puis le mouvement s'exaspéra, au point que je craignis que le bois, déchiqueté, volât en morceaux.

Ce qui était là, sur le palier, était beaucoup plus gros qu'un chien, je le sentais. Une puanteur de mort et de décomposition assaillit mes narines. Horrifié, je reculai au fond de la pièce à l'instant où une masse se jetait lourdement contre la porte, qui gémit et plia sous la pression. Je m'attendais à chaque seconde à la voir se briser ou s'ouvrir à la volée. Mais la chose, derrière, se découragea, et je n'entendis plus qu'une respiration haletante.

Ce bruit lui-même finit par s'éloigner, et je commençai à croire à l'efficacité de la protection créée par maman. Peut-être étais-je sauvé, après tout ; le Démon lui-même ne pouvait m'atteindre.

Ma peur reflua lentement, remplacée par une immense lassitude. J'étais si épuisé que j'arrivais difficilement à garder les yeux ouverts. Je m'étendis sur le dur plancher de bois. En dépit de l'inconfort, je sombrai dans un profond sommeil.

Avais-je dormi quelques heures ou quelques minutes, je n'aurais su le dire ; mais, quand je m'éveillai, rien n'avait changé. Derrière la fenêtre s'étendait le même paysage de cauchemar, immobile, lugubre, hors du temps. Non, il y avait au moins un changement : le sol était recouvert de gelée blanche ! La lune rouge allait-elle luire dans le ciel pour toujours ? Le soleil ne se lèverait-il plus jamais ?

Dans la chambre régnait encore la bonne chaleur d'une nuit d'été, mais le givre envahissait les carreaux, les opacifiant peu à peu. Je posai la main dessus. Le froid me mordit la peau. Je soufflai sur le verre jusqu'à former un petit cercle transparent, pour avoir un œil sur l'extérieur.

Étais-je pris au piège dans une sorte d'enfer sur terre ? Le Démon avait-il causé plus de dégâts que l'Épouvanteur ne l'avait prévu, créant un domaine glacé sur lequel il régnerait éternellement ? Pourrais-je jamais quitter sain et sauf la chambre de maman ?

Un affreux sentiment de défaite et d'abandon m'envahit. J'avais la bouche desséchée, car je n'avais pas emporté d'eau. Quel idiot ! J'aurais dû y penser et me préparer un peu mieux. Pour rester dans cette chambre le temps qu'il fallait, j'avais besoin d'eau et de nourriture. Mais tout s'était passé si vite... Depuis que j'avais pénétré sur le territoire de Pendle avec l'Épouvanteur, j'avais dû affronter menace après menace, danger après danger.

J'arpentai la pièce de long en large. Je n'avais rien d'autre à faire. Aller d'un mur à l'autre et recommencer, mes bottes sonnant sur le plancher. À force, je sentis monter un violent mal de tête. Cela m'arrive rarement, mais celui-ci était vraiment sérieux. Un étau me serrait le crâne, et le sang battait douloureusement dans mes tempes.

Résisterais-je encore longtemps ? Même si les heures s'écoulaient, cela ne ressemblait pas à mon expérience habituelle du temps. Une pensée me vint alors, une pensée noire...

Maman avait protégé cette chambre, et le Démon ne pourrait y entrer. Mais qu'est-ce qui l'empêchait d'agir *à l'extérieur* ? Il avait déjà changé le monde – du moins la parcelle que je voyais de ma fenêtre. À l'extérieur, la ferme, les arbres, les animaux, les gens, tout était en son pouvoir. Pourrais-je jamais sortir d'ici ? Peut-être le monde ne redeviendrait-il normal que lorsque je sortirais ?

Des idées de plus en plus sombres envahissaient mon esprit, en dépit de mes efforts pour les repousser. Tout cela avait-il un sens ? On naissait, on s'activait quelques années, on vieillissait et on mourait. Et après ? Tous ces pauvres gens du Comté et du reste de la Terre, qui vivaient leurs petites existences avant d'être couchés dans la tombe... ! À quoi bon ? Mon père était mort. Il avait travaillé dur, jour après jour, et chacun de ces jours l'avait rapproché de sa fin. Le tombeau, c'était là que nous allions tous, pour être enfouis dans la terre et dévorés par les vers. Le pauvre Billy Bradley avait été l'apprenti de l'Épouvanteur avant moi. Un gobelin lui avait mangé les doigts, et il était mort d'hémorragie. Et où était-il, maintenant ? Au fond d'une fosse ; pas même dans un cimetière. Il avait été enterré à l'extérieur parce que l'Église ne nous traitait pas mieux que la plus pernicieuse des sorcières. Ce serait aussi mon destin. Une tombe dans un sol non consacré.

Et le père Stocks, qui n'avait même pas encore eu de funérailles ! Son corps gisait toujours sur un lit, à Read Hall, pourrissant lentement entre les draps. Il avait consacré sa vie à faire le bien, comme mon père. Autant en terminer tout de suite, pensai-je. Autant quitter la chambre de maman. Une fois mort, je n'aurais plus à m'inquiéter de rien. Plus de douleur, plus de mal de tête.

Tout plutôt que de demeurer emprisonné ici jusqu'à périr de faim et de soif ! Oui, mieux valait sortir et que ce soit fini...

J'avançais déjà vers la porte, la clé à la main, quand un froid soudain me fit frissonner. Je connaissais cet avertissement : quelque chose approchait, qui n'était pas de ce monde... Dans un coin, à l'opposé de la porte, une tremblante colonne de lumière commençait à se former.

Je reculai. Était-ce un fantôme ou une créature de l'obscur ? Je vis d'abord se matérialiser des bottes de marche, puis une soutane noire. Un prêtre ? La tête se dessina, le visage ; un regard incertain se posa sur moi. Et je reconnus le père Stocks.

Mais était-ce bien lui ? Je frissonnai de nouveau. J'avais déjà rencontré des êtres qui savaient changer d'apparence. Le Démon était fort capable d'emprunter des traits familiers pour mieux me tromper. Je m'efforçai de maîtriser ma respiration. Maman m'avait assuré que rien de mauvais ne pouvait pénétrer ici. Croire à sa parole, c'était tout ce qui me restait. Quelle que soit cette apparition, elle n'était pas maléfique.

— Je suis désolé, père ! m'écriai-je. Si désolé de n'être pas arrivé à temps pour vous sauver ! J'ai fait tout mon possible et suis revenu avant la tombée de la nuit, mais il était déjà trop tard...

Le père Stocks hocha tristement la tête :

— *Tu as fait de ton mieux, Tom, je le sais. Mais, à présent, je suis perdu et j'ai peur. J'ai erré dans un brouillard gris pendant une éternité. Un moment, j'ai cru apercevoir une faible lumière, au loin, mais elle a vacillé et s'est éteinte. Et je ne cesse d'entendre des voix. Des voix d'enfants qui crient mon nom. Oh, Tom ! Ce sont les voix des enfants que je n'ai pas eus, les petits jamais nés qui m'appellent. J'aurais pu être un vrai père, Tom, pas un prêtre. Et je ne le serai jamais.*

— Pourquoi êtes-vous ici, père ? Pourquoi me visiter ? Est-ce pour m'aider ?

Il eut un air ahuri :

— *Je suis là, Tom, voilà tout. Je n'ai pas choisi de venir. Peut-être quelqu'un m'a-t-il envoyé ; j'ignore pourquoi.*

— Vous avez mené une belle vie, père, lui dis-je en m'approchant, plein de compassion. Vous avez aidé tant de gens ! Vous avez combattu l'obscur ! Que pouviez-vous faire de plus ? Aussi, allez ! Prenez soin de vous-même et oubliez-moi ! Cherchez la lumière !

— *Je ne sais pas comment, Tom. J'ai essayé de prier ; je n'ai trouvé au fond de moi que nuit et désespoir. Oui, j'ai combattu l'obscur, mais j'ai échoué. J'aurais dû comprendre qui était Wurmalde. Je me suis laissé aveugler par ses artifices, comme Nowell. Moi, pourtant, j'aurais dû être plus clairvoyant. J'ai failli à mon devoir en tant que prêtre, et n'ai pas su utiliser ce que l'Épouvanteur m'a enseigné. Mon existence est un échec. J'ai vécu pour rien.*

La détresse du malheureux père Stocks m'avait éloigné de mes propres angoisses. Je ne pouvais l'abandonner dans un tel tourment. Je savais comment mon maître s'y prenait avec les âmes en peine, qui n'arrivaient pas à passer de l'autre côté. Si une bonne discussion ne donnait rien, il leur demandait d'examiner leur vie, d'évoquer des moments heureux. Généralement, cela les libérait des liens qui les retenaient dans notre monde.

– Écoutez-moi, père Stocks, dis-je. Vous étiez un épouvanteur autant qu'un prêtre. Souvenez-vous de ce que John Gregory vous a appris. Pensez à un souvenir heureux ! Concentrez-vous ! Quel a été votre plus beau jour sur cette terre ?

Les traits du prêtre se troublèrent et faillirent s'effacer. Puis ils se matérialisèrent de nouveau. L'air pensif, il reprit :

– *Un matin, je me suis réveillé et j'ai regardé autour de moi. J'étais allongé dans un lit, un rayon de soleil entrait par une fenêtre, et des grains de poussière dan-*

saient dans la lumière, scintillants comme un millier d'anges. Je n'arrivais plus à me rappeler ce que je faisais là. J'avais oublié jusqu'à mon nom. Je n'avais aucune inquiétude, je n'étais que conscience pure. J'étais soulagé du fardeau de la vie ; libéré de toute tâche et de tout devoir. Je me sentais heureux et comblé.

– C'est exactement ce que vous ressentez maintenant, lui assurai-je, reprenant l'idée qu'il venait d'exprimer. Et vous avez trouvé la lumière...

Sa bouche s'ouvrit d'étonnement. Puis un sourire plein de joie illumina son visage. Il disparut lentement, et je le regardai s'estomper en souriant moi aussi. Cela faisait bien longtemps que je n'avais pas souri. Je venais de donner la paix à mon premier fantôme.

Quant à la lumière, la chambre de maman en fut soudain emplie ! À l'instant où l'image du père Stocks s'évanouissait, un éclatant rayon de soleil traversa la vitre, et j'y vis danser des particules dorées, exactement comme le prêtre les avait décrites.

Je pris une longue inspiration. Je me rendais compte à quel point j'avais été déprimé. Le Démon n'avait pu pénétrer dans la chambre, mais il s'était infiltré dans mon esprit, me poussant au désespoir pour que j'ouvre la porte et me mette à sa merci. Le fantôme du père Stocks était apparu juste à temps, m'aidant à oublier ma propre détresse. J'avais réussi l'épreuve. Mon intuition m'assurait que je pouvais quitter la pièce sans crainte.

J'allai à la fenêtre. La lune sanglante avait disparu. Le cauchemar était fini. Le temps avait repris son cours. Deux jours avaient dû s'écouler depuis que le Démon avait franchi le portail. Nous étions donc le 3 août et c'était mon anniversaire. J'avais quatorze ans.

Le ciel était bleu, l'herbe verdoyait ; on ne voyait plus trace de givre. Tout cela n'avait été qu'une illusion, destinée à me désespérer pour me tirer hors de mon refuge.

J'aperçus alors deux silhouettes descendant côte à côte la colline du Pendu. L'une d'elles boitait. Malgré la distance, je les reconnus : c'était Alice et l'Épouvanteur. Mon maître portait deux sacs et deux bâtons. Puis je remarquai une chose étrange : une tranchée sombre partageait le bois en deux, telle une cicatrice.

25

Un nouvel ordre du monde

J e déverrouillai la porte, descendis l'escalier et sortis. Je découvris une scène de dévastation. La cheminée était tombée, toutes les fenêtres étaient brisées. Des tuiles étaient éparpillées dans la cour, les clôtures abattues, les rosiers de maman arrachés du mur. Le Démon, frustré de n'avoir pu entrer dans la chambre, avait passé sa rage sur la maison.

Et je comprenais la nature de cette sombre tranchée balafrant la colline : c'était le chemin qu'avait pris la créature pour se ruer sur la ferme. Sur toute sa longueur, les arbres avaient été abattus, piétinés, comme des brins d'herbe couchés par un faucheur infernal. De quelle puissance il avait fait preuve !

Pourtant, la chambre de maman avait résisté à son attaque.

L'air était calme, les oiseaux chantaient. Je traversai la cour et vins au-devant des arrivants. Je les retrouvai au portail de la clôture. Alice se jeta à mon cou et me serra contre son cœur.

– Oh, Tom ! Je suis si heureuse ! J'osais à peine espérer te revoir vivant...

– Désolé de ne pas avoir pu te secourir, petit, dit l'Épouvanteur. Tu as été livré à toi-même dès l'instant où tu as couru vers la ferme, et personne n'aurait été en mesure de t'aider. Une fois arrivés ici, nous avons observé ce qui se passait depuis le sommet de la colline ; il aurait été trop dangereux de s'approcher. Le Démon avait enveloppé la maison et la cour de sombres nuées, qui les dissimulaient aux regards. Nous l'entendions mener sa sarabande infernale. C'était insupportable d'être tenus ainsi à distance, impuissants. Il ne nous restait qu'à faire confiance aux promesses de ta mère et croire que la chambre te protégerait efficacement. Il semble que cette confiance était fondée.

– Et il est dans le monde, maintenant, n'est-ce pas ? demandai-je, attendant malgré tout que mon maître m'assure du contraire.

Malheureusement, il hocha la tête d'un air lugubre :

– Oui, il y est, cela se sent. Quelque chose a changé, comme lorsque le vent d'automne apporte une froideur annonciatrice de l'hiver. Un nouvel ordre du monde a commencé. Ainsi que le disait le père Stocks, Satan est le Diable. Wurmalde et les sorcières ne pouvaient le tenir sous contrôle que pendant deux jours. Elles l'ont envoyé à tes trousses. À présent, c'est fini, il est libre d'agir à sa guise. Il n'est plus soumis à leur volonté, et il va t'oublier quelque temps. Mais plus personne n'est en sécurité dans le Comté. L'obscur ne va cesser d'affirmer sa puissance, et nous devrons consacrer nos efforts à le tenir en échec. Nous avons toujours fait un métier dangereux, petit. J'ose pourtant à peine imaginer ce qui nous attend...

Je désignai la sombre trouée qui tranchait le bois en deux :

– A-t-il commis des dégâts semblables ailleurs ?

– On peut suivre sa trace depuis la colline de Pendle jusqu'ici. Des champs de blé ont été aplatis, pas mal d'arbres abattus et même quelques maisons. Il y a sûrement des victimes. Une fois ici, il s'est concentré sur toi. De ce fait, le Comté a échappé au pire.

– Donc, nous avons échoué, soupirai-je, accablé. Comment venir à bout d'une créature capable de telles destructions ? Elle doit être gigantesque !

– Si on en croit des ouvrages très anciens, Satan peut prendre n'importe quelle apparence. La plupart du temps, cependant, il ressemble à un homme ordinaire, le genre de type à côté de qui tu passes sans même le regarder. Plutôt que la force brutale, il préfère employer la ruse. Faut-il accorder foi à ces assertions ? L'avenir nous le dira. Allons, haut les cœurs, petit ! Quand on veut, on peut. Nous trouverons le moyen de le vaincre, un jour ou l'autre. Wurmalde est morte ; sans elle, les clans de sorcières vont reprendre leurs sempiternelles querelles. Et nous avons frappé un grand coup contre les Malkin. La tour n'est plus entre leurs mains. Les deux lamias semblent en avoir fait leur repaire. Cela signifie que les malles de ta mère sont bien gardées, et que nous disposons d'une place forte d'où mener les opérations dès notre retour à Pendle.

– Quoi ? Nous y retournons déjà ? m'exclamai-je.

Cette idée m'accablait d'avance.

– Non. Nous allons regagner Chipenden et prendre un repos bien mérité. Mais nous reviendrons. L'année prochaine ou la suivante. Ton apprentissage n'est pas fini, et tu manques encore d'entraînement. Si tu n'avais pas raté Grimalkin en lançant ta chaîne, tu n'aurais pas eu besoin d'utiliser mon bâton, non ?

Trop épuisé pour discuter, j'opinai de la tête.

— Tu as tout de même sauvé ta vie, ce qui n'est déjà pas si mal, étant donné les circonstances. Le temps que nous parvenions à l'arbre, un peu en dehors de la trouée faite par le Démon, la sorcière s'était déjà libérée et elle avait disparu, ne laissant que son sang sur l'écorce. Elle avait jeté mon bâton par terre et n'aurait pour rien au monde touché à la chaîne, que tu trouveras roulée dans ton sac. Mais tu t'es fait une ennemie de plus, alors, sois sur tes gardes !

Je ne m'inquiétais pas trop de Grimalkin. Un jour, je l'affronterais de nouveau, quand j'aurais grandi – quand elle éprouverait un vrai plaisir à me tuer. Ce qui me terrifiait, c'était l'idée d'avoir à combattre la puissance infernale de Satan. Mon avenir et celui du Comté m'apparaissaient sous les couleurs les plus sombres.

— Dans la chambre de maman, dis-je, j'ai eu la visite d'un fantôme. Celui du père Stocks. Nous avons parlé, et j'ai réussi à le renvoyer vers la lumière.

— Bien, petit ! Il va être regretté dans le pays, et moi, j'ai perdu un ami. Lui avoir donné la paix est un acte dont tu peux être fier. Dans notre métier, l'une des choses qui procurent le plus de satisfaction, c'est d'apporter le repos aux âmes en détresse.

— James et Jack vont-ils bien ? demandai-je.

— Oui, autant que je le sache. Nous sommes repassés par Downham, pour aider à transporter les

blessés. Puis, après avoir été prendre les sacs au presbytère, nous sommes venus directement ici, pendant
que James prenait le chemin de la tour Malkin.
Il avait l'intention de ramener Jack et les siens ici,
du moins s'il estimait ton frère en état de voyager.

– Alors, si nous restions jusqu'à leur arrivée ?
proposai-je. Nous pourrions nettoyer un peu la
maison, pour rendre leur retour un peu moins
pénible.

– Bonne idée, petit ! Ce n'est pas le boulot qui
manque...

Et c'est ce que nous fîmes. Nous nous mîmes tous
les trois à l'ouvrage sans ménager notre peine, ramassant les débris, rafistolant ce qui pouvait l'être.
Nous fîmes venir un vitrier du village pour remplacer
les carreaux. Je grimpai sur le toit et redressai le
conduit de cheminée de sorte que la fumée puisse
sortir, en attendant qu'un maçon effectue la répa-
ration. Quelques heures plus tard, la maison était
propre et rangée. Le soir venu, un bon feu flambait
dans l'âtre, et Alice nous avait préparé un repas.

Certes, rien n'était tout à fait comme avant. Je
me demandais si Ellie trouverait le courage de vivre
de nouveau ici. Elle déciderait peut-être d'emmener
sa fille dans un endroit plus sûr. Les sorcières connaissaient la ferme, désormais ; un jour ou l'autre, elles

pourraient revenir se venger. Cela reposait en grande partie sur la façon dont Jack se remettrait. Et si James restait travailler avec lui, cela rassurerait sûrement ma belle-sœur.

Laissant l'Épouvanteur s'assoupir devant la cheminée, Alice et moi allâmes nous asseoir dehors, sur les marches, pour contempler les étoiles. Au bout d'un moment, je rompis le silence :

– C'est mon anniversaire, aujourd'hui. J'ai quatorze ans.

Elle me jeta un regard moqueur :

– Te voilà presque un homme, alors ! Quoiqu'un peu efflanqué... Il faudrait te nourrir mieux que ça. Ce régime de vieux fromage ne te convient guère.

Sa réflexion me fit sourire. Puis je me souvins des paroles de Tibb, tandis que sa bave rougie par le sang du père Stocks gouttait sur ma chemise : *J'ai vu une fille qui sera bientôt femme. Celle qui partagera ta vie. Elle t'aimera, elle te trahira, puis elle mourra pour toi.*

S'agissait-il de Mab ? Sa déclaration d'amour m'avait choqué. Je l'avais trahie, puis elle aussi m'avait trahi en lançant le Démon à mes trousses. Parlait-il d'Alice ? Si oui, cette prophétie était terrible. Se réaliserait-elle ? Je n'aimais pas cette idée, et je n'avais pas l'intention d'en discuter avec Alice, qui croyait aux prédictions. Cela la rendrait malheureuse. Mieux valait garder le silence.

Cependant, une autre pensée me tourmentait. Je voulus l'écarter de mon esprit, mais la question finit par sortir d'elle-même :

— Quand j'étais avec Mab et ses sœurs, il est arrivé une chose bizarre. Mab semblait croire que je pourrais lui appartenir. Et j'ai ressenti une vive douleur au bras, là où tu as un jour enfoncé tes ongles. Tu avais dit alors que tu mettais ta marque sur moi. Cela m'inquiète, Alice. On marque les vaches et les moutons pour que leur propriétaire les reconnaisse. Est-ce cela que tu m'as fait ? As-tu usé de magie noire pour me tenir en ton pouvoir ?

Elle garda le silence un moment. Quand elle reprit la parole, ce fut pour me poser à son tour une question :

— Que faisait Mab juste avant que tu aies mal ?

— Elle m'embrassait.

— Pourquoi l'as-tu laissée faire ? reprit-elle sèchement.

— Je n'avais pas le choix. Mon bâton avait roulé à terre, et je ne pouvais pas bouger.

— Eh bien, heureusement que je t'ai marqué ! Sinon, tu lui aurais appartenu complètement. Tu lui aurais donné tes clés sans sourciller.

— Donc, elle ne pouvait pas me posséder parce que je t'appartiens déjà ?

Elle acquiesça d'un hochement de menton :

— Ce n'est pas aussi terrible que tu l'imagines. Tu devrais m'être reconnaissant. Grâce à ça, aucune sorcière ne te tiendra jamais en son pouvoir. Tu portes ma marque ; cela les repousse, rien de plus. Tu es libre. Tu n'es pas obligé de rester assis près de moi. Va-t'en, si tu veux ! Tu le veux ?

Je secouai la tête :

— Non. Je suis content d'être là, près de toi.

— Moi aussi. Nous sommes contents tous les deux. Qu'est-ce qu'il y a de mal à ça ?

— Rien. Mais n'en parle jamais à l'Épouvanteur. Il nous séparerait aussitôt.

De nouveau, le silence retomba. Je sentis alors la main d'Alice prendre la mienne. Je réalisais à quel point c'était bon d'être assis à côté d'elle, à lui tenir la main. C'était meilleur encore que la première fois, quand nous nous rendions chez sa tante à Staumin.

— Qu'utilises-tu ? demandai-je. La séduction ou la fascination ?

Elle me lança un coup d'œil malicieux :

— Les deux.

Comme à mon habitude, j'ai écrit ce récit de mémoire, me servant au besoin de mon cahier de notes. Je suis de retour à Chipenden, avec Alice et l'Épouvanteur, et l'automne est revenu.

Les nuits rallongent, les feuilles commencent à tomber.

À la ferme, les choses vont pour le mieux. Jack a retrouvé l'usage de la parole et, bien qu'il ne soit pas encore tout à fait lui-même, son état s'améliore de jour en jour, laissant espérer un complet rétablissement. James a tenu sa promesse ; il s'est installé à la ferme. Il s'est bâti une forge près de la nouvelle grange ; il a déjà quelques clients. Il a toujours l'intention de se lancer dans la fabrication et la vente de bière, ainsi notre domaine reprendra son nom d'autrefois, la Brasserie.

Je sais que Ellie n'est pas parfaitement heureuse. Elle craint toujours une nouvelle incursion des sorcières, même si la présence de Jack et de James la rassure un peu.

Le surgissement du Démon dans notre monde met le pays en danger. Quand nous en parlons avec l'Épouvanteur, j'ai perçu à plusieurs reprises une lueur apeurée dans son regard. Plus que jamais, l'obscur menace.

Les nouvelles du Sud ne sont pas bonnes. La guerre fait rage, et il faut remplacer régulièrement les soldats tombés au combat. Des recruteurs parcourent le Comté, enrôlant de force les jeunes gens dans l'armée. Mon maître craint que je ne sois un jour concerné. Il a l'habitude d'envoyer chacun de ses apprentis chez un autre maître pendant six mois, pour qu'ils s'initient à de nouvelles façons de travailler et enrichissent leur expérience. Au premier signe d'inquiétude, il envisage de me placer chez M. Arkwrigth, de l'autre côté de Caster. Il pense que les recruteurs ne monteront pas jusque-là.

Ce qui m'ennuie, c'est qu'Alice ne viendra pas avec moi. Néanmoins, je devrai obéir. Il est l'Épouvanteur, je ne suis que son apprenti. Et je sais qu'il agit toujours pour le mieux.

Thomas J. Ward

Cet ouvrage a été mis en pages
par DV Arts Graphiques à la Rochelle

Impression réalisée par

La Flèche

en janvier 2012
pour le compte des Éditions Bayard

Imprimé en France
N° d'impression : 67313